# STAMMBAUM DER FAMILIE EPHRUSSI

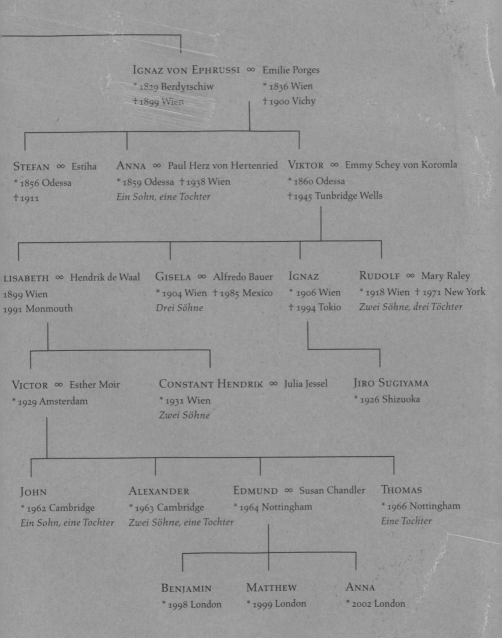

**IGNAZ VON EPHRUSSI** ∞ Emilie Porges
\* 1829 Berdytschiw       \* 1836 Wien
†1899 Wien       †1900 Vichy

**STEFAN** ∞ Estiha
\* 1856 Odessa
†1911

**ANNA** ∞ Paul Herz von Hertenried
\* 1859 Odessa  †1938 Wien
*Ein Sohn, eine Tochter*

**VIKTOR** ∞ Emmy Schey von Koromla
\* 1860 Odessa
†1945 Tunbridge Wells

**LISABETH** ∞ Hendrik de Waal
1899 Wien
1991 Monmouth

**GISELA** ∞ Alfredo Bauer
\* 1904 Wien  †1985 Mexico
*Drei Söhne*

**IGNAZ**
\* 1906 Wien
† 1994 Tokio

**RUDOLF** ∞ Mary Raley
\* 1918 Wien  † 1971 New York
*Zwei Söhne, drei Töchter*

**VICTOR** ∞ Esther Moir
\* 1929 Amsterdam

**CONSTANT HENDRIK** ∞ Julia Jessel
\* 1931 Wien
*Zwei Söhne*

**JIRO SUGIYAMA**
\* 1926 Shizuoka

**JOHN**
\* 1962 Cambridge
*Ein Sohn, eine Tochter*

**ALEXANDER**
\* 1963 Cambridge
*Zwei Söhne, eine Tochter*

**EDMUND** ∞ Susan Chandler
\* 1964 Nottingham

**THOMAS**
\* 1966 Nottingham
*Eine Tochter*

**BENJAMIN**
\* 1998 London

**MATTHEW**
\* 1999 London

**ANNA**
\* 2002 London

Edmund de Waal

# Der Hase mit den Bernsteinaugen

*Das verborgene Erbe*
*der Familie Ephrussi*

Aus dem Englischen
von Brigitte Hilzensauer

Paul Zsolnay Verlag

Die Originalausgabe erschien 2010 unter dem Titel
*The Hare with Amber Eyes. A Hidden Inheritance* im Verlag
Chatto & Windus (Random House), London.

16 17 18 19 20  16 15 14 13 12

ISBN 978-3-552-05556-8
Copyright © Edmund de Waal 2010
Alle Rechte der deutschsprachigen Ausgabe
© Paul Zsolnay Verlag Wien 2011
Satz: Eva Kaltenbrunner-Dorfinger, Wien
Druck und Bindung: CPI – Ebner & Spiegel, Ulm
Printed in Germany

MIX
Papier aus verantwortungs-
vollen Quellen
FSC
www.fsc.org
FSC® C006701

*Für Ben, Matthew und Anna*
*und für meinen Vater*

»Selbst wenn man nicht mehr an den Dingen hängt, ist es nicht unbedingt gleichgültig, ob man daran gehangen hat, denn immer ist es aus Gründen gewesen, die den anderen entgehen ... Gut, gut. Jetzt, wo ich etwas zu müde bin, um mit anderen zu leben, scheinen mir diese alten, mir so ganz allein zugehörigen Gefühle, die ich durchlebt habe, wie es nun einmal die Manie aller Sammler ist, unerreichbar an Wert. Ich schließe mir selbst mein Herz auf, als wäre es so etwas wie eine Vitrine und betrachte eine nach der anderen alle die Arten von Liebe, welche die anderen nicht kennengelernt haben. Von dieser Sammlung aber, an der ich jetzt noch stärker hänge als an allen übrigen, sage ich mir ein wenig wie Mazarin mit Bezug auf seine Bücher – aber im übrigen ohne alle Angst –, daß es doch sehr bedauerlich sein wird, alles das zu verlassen.«

*Charles Swann*
*Marcel Proust, »Sodom und Gomorra«*

# Inhalt

# Vorwort

1991 wurde mir von einer japanischen Stiftung ein Zwei-Jahres-Stipendium zugesprochen. Die Idee dahinter war, sieben jungen Engländerinnen und Engländern mit unterschiedlichen beruflichen Interessen – Technik, Journalismus, Industrie, Keramik – zunächst an einer englischen Universität die Grundbegriffe der japanischen Sprache zu vermitteln; darauf sollte ein Jahr in Tokio folgen. Unsere Beherrschung der Sprache sollte dazu beitragen, eine neue Ära der Beziehungen mit Japan zu eröffnen. Wir waren die Ersten, die ins Programm aufgenommen wurden, und die Erwartungen waren hoch.

In unserem zweiten Jahr verbrachten wir die Vormittage in einer Sprachenschule in Shibuya, oberhalb eines Gewirrs aus Fast-Food-Märkten und Elektronik-Diskontern gelegen. Tokio erlebte damals den größten Boom seit dem Krieg. Berufspendler blieben an den Zebrastreifen stehen, wo ein Gedränge herrschte wie nirgendwo auf der Welt, um einen Blick auf die Videoanzeigen zu werfen, auf denen die Aktienkurse des Nikkei-Index immer höher kletterten. Um den Stoßzeiten in der U-Bahn auszuweichen, ging ich eine Stunde früher und traf mich vor dem Unterricht mit einem anderen Studenten, einem Archäologen, auf Zimtbrötchen und Kaffee. Seit meiner Schulzeit hatte ich nun zum ersten Mal wieder Hausaufgaben zu erledigen: Ich musste jede Woche 150 *kanji* lernen, japanische Schriftzeichen, musste den Text einer Spalte aus einer Boulevardzeitung grammatikalisch bestimmen und jeden Tag Dutzende Redewendungen wiederholen. Noch nie hatte ich mich vor etwas so gefürchtet. Die jüngeren Studenten scherzten mit den Lehrkräften auf Japanisch über Fernsehsendungen oder politische Skandale. Die Schule lag hinter einem grünen Metalltor; ich erinnere mich, eines Morgens dagegen getreten und gedacht zu haben, was das bedeutete: achtundzwanzig und gegen ein Schultor treten.

Die Nachmittage gehörten mir. Zwei pro Woche verbrachte ich in einem Keramikatelier, wo man die verschiedensten Leute antraf, von pensionierten Geschäftsleuten, die Teeschalen anfertigten, bis zu Studenten, die in grobem rotem Ton und Maschendraht ihr Avantgarde-Statement abgaben. Man zahlte seinen Beitrag, schnappte sich eine Werkbank oder Töpferscheibe und konnte loslegen. Es war nicht laut dort, aber es herrschte ein fröhliches Plaudergesumme. Ich arbeitete zum ersten Mal mit Porzellan und drückte behutsam die Wände meiner Krüge und Teekannen nach innen, nachdem ich sie von der Scheibe genommen hatte.

Ich hatte getöpfert, seit ich ein Kind war, und meinen Vater bestürmt, mich in einen Abendkurs mitzunehmen. Als Erstes hatte ich auf der Töpferscheibe eine Schale gefertigt, die ich in opalisierendem Weiß mit einem Schuss Kobaltblau glasierte. Die meisten Nachmittage meiner Schulzeit verbrachte ich in einer Töpferwerkstatt, und mit siebzehn ging ich vorzeitig von der Schule ab, um bei einem strengen Mann in die Lehre zu gehen, einem Jünger des englischen Töpfers Bernard Leach. Er lehrte mich Respekt vor dem Material und Zweckmäßigkeit: Ich drehte Hunderte Suppenschüsseln und Honigtöpfe aus grauem Steinzeugton und fegte den Boden. Ich half beim Herstellen der Glasuren, genau ausgewogenen Neujustierungen östlicher Farben. Er war nie in Japan gewesen, doch er hatte Regale voller Bücher über japanische Töpferwaren: Wenn wir vormittags aus Bechern unseren Milchkaffee tranken, diskutierten wir über die Vorzüge bestimmter Teeschalen. Hüte dich, pflegte er zu sagen, vor ungerechtfertigter Gestik: Weniger ist mehr. Wir arbeiteten schweigend oder hörten klassische Musik.

Während dieser Lehrzeit verbrachte ich einen langen Sommer in Japan und besuchte ähnlich strenge Meister in Töpferdörfern im ganzen Land: Mashiko, Bizen, Tamba. Jedes Wispern beim Zusammenfalten eines Papier-Wandschirms, jedes Geplätscher, wenn das Wasser im Garten eines Teehauses über Steine floss, war eine Epiphanie, so wie jede Neonreklame für Dunkin' Donuts mich vor Unbehagen den Mund verziehen ließ. Es existiert ein schriftlicher Beleg für die Intensität meiner Hingabe, ein Artikel, den ich nach meiner Rückkehr für eine Zeitschrift verfasste: »Japan und die Ethik des Töpfers. Ehrfurcht vor dem Material und den Zeichen des Alters«.

Nachdem ich meine Lehrzeit beendet und anschließend an der Universität englische Literatur studiert hatte, arbeitete ich sieben Jahre allein in stillen, ordentlichen Ateliers an der walisischen Grenze und dann in einer trostlosen Innenstadt. Ich war sehr fokussiert, ebenso wie meine Töpfereien. Und nun war ich wieder in Japan, stand in einem chaotischen Atelier neben einem Mann, der über Baseball schwatzte, und fertigte einen Porzellankrug mit leicht nach innen gedrückten, gestischen Seiten. Es gefiel mir; die Sache lief gut.

Zwei Nachmittage pro Woche verbrachte ich im Archiv des Nihon Mingeikan, des Japanischen Volkskunstmuseums, und arbeitete an einem Buch über Leach. Das Museum ist in einem umgestalteten Bauernhaus in einem Vorort untergebracht und enthält die Sammlungen japanischer und koreanischer Volkskunst von Yanagi Soetsu. Yanagi, Philosoph, Kunsthistoriker und Dichter, entwickelte eine Theorie, warum manche Objekte – Töpfe, Körbe, Textilien – unbekannter Handwerker so schön seien. Seiner Ansicht nach verkörperten sie deshalb unbewusste Schönheit, weil man sie in so großer Anzahl hergestellt hatte, dass der Handwerker sich von seinem Ego gelöst hatte. Er und Leach waren als junge Männer Anfang des 20. Jahrhunderts in Tokio unzertrennliche Freunde gewesen und hatten einander anregende Briefe über ihre hingebungsvolle Lektüre der Werke Blakes, Whitmans und Ruskins geschrieben. Sie hatten sogar in einem Weiler unweit von Tokio eine Künstlerkolonie begründet, wo Leach mit einheimischen Knaben als Assistenten seine Töpfe angefertigt und Yanagi vor seinen Freunden aus der Bohème über Rodin und Schönheit doziert hatte.

Hinter einer Tür wurde aus dem Steinboden Bürolinoleum; über einen Flur ging es nach hinten in Yanagis Archiv: ein kleiner Raum, dreieinhalb mal zweieinhalb Meter, Regale bis zur Decke; dort befanden sich seine Bücher und Pappschachteln mit seinen Notizbüchern und seinem Briefwechsel. Ein Schreibtisch stand da, darüber hing eine einzelne Glühbirne. Ich mag Archive. Dieses hier war sehr, sehr still und äußerst düster. Hier las ich, machte mir Notizen und plante eine Neubewertung von Leach. Es sollte eine geheime Geschichte des Japonismus werden, der Art und Weise, wie der Westen Japan mehr als hundert Jahre lang schwärmerisch und schöpferisch missverstanden hat. Ich wollte herausfinden, was an Japan in Künstlern eine solche Intensität, solche Inbrunst erweckte und die Wissenschaftler, die ein Missverständnis nach dem anderen aufdeckten, so verdross. Wenn ich ein solches Buch schrieb, so hoffte ich, würde ich vielleicht meine eigene aufgestaute Besessenheit von diesem Land loswerden.

Und einen Nachmittag pro Woche war ich bei meinem Großonkel Iggie.

Ich trat aus der U-Bahn-Station, ging vorbei an matt schimmernden Bierautomaten, vorbei am Sengaku-ji-Tempel, wo die siebenundvierzig Samurai begraben liegen, vorbei am eigenartig barocken Versammlungssaal einer Shinto-Sekte, vorbei an der Sushibar des mürrischen Mr. X, dann bei der hohen Mauer von Prinz Takamatsus Garten mit den Kiefern nach rechts. Ich stieß die Haustüre auf und nahm den Lift in den sechsten Stock. Iggie saß in einem Lehnstuhl am Fenster und las. Meistens Elmore Leonard oder John Le Carré. Oder Memoiren auf Französisch. Komisch, sagte er, wie manche Sprachen wärmer wirken als andere. Ich beugte mich zu ihm nieder, er gab mir einen Kuss.

Auf seinem Schreibtisch lagen ein unbenutzter Löscher, ein Blatt seines Papiers mit Briefkopf, dazu Federn, obwohl er nichts mehr schrieb. Aus dem Fenster hinter ihm sah man auf Kräne. Die Bucht von Tokio verschwand hinter vierzigstöckigen Wohnblocks.

Dann nahmen wir das Abendessen ein, das entweder seine Haushälterin Frau Nakamura zubereitet oder sein Freund Jiro vorbeigebracht hatte, der in der Nachbarwohnung lebte. Ein Omelett und Salat, dazu getoastetes Brot aus einer der exzellenten französischen Bäckereien in den Kaufhäusern an der Ginza. Ein Glas kalten Weißwein, Sancerre oder Pouilly Fumé. Einen Pfirsich. Etwas Käse und dann ausgezeichneten Kaffee. Schwarzen Kaffee.

Iggie war vierundachtzig und leicht gebückt. Er war stets untade-

*Iggie mit der Netsuke-Sammlung*
*in Tokio, 1960*

lig gekleidet und sah gut aus in seinen Fischgrätsakkos mit Stecktuch, pastellfarbenen Hemden und Krawatten. Er trug einen kleinen weißen Schnurrbart.

Nach dem Abendessen öffnete er die Schiebetür der langen Vitrine, die den größten Teil der Wohnzimmerwand einnahm, und nahm die Netsuke heraus, eins nach dem anderen. Den Hasen mit den Bernsteinaugen. Den Knaben mit dem Samuraischwert und Helm. Einen Tiger, ganz Schulter und Beine, der fauchend den Kopf wendet. Er gab mir eines, wir betrachteten es gemeinsam, und dann legte ich es behutsam zurück zu den Dutzenden anderen Tier- und Menschenfiguren auf den Glasborden.

Ich füllte die Schälchen, die in der Vitrine standen, mit Wasser, damit die Elfenbeinarbeiten in der trockenen Luft nicht rissig wurden.

Hab ich dir erzählt, sagte er dann, wie sehr wir sie als Kinder geliebt haben? Dass mein Vater und meine Mutter sie von einem Cousin in Paris geschenkt bekamen? Und hab ich dir die Geschichte von Annas Schürzentasche erzählt?

Die Unterhaltung konnte sonderbare Wendungen nehmen. So beschrieb er etwa im einen Moment, wie ihre Köchin in Wien seinem Vater zum Geburtstagsfrühstück Kaiserschmarren zubereitet hatte, dicken, staubzuckerbestreuten Pfannkuchen, den der Butler Josef mit Grandezza ins Esszimmer trug und mit einem großen Messer zerteilte; wie sein Papa zu sagen pflegte, nicht einmal der Kaiser könne seinen Geburtstag besser beginnen. Und im nächsten Augenblick redete er dann über Lillis zweite Ehe. Wer war Lilli?

Gott sei Dank, dachte ich, ich hatte zwar keine Ahnung von Lilli, doch wusste ich wenigstens, wo sich einige der Geschichten zutrugen: in Bad Ischl, in Kövecses, in Wien. Während in der Dämmerung die Beleuchtung an den Baukränen anging und das Licht immer weiter hinein in die Bucht von Tokio fiel, dachte ich, dass ich allmählich eine Art Sekretär wurde und vielleicht aufzeichnen sollte, was er über Wien vor dem Ersten Weltkrieg erzählte, dass ich mit einem Notizbuch neben ihm sitzen sollte. Ich tat es nie. Es kam mir förmlich und unpassend vor. Und gierig: Was für eine tolle, üppige Geschichte, davon nehm ich mir was. Wie auch immer, mir gefiel die Art und Weise, wie die Wiederholung die Dinge glattschleift; Iggies Geschichten hatten etwas von Bachkieseln.

In diesem Jahr der Nachmittage hörte ich davon, wie stolz ihr Vater auf die Klugheit von Iggies älterer Schwester Elisabeth gewesen war und dass Mama deren gewählte Sprache nicht gemocht hatte. Red doch vernünftig! Oft sprach er etwas beklommen von einem Spiel mit seiner Schwester Gisela: Sie mussten etwas Kleines aus dem Salon holen, es die Treppen hinunter und über den Hof schaffen, den Stallburschen ausweichen, dann die Kellertreppe hinunter und es in den Gewölben unter dem Haus verstecken. Und dann die anderen herausfordern, es zurückzuholen; und wie er einmal im Dunkeln etwas verloren hatte. Es schien eine unvollendete, zerfranste Erinnerung.

Eine Menge Geschichten über Kövecses, ihr Landhaus in der Slowakei. Wie ihn seine Mutter Emmy im Morgengrauen geweckt hatte, als er zum ersten Mal allein mit einem Jagdhüter und einem Gewehr hinausging, um in den Stoppelfeldern Hasen zu schießen, wie er nicht hatte abdrücken können, als er ihre Ohren in der kühlen Luft zittern sah.

Wie Gisela und Iggie auf Zigeuner mit einem angeketteten Tanzbären stießen, die am Rand des Landguts am Bach ihr Lager aufgeschlagen hatten, und voller Schreck den ganzen Weg zurückrannten. Wie der Orient-Express an der Haltestelle stehen blieb und der Bahnhofsvorsteher ihrer weißgekleideten Großmutter heraushalf, wie sie ihr entgegenliefen, um sie zu begrüßen, und das in grünes Papier eingeschlagene Kuchenpaket in Empfang nahmen, das sie in Wien beim Demel für sie gekauft hatte.

Wie Emmy ihn beim Frühstück ans Fenster holte, um ihm einen Baum im Herbstlaub vor dem Esszimmer zu zeigen, über und über voller Distelfinken. Wie er ans Fenster pochte und sie aufflogen, und der Baum glühte immer noch golden.

Nach dem Essen spülte ich das Geschirr, während Iggie ein Schläfchen hielt, und versuchte dann meine *kanji*-Aufgaben zu erledigen; einen karierten Papierbogen nach dem anderen füllte ich mit meinen unbeholfenen Versuchen. Ich blieb, bis Jiro mit den japanischen und englischen Abendzeitungen und den Croissants für das Frühstück von der Arbeit kam. Jiro legte Schubert auf oder Jazz, wir nahmen einen Drink, und dann ließ ich sie allein.

Ich hatte ein sehr hübsches Zimmer in Mejiro gemietet, es blickte auf einen kleinen Garten voller Azaleen. Ich hatte eine elektrische Kochplatte und einen Teekessel und tat mein Bestes, doch an den Abenden war mein Leben sehr nudelzentriert und ziemlich einsam. Zweimal im Monat ging ich mit Jiro und Iggie zum Abendessen oder in ein Konzert. Sie luden mich auf Drinks ins Imperial ein und dann zu wunderbaren Sushi oder Steak Tatare oder, als Hommage an unsere Bankiersvorfahren, zu Bœuf à la financière. Die Gänseleber, Iggies Grundnahrungsmittel, lehnte ich ab.

In diesem Sommer fand in der Britischen Botschaft ein Empfang für die Studenten statt. Ich sollte auf Japanisch eine Rede darüber halten, was ich in meinem Jahr gelernt hatte, und über die Brückenfunktion der Kultur für unsere beiden Inselnationen. Ich hatte geübt, bis ich es nicht mehr aushielt. Iggie und Jiro waren gekommen, und ich sah, wie sie mir über ihre Sektgläser hinweg aufmunternd zuzwinkerten. Nachher klopfte mir Jiro auf die Schulter, und Iggie gab mir einen Kuss; lächelnd, komplizenhaft meinten sie, mein Japanisch sei *jozu desu ne* – fachmännisch, gekonnt, unvergleichlich.

Sie hatten es sich gut eingerichtet, die beiden. In Jiros Wohnung war ein japanisches Zimmer mit Tatami-Matten und dem kleinen Schrein mit Fotos seiner und Iggies Mutter, Emmy; davor sprachen sie Gebete und läuteten Glöckchen. Auf der anderen Seite der Tür, in Iggies Wohnung, stand auf dem Schreibtisch ein Foto von ihnen beiden in einem Boot auf dem Inlandsee, hinter ihnen ein kiefernbestandener Berg, Sonnenflecken auf dem Wasser. Es ist Januar 1960. Jiro, sehr gut aussehend, das Haar zurückgestrichen, hat einen Arm um Iggies Schulter gelegt. Und noch ein Bild, aus den Achtzigern, auf einem Kreuzfahrtschiff irgendwo vor Hawaii, in Abendkleidung, Arm in Arm.

Am längsten zu leben ist schwer, flüstert Iggie.

In Japan alt zu werden ist wunderbar, sagt er dann lauter. Mehr als mein halbes Leben bin ich jetzt hier.

Vermisst du etwas von Wien? (Warum nicht ganz ehrlich sein und fragen: Was fehlt dir, wenn du alt bist und nicht in dem Land lebst, in dem du geboren wurdest?)

Nein. Ich bin erst 1973 wieder hingefahren. Es war drückend. Erstickend. Jeder kennt einen. Man kauft in der Kärntner Straße einen Roman und wird gefragt, ob sich die Mama schon von der Erkältung erholt hat. Man konnte sich nicht rühren. Im Haus alles voller Gold und Marmor. Es war so finster. Hast du unser altes Haus an der Ringstraße gesehen?

Weißt du, sagt er plötzlich, dass japanische Zwetschkenknödel besser schmecken als Wiener Zwetschkenknödel?

Ja, doch, fährt er nach einer Pause fort, Papa hat immer gesagt, er würde mich in seinen Club einführen, wenn ich alt genug sei. Die Sitzungen waren am Donnerstag, irgendwo bei der Oper, seine Freunde waren dort, seine jüdischen Freunde. Er ist an Donnerstagen immer so gut aufgelegt heimgekommen. Der Wiener Club. Ich wollte immer mit ihm hingehen, aber er hat mich nie mitgenommen. Ich bin dann nach Paris gegangen und nach New York, weißt du, und dann kam der Krieg.

Das fehlt mir. Das hat mir gefehlt.

Iggie starb 1994, bald nachdem ich nach England zurückgekehrt war. Jiro rief mich an: Iggie war nur drei Tage im Krankenhaus gewesen. Es sei eine Erlösung gewesen. Ich flog zum Begräbnis nach Tokio. Wir waren zwei Dutzend, ihre alten Freunde, Jiros Familie, Frau Nakamura und ihre Tochter, in Tränen aufgelöst.

Dann die Kremation; wir versammeln uns, die Asche wird gebracht, einer nach dem anderen nehmen wir lange schwarze Stäbchen und legen die unverbrannten Knochenfragmente in eine Urne.

Wir gehen zum Tempel, wo sich Iggies und Jiros Begräbnisstätte befindet. Zwanzig Jahre zuvor haben sie das Grabmal geplant. Der Friedhof liegt auf einem Hügel hinter dem Tempel, jede Grabstelle ist von Steinmäuerchen umgeben. Dort steht ein grauer Grabstein, ihre beiden Namen sind bereits eingraviert, davor Platz für Blumen. Eimer mit Wasser, Bürsten und lange Holztafeln mit gemalten Inschriften. Man klatscht dreimal in die Hände, begrüßt seine Verwandten und entschuldigt sich, dass es so lange her ist seit dem letzten Besuch; dann reinigt man den Grabstein, entfernt alte Chrysanthemen und stellt neue ins Wasser.

Im Tempel wird die Urne auf ein kleines Podest gesetzt, davor eine Fotografie von Iggie: die mit dem Smoking auf dem Kreuzfahrtschiff. Der Abt singt ein Sutra, wir opfern Weihrauch, und Iggie erhält seinen neuen buddhistischen Namen, sein *kaimyo*, das ihm in seinem nächsten Leben Beistand leisten soll.

Dann sprechen wir über ihn. Ich versuche auf Japanisch auszudrücken, wie viel mir mein Großonkel bedeutet, es gelingt mir nicht, da ich weinen muss und mein Japanisch trotz meines teuren Zweijahresstipendiums nicht gut genug ist, wenn ich es brauche. So sage ich eben in diesem Raum, in diesem buddhistischen Tempel in diesem Vorort von Tokio, Kaddisch für Ignaz von Ephrussi, der so fern ist von Wien, für seinen Vater und seine Mutter, seinen Bruder und seine Schwestern in ihrer Diaspora.

Nach der Bestattung bittet mich Jiro, ihm beim Aussortieren von Iggies Kleidung zu helfen. Ich öffne die Schränke in seinem Ankleidezimmer und sehe die nach Farben sortierten Hemden. Während ich die Krawatten einpacke, fällt mir auf, dass sie eine Art Karte seiner Urlaube mit Jiro nachzeichnen: London und Paris, Honolulu und New York.

Als das erledigt ist und wir ein Glas Wein trinken, nimmt Jiro Pinsel und Tusche, schreibt ein Dokument und versiegelt es. Darauf steht, so sagt er mir, dass ich mich nach seinem Tod der Netsuke annehmen soll.

Also bin ich der Nächste.

264 Netsuke befinden sich in dieser Sammlung. Es ist eine sehr große Sammlung sehr kleiner Dinge.

Ich nehme eines und wende es in meinen Fingern, wiege es auf meiner Handfläche. Wenn es aus Holz ist, Kastanie oder Ulme, ist es sogar noch leichter als Elfenbein. Auf den hölzernen Netsuke ist die Patina deutlicher zu erkennen: Das Rückgrat des gefleckten Wolfs zeigt einen leichten Schimmer, so wie die in ihre Umklammerung verstrickten stürzenden Akrobaten. Die elfenbeinernen gibt es in Abstufungen von Cremefarben, eigentlich von allen Farben außer Weiß. Einige haben eingelegte Augen aus Bernstein oder Horn. Manche der älteren Stücke sind ein wenig abgegriffen: Die Flanken des auf Blättern hingelagerten Fauns haben ihre Zeichnung verloren. Auf der Zikade ist ein leichter Riss, eine beinahe unmerkliche Bruchlinie. Wer hat sie fallen gelassen? Wo und wann?

Die meisten tragen eine Signatur – dieser Augenblick des Besitzens, wenn man etwas vollendet hat und loslässt. Es gibt ein hölzernes Netsuke eines sitzenden Mannes mit einem Flaschenkürbis zwischen den Beinen. Er beugt sich darüber, beide Hände an einem Messer, das halb im Kürbis steckt. Es ist Schwerarbeit, seine Arme, seine Schulter, sein Nacken zeigen die Anstrengung: Jeder Muskel ist auf die Klinge konzentriert. Es gibt ein weiteres von einem Küfer, der mit einer Dechsel an einem halbfertigen Fass arbeitet. Er lehnt sich daran, die Brauen vor Konzentration gerunzelt. Eine Elfenbeinschnitzerei darüber, wie es sich anfühlt, in Holz zu schneiden. Beide schaffen etwas Vollendetes zum Thema Halbfertiges. Schau, sagen sie, ich bin schon dort, und er hat noch kaum angefangen.

Beim Befingern ist es reizvoll, die Stelle aufzuspüren, wo die Signatur angebracht ist – auf der Sohle einer Sandale, am Ende eines Zweigs, auf dem Oberleib einer Hornisse –, die Beziehung zwischen den Pinselstrichen zu entdecken. Ich denke an die Gesten, mit denen man in Japan seinen Namen tuscht, die schwingende Bewegung des Pinsels in die Tusche, der erste plosive Moment des Kontakts, dann zurück zum Tintenstein, und staune, wie man mit den feinen Metallwerkzeugen eines Netsuke-Künstlers eine solch ausgeprägte Signatur entwickeln konnte.

Einige der Netsuke tragen keinen Namen. Auf einigen kleben Papierstückchen, darauf stehen winzige Nummern in roter Tinte.

Viele Ratten sind darunter. Vielleicht deswegen, weil sie dem Künstler die Möglichkeit geben, ihre geschmeidigen Schwänze umeinanderzuwinden, um Wassereimer, tote Fische, Bettlergewänder, und dann die Pfoten an der Unterseite der Schnitzerei zu falten. Es gibt auch viele Rattenfänger, fällt mir auf.

Einige Netsuke sind Studien in fließender Bewegung, die Finger gleiten über eine Oberfläche aus sich entrollenden Seilen oder verschüttetem Wasser. Andere zeigen kleine, gepresste Gesten, die sich knotig anfühlen: ein Mädchen in einem hölzernen Zuber, ein Strudel aus Muschelschalen. Manche haben beides, auf überraschende Weise: Ein komplex gezackter Drache lehnt an einem glatten Felsen. Man lässt die Finger über die Glätte und Härte des Elfenbeins gleiten und trifft auf die unvermittelte Kompaktheit des Drachen.

Sie sind immer asymmetrisch, denke ich voll Freude. Wie meine liebsten japanischen Teeschalen; man kann das Ganze nicht aus einem Teil begreifen.

Zurück in London, stecke ich eines dieser Netsuke in die Tasche und trage es einen Tag lang mit mir herum. Tragen ist nicht das richtige Wort, wenn man ein Netsuke in der Tasche hat. Es klingt zu zielgerichtet. Ein Netsuke ist so leicht und klein, dass es wegschlüpft, zwischen Schlüsseln und Wechselgeld beinahe verschwindet. Man vergisst einfach, dass es da ist. Es ist das Netsuke einer überreifen Mispelfrucht, im späten 18. Jahrhundert in Edo, dem alten Tokio, aus Kastanienholz geschnitzt. Im Herbst sieht man in Japan manchmal Mispeln; ein Zweig, der über eine Tempelmauer hängt oder von einem Privatgarten in eine Straße voller Münzautomaten, wirkt überaus beglückend. Meine Mispel ist gerade am Übergang von der Reife zum Weichwerden. Die drei Blätter an der Spitze fühlen sich an, als würden sie abfallen, wenn man sie zwischen den Fingern reibt. Die Frucht ist nicht ganz gleichmäßig; auf einer Seite ist sie reifer als auf der anderen. Unten kann man die zwei Löcher fühlen, eines etwas größer, wo die Seidenschnur durchlief, so dass das Netsuke als Knebelknopf an einem kleinen Beutel dienen konnte. Ich versuche mir vorzustellen, wem die Mispel gehört hat. Sie wurde in den 1850er Jahren gefertigt, lange vor der Öffnung Japans für den Außenhandel und deshalb für den japanischen Geschmack: Sie könnte für einen Kaufmann oder Gelehrten geschnitzt worden sein. Sie ist still, unaufdringlich, aber sie bringt mich zum Lächeln. Etwas Greifbares aus einem sehr harten Material zu machen, das sich so weich anfühlt, ist ein bedächtiger und ziemlich guter taktiler Scherz.

Ich behalte die Mispel in meiner Jackentasche und gehe zu einer Besprechung in ein Museum, es geht um eine Recherche, die ich erledigen soll, dann in mein Atelier und in die London Library. Hin und wieder lasse ich das Ding durch die Finger gleiten.

Es wird mir klar, dass ich unbedingt wissen möchte, wie dieses hartweiche, leicht zu verlierende Objekt überlebt hat. Ich muss einen Weg finden, seine Geschichte zu enträtseln. Dass ich dieses Netsuke besitze, dass ich sie alle geerbt habe, bedeutet, man hat mir eine Verantwortung für sie und für die Menschen, die sie besaßen, übertragen. Ich fühle mich unsicher und verwirrt, wie die Bedingungen dieser Verantwortung aussehen mögen.

Das Wesentliche ihrer Reise kenne ich von Iggie. Ich weiß, dass ein Cousin meines Urgroßvaters namens Charles Ephrussi diese Netsuke in den 1870er Jahren in Paris gekauft hat. Ich weiß, dass mein Urgroßvater Viktor von Ephrussi sie in Wien um die Jahrhundertwende von ihm zur Hochzeit geschenkt bekam. Ich kenne die Geschichte von Anna, der Zofe meiner Urgroßmutter, sehr gut. Und ich weiß, dass sie mit Iggie nach Tokio kamen und zu seinem Leben mit Jiro gehörten.

Paris, Wien, Tokio, London.

Die Geschichte der Mispel beginnt dort, wo sie geschaffen wurde. In Edo, dem alten Tokio, bevor die »Schwarzen Schiffe« des amerikanischen Commodore Perry 1859 Japan für den Handel mit dem Rest der Welt öffneten. Doch ihre erste Bleibe war in Charles' Arbeitszimmer in Paris. Es war in einem Zimmer im Hôtel Ephrussi, das auf die Rue de Monceau blickte.

Es fängt gut an. Ich bin erfreut, weil ich eine direkte Verbindung zu Charles habe, eine Verbindung durch das Wort. Als fünfjähriges Kind traf meine Großmutter Elisabeth Charles im Chalet Ephrussi in Meggen am Vierwaldstättersee. Das Chalet, das waren sechs Stockwerke aus grob behauenen Steinquadern, überragt von gedrungenen Türmchen, ein Haus von überwältigender Hässlichkeit. Charles' ältester Bruder Jules und dessen Frau Fanny hatten es Anfang der 1880er Jahre erbauen lassen; dort wollten sie dem »fürchterlichen Druck in Paris« entfliehen. Das Haus war riesig, groß genug, um den gesamten Ephrussi-Clan aus Paris und Wien, dazu diverse Cousins und Cousinen aus Berlin zu beherbergen.

Um das Chalet verliefen endlose schmale, knirschende Wege mit säuberlichen Buchsbaumeinfassungen nach englischer Manier, es gab kleine Beete mit einjährigen Blumen und einen grimmigen Gärtner, der die Kinder zusammenstauchte, wenn sie spielten; in diesem strengen Schweizer Garten hatte kein Kiessteinchen etwas verloren. Der Garten fiel zum See hinunter ab, dort waren ein kleiner Landesteg und ein Bootshaus und noch mehr Gelegenheiten, ausgeschimpft zu werden. Jules, Charles und der mittlere Bruder Ignaz waren russische Staatsbürger, auf dem Dach des Bootshauses flatterte die kaiserliche russische Flagge. Die Sommer im Chalet waren endlos und gemächlich. Meine Großmutter sollte die märchenhaft reichen und kinderlosen Jules und Fanny beerben. Sie erinnerte sich an ein großes Gemälde im Speisezimmer, Weiden an einem Fluss. Und sie erinnerte sich auch, dass es nur männliche Bedienstete im Haus gab, sogar der Koch war ein Mann, das war tausendmal aufregender als der Haushalt in Wien, wo es neben all den Hausmädchen und Köchinnen nur den alten Butler Josef gab, den Portier, der ihr zuzwinkerte, wenn er das Tor zur Ringstraße öffnete, und die Stallburschen. Anscheinend zerbrachen männliche Bedienstete weniger Porzellan. Und, so entsann sie sich, in diesem Chalet ohne Kinder stand Porzellan auf jeder nur verfügbaren Oberfläche.

Charles war in mittleren Jahren, verglichen mit seinen unendlich glamouröseren Brüdern schien er aber schon alt. Elisabeth erinnerte sich bloß an seinen prächtigen Bart und dass er eine äußerst fein gearbeitete Uhr aus der Westentasche zog. Und dass er ihr, wie ältere Verwandte das zu tun pflegen, eine Goldmünze geschenkt hatte.

Doch sie erinnerte sich auch sehr deutlich und lebhafter, dass sich Charles niedergebeugt und ihrer Schwester das Haar zerstrubbelt hatte. Ihre Schwester Gisela – jünger und viel, viel hübscher – fand immer solche Beachtung. Charles hatte sie seine kleine Zigeunerin genannt, seine *bohémienne*.

Das ist meine mündliche Verbindung zu Charles. Es ist Geschichte und fühlt sich doch, wenn ich es niederschreibe, nach wenig an.

Das, von dem ich ausgehen kann – die vielen männlichen Bediensteten, die etwas abgedroschene Geschichte von der geschenkten Münze –, scheint in einer Art melancholischem Halbdämmer zu liegen, wenn mir auch das Detail mit der russischen Flagge recht gut gefällt. Ich weiß natürlich, dass meine Verwandten Juden und dass sie atemberaubend reich waren, aber ich möchte keine sepiagetönte Familiensaga schreiben, keine elegische mitteleuropäische Verlustgeschichte. Und ganz sicher möchte ich aus Iggie keinen alten Großonkel im Studierzimmer machen, eine Figur wie Bruce Chatwins Utz, der mir die Familiengeschichte überantwortet: Nimm dies, gib acht darauf.

Eine solche Geschichte, denke ich, würde sich praktisch von selber schreiben. Ein paar zusammengeflickte wehmütige Anekdoten, etwas über den Orient-Express natürlich, ein bisschen Herumschlendern in Prag oder einem ähnlich photogenen Ambiente, ein paar Google-Schnipsel über Ballsäle in der Belle Époque. Das wäre schön nostalgisch. Und dünn.

Nostalgie über all den verlorenen Reichtum und Glanz von vor einem Jahrhundert steht mir nicht zu. Und etwas Dünnes interessiert mich nicht. Ich möchte wissen, welche Beziehung es gab zu diesem hölzernen Ding, das ich in meinen Fingern wende – hart und knifflig und japanisch –, und wo es gewesen ist. Ich möchte die Türklinke angreifen können, sie niederdrücken und fühlen, wie die Tür sich öffnet. Ich möchte in jeden Raum gehen, wo dieses Objekt existiert hat, möchte sein Volumen spüren, wissen, welche Bilder an der Wand hingen, wie das Licht aus den Fenstern einfiel. Und ich möchte wissen, in wessen Händen es war, was jemandem daran lag, was er darüber dachte – falls er das tat. Ich möchte wissen, wovon es Zeuge war.

Melancholie, denke ich, ist eine Art gedankenlose Verschwommenheit, eine Ausstiegsklausel, ein erdrückender Mangel an Bildschärfe. Und dieses Netsuke ist eine kleine, unverwüstliche Entladung von Genauigkeit. Es verdient dafür ebendiese Art von Genauigkeit.

Das alles ist wichtig, denn meine Arbeit besteht darin, Gegenstände herzustellen. Für mich ist es nicht nebensächlich, wie Objekte angefasst, benutzt und weitergegeben werden. Das ist mein Thema. Ich habe Tausende, Abertausende Gefäße gemacht. Bei Namen bin ich nicht gut, ich stottere und rede herum, bei Gefäßen aber bin ich gut. Ich kann das Gewicht einer Töpferei im Kopf behalten, ihre Ausgewogenheit, die Art, wie die Oberfläche sich zum Rauminhalt verhält. Ich kann lesen, wie ein Rand Spannung aufbaut oder verliert. Ich kann spüren, ob das Gefäß hastig oder mit Sorgfalt hergestellt wurde. Ob es Wärme besitzt.

Ich kann sehen, wie es sich zu den Objekten verhält, die in seiner Nähe stehen. Wie es ein kleines Stück Welt um sich herum verdrängt.

Ich kann mich auch erinnern, ob etwas zur Berührung mit der ganzen Hand oder bloß mit den Fingern einlud oder einen Abstand nehmen hieß. Etwas zu berühren ist nicht unbedingt besser als etwas nicht zu berühren. Manche Dinge in der Welt sind dafür geschaffen, aus der Entfernung betrachtet zu werden, man sollte nicht an ihnen herumfummeln. Als Töpfer finde ich es ein wenig eigenartig, wenn Leute, die meine Gefäße besitzen, von ihnen reden, als wären sie lebendig: Ich bin nicht sicher, ob ich mit dem Nachleben meiner Schöpfungen zurechtkomme. Doch manche Objekte scheinen den Pulsschlag ihres Geschaffenwerdens zu behalten.

Dieser Pulsschlag beschäftigt mich. Ein Atemzug des Innehaltens, bevor man etwas berührt oder nicht berührt, ein eigenartiger Moment. Wenn ich dieses weiße Schälchen mit der kleinen Kerbe beim Henkel aufnehmen möchte, wird es dann in meinem Leben eine Rolle spielen? Ein einfaches Ding, dieses Schälchen, eher elfenbeinfarben als weiß, zu klein für den Morgenkaffee, nicht ganz ausgewogen, es könnte sich den Dingen in meinem Leben zugesellen, mit denen ich umgehe. Es könnte in die Region der privaten Geschichten absinken: das sinnliche, geschmeidige Verflechten von Gegenständen mit Erinnerungen. Ein bevorzugter, ein Lieblingsgegenstand. Oder ich könnte es beiseitestellen. Oder verschenken.

Wie Objekte weitergegeben werden, hat mit Geschichtenerzählen zu tun. Ich gebe dir das, weil ich dich liebe. Oder weil man es mir gegeben hat. Weil ich es an einem besonderen Ort gekauft habe. Weil du darauf achtgeben wirst. Weil es dein Leben komplizieren wird. Weil es jemand anderen neidisch machen wird. Vermächtnisse erzählen keine einfachen Geschichten. Woran erinnert man sich, was wird vergessen? Ebenso wie die stetige Anlagerung von Geschichten kann es auch eine Kette des Vergessens geben, ein Abscheuern des einstigen Eigentumsrechts. Was wird mir mit all diesen kleinen japanischen Objekten weitergegeben?

Ich merke, ich habe schon zu lange mit dieser Netsuke-Sache gelebt. Ich kann sie entweder für den Rest meines Lebens anekdotisch ausschlachten – die kuriose Erbschaft eines geliebten alten Verwandten – oder herausfinden, was sie bedeutet. Eines Abends ertappe ich mich dabei, wie ich ein paar Wissenschaftlern beim Dinner erzähle, was ich von der Geschichte weiß, und mir wird ein wenig übel dabei, wie souverän das alles klingt. Ich höre mich sie unterhalten, und die Geschichte spiegelt sich in ihren Reaktionen. Sie wird nicht nur glatter, sie wird auch dünner. Ich muss das jetzt in Ordnung bringen, oder sie wird sich verflüchtigen.

Dass ich viel zu tun habe, ist keine Entschuldigung. Eben erst hatte ich eine Ausstellung meines Porzellans in einem Museum, den Auftrag für einen Sammler kann ich verschieben, wenn ich es geschickt anfange. Ich habe mit meiner Frau verhandelt und meinen Terminkalender abgehakt. Drei, vier Monate sollten genügen. In dieser Zeit könnte ich noch einmal nach Tokio, um Jiro zu treffen, dann nach Paris und Wien.

Da meine Großmutter und Großonkel Iggie tot sind, muss ich meinen Vater um Hilfe bitten, damit ich anfangen kann. Er ist achtzig und die Güte in Person; für Hintergrundinformationen wird er gerne die Familiensachen durchforsten. Er scheint entzückt, dass einer seiner vier Söhne Interesse zeigt. Es sei nicht viel, warnt er mich. Er kommt mit einem kleinen Packen Fotos in mein Atelier, ungefähr vierzig sind es, dazu zwei dünne blaue Ordner mit Briefen, auf die er gelbe Postits geklebt hat, die meisten Briefe kann ich entziffern; ein Stammbaum mit Anmerkungen meiner Großmutter aus den 1970ern, das Mitgliedsbuch für den Wiener Club aus dem Jahr 1935 und, in einem Supermarktbeutel, ein Stoß Romane von Thomas Mann mit Widmung. Wir breiten alles auf dem langen Tisch in meinem Büro im ersten Stock aus, über dem Raum mit den Brennöfen für meine Töpfereien. Du bist jetzt der Hüter des Familienarchivs, sagt er, und ich sehe die Stapel an und bin mir nicht sicher, wie komisch ich das finden soll.

Ein wenig verzagt frage ich, ob es noch mehr Material gibt. Am Abend schaut er in seinem kleinen Apartment in der Wohnanlage für pensionierte Geistliche, wo er lebt, noch einmal nach und ruft mich dann an: Er hat noch einen Band Thomas Mann gefunden. Diese Reise wird komplizierter werden, als ich dachte.

Trotzdem, ich kann nicht gleich mit Jammern anfangen. Ich weiß wenig Substanzielles über Charles, den ersten Sammler der Netsuke, aber ich habe herausgefunden, wo in Paris er gelebt hat. Ich stecke ein Netsuke in die Tasche und mache mich auf den Weg.

# TEIL EINS

# Paris 1871–1899

# 1

# Le West End

An einem sonnigen Apriltag ziehe ich los, um Charles zu finden. Die Rue de Monceau ist eine lange Pariser Straße, auf halber Höhe schneidet sie der prachtvolle Boulevard Malesherbes, der dann in Richtung Boulevard Pereire weiterführt. Auf der ansteigenden Straße reihen sich Häuser aus Golden Stone aneinander, eine Reihe Hôtels mit sachte klassizistischen Anklängen, jedes ein kleiner florentinischer Palazzo mit wuchtigen Rustika-Erdgeschossen und einem Großaufgebot von Büsten, Karyatiden und Kartuschen. Nummer 81 Rue de Monceau, das Hôtel Ephrussi, wo meine Netsuke ihre Reise antraten, steht am höchsten Punkt der Straße. Ich passiere einen Showroom von Christian Lacroix; das Haus daneben ist es. Jetzt befindet sich dort, wie deprimierend, eine Krankenversicherung.

Es ist wunderschön. Als Junge pflegte ich Gebäude wie dieses hier zu zeichnen, Nachmittage verbrachte ich damit, sorgfältig Schatten zu tuschen, so dass man die Plastizität der Fenster und Säulen nachspüren konnte. Es ist etwas Musikalisches an solchen Aufrissen. Man nimmt klassische Elemente und versucht ihnen rhythmisches Leben zu verleihen: vier emporstrebende korinthische Pilaster gliedern die Fassade, vier massive steinerne Urnen auf der Brüstung, fünf Stockwerke hoch, acht Fenster breit. Das Erdgeschoss ist aus großen Steinblöcken gemauert, so bearbeitet, dass sie verwittert wirken. Ich gehe zweimal daran vorbei, beim dritten Mal fällt mir auf, dass in die Gitter an den straßenseitigen Fenstern das doppelte E der Familie Ephrussi eingearbeitet ist, die Schnörkel der Buchstaben winden sich um das Oval. Die E sind kaum erkennbar. Ich versuche mir diese Zurückhaltung zu erklären und was sie über das Selbstgefühl der Familie aussagt. Ich schlüpfe durch den Durchgang in einen Hof, dann durch einen weiteren Torbogen zu Stallgebäuden aus rotem Backstein mit Dienstbotenwohnungen darüber; ein ansprechendes Diminuendo von Materialien und Texturen.

Ein Bote bringt Schachteln mit Speedy-Go-Pizza in die Büros der Krankenversicherung. Die Tür zum Entree steht offen. Ich gehe hinein, die Treppe windet sich wie eine Rauchfahne durch das Haus hinauf, schwarzes Schmiedeeisen und Goldfiligran bis zur Laterne ganz oben. In einer tiefen Nische eine Marmorurne, Marmorfliesen im Schachbrettmuster. Angestellte kommen die Treppe herunter, die Absätze knattern auf dem Marmor, ich ziehe mich verlegen zurück. Wie soll ich bloß diese idiotische Suche erklären? Ich stehe auf der Straße, betrachte das Haus und mache ein paar Fotos, Entschuldigungen murmelnd drücken sich Pariser an mir vorbei. Häuser zu betrachten ist eine Kunst. Man muss sehen lernen, wie ein Gebäude in der Landschaft oder einer Straßenlandschaft situiert ist. Man muss entdecken, wie viel Raum es in der Welt einnimmt, wie viel davon es verdrängt. Nummer 81 zum Beispiel ist ein Haus, das auf gewitzte Weise in seine Nachbarn hineinkriecht: Es gibt Häuser, die grandioser sind, manche sind weniger ansehnlich, wenige aber diskreter.

Ich blicke hinauf zu den Fenstern im zweiten Stock, wo Charles seine Zimmerflucht hatte; von einigen Räumen sah man über die Straße zu dem robusteren klassizistischen Bau gegenüber, von anderen über den Hof in eine abwechslungsreiche Dachlandschaft aus Urnen, Giebeln und Schornsteinaufsätzen. Er hatte ein Vorzimmer, zwei Salons – einen nutzte er als Arbeitszimmer –, ein Speisezimmer, zwei Schlafzimmer und ein »petite«. Ich versuche es mir zurechtzulegen; er und sein älterer Bruder Ignaz müssen angrenzende Wohnungen auf diesem Stockwerk gehabt haben, der ältere Bruder Jules und die verwitwete Mutter Mina lebten unterhalb, in den Räumen mit den höheren Decken und prächtigeren Fenstern und den Balkonen, auf denen an diesem Aprilmorgen ein paar staksige rote Geranien in Plastiktöpfen blühen. Laut den städtischen Messdaten war der Innenhof mit einem Glasdach versehen, aber dieses Glas ist seit langem verschwunden. Und es gab fünf Pferde und drei Kutschen in den Stallungen, die jetzt ein elegantes kleines Häuschen sind. War das die richtige Anzahl an Pferden für eine große Familie mit einem regen gesellschaftlichen Umgang, die den richtigen Eindruck hinterlassen wollte?

Es ist ein riesiges Haus, aber die drei Brüder müssen einander jeden Tag auf dieser schwarz-goldenen gewundenen Treppe begegnet sein oder einander gehört haben, wenn das Geräusch der Kutsche, die im Hof zum Ausfahren bereitgemacht wurde, vom Glasbaldachin widerhallte. Oder sie trafen Freunde, die an ihrer Tür vorbei zu einer Wohnung im darüberliegenden Stockwerk gingen. Sie müssen eine Methode entwickelt haben, einander nicht zu sehen und zu hören; so nahe bei seiner Familie zu wohnen bedeutet einiges, denke ich und grüble über meine eigenen Brüder nach. Sie müssen sich gut verstanden haben. Vielleicht hatten sie in der Sache auch keine Wahl. Paris, das bedeutete schließlich Arbeit.

Das Hôtel Ephrussi war ein Familienhaus, zugleich aber auch die Pariser Zentrale eines äußerst einflussreichen Geschlechts. Es hatte sein Gegenstück in Wien, das riesige Palais Ephrussi an der Ringstraße. Das Pariser wie das Wiener Gebäude besitzen beide eine gewisse Theatralik, ein der Welt zugewandtes Gesicht. Sie wurden beide 1871 in neuen, schicken Bezirken erbaut: Die Rue de Monceau und die Ringstraße waren beide damals so sehr der letzte Schrei, dass sie noch unvollendet waren, wüste, geräuschvolle, staubige Bauplätze. Räume, die dabei waren, sich selbst zu erfinden, in Konkurrenz zu den älteren Stadtvierteln mit ihren engeren Straßen, auf brüske Art neureich.

Wenn dieses besondere Haus in dieser besonderen Straßenlandschaft ein wenig bühnenhaft wirkt, dann war das beabsichtigt. Diese Häuser in Paris und Wien gehörten zu einem Familienplan: Die Familie Ephrussi ging nach dem Rothschild-Muster vor. So wie die Rothschilds ihre Söhne und Töchter zu Beginn des 19. Jahrhunderts von Frankfurt ausgesandt hatten, um die europäischen Hauptstädte zu kolonisieren, so hatte der Abraham meiner Familie, Charles Joachim Ephrussi, in den 1850er Jahren diese Expansion von Odessa aus in die Wege geleitet. Ein echter Patriarch, hatte er zwei Söhne aus seiner ersten Ehe, Ignaz und Leon, und als er mit fünfzig Jahren noch einmal heiratete, bekam er weitere Kinder: weitere zwei Söhne, Michel und

Maurice, und zwei Töchter, Therese und Marie. Alle sechs Kinder sollten als Financiers tätig sein oder in geeignete jüdische Dynastien einheiraten.

Die Stadt Odessa lag im Ansiedlungsrayon, jener Gegend an der Westgrenze des Zarenreichs, wo Juden sich niederlassen durften. Sie war berühmt wegen ihrer rabbinischen Schulen und ihrer Synagogen, reich an Literatur und Musik, ein Anziehungspunkt für die verelendeten jüdischen galizischen Schtetl. Odessa war auch eine Stadt, in der sich die Zahl der Juden, Griechen und Russen in jedem Jahrzehnt verdoppelte, eine vielsprachige Stadt voller Spekulanten und Kaufleute, im Hafen wimmelte es von Intriganten und Spionen: eine Stadt im Aufbruch. Charles Joachim Ephrussi hatte durch Weizenaufkäufe in großem Maßstab aus einem kleinen Getreidehandel ein riesiges Unternehmen gemacht. Er kaufte das Getreide bei Mittelsmännern, die es auf Karren über zerfurchte Feldwege von der fetten schwarzen Erde der ukrainischen Weizenfelder, der größten der Welt, in den Hafen von Odessa transportierten. Hier wurde das Korn in Speichern gelagert und dann über das Schwarze Meer die Donau hinauf oder über das Mittelmeer weiterverschifft.

1860 war die Familie zum größten Getreideexporteur der Welt aufgestiegen. In Paris kannte man James de Rothschild als *le Roi des Juifs*, den König der Juden. Die Ephrussi waren *les Rois du Blé*, die Weizenkönige. Diese Juden besaßen ihr eigenes Wappen: eine Ähre und ein heraldisches Boot mit drei Masten und geblähten Segeln. Darunter entrollte sich ihr Motto, *Quod Honestum*: Wir sind über jeden Verdacht erhaben. Sie können uns trauen.

Der Masterplan bestand darin, auf diesem Netzwerk aufzubauen und gigantische Projekte zu finanzieren: Brücken über die Donau, Eisenbahnlinien durch Russland und Frankreich, Hafenanlagen, Kanäle. Ephrussi et Cie wandelte sich von einem sehr erfolgreichen Handels- zu einem internationalen Finanzunternehmen. Daraus wurde eine Bank. Und jedes vorteilhafte Abkommen mit einer Regierung, jedes Risikoprojekt mit einem verarmten Erzherzog, jeder Kunde, den man sich verpflichtete, bedeutete einen Schritt zu noch größerer Seriosität,

*Das Hôtel Ephrussi*
*in der Rue de Monceau*

einen Schritt weg von den Ochsenkarren voller Weizen, die knarrend aus der Ukraine angerollt kamen.

1857 wurden die beiden älteren Söhne samt ihren Familien von Odessa nach Wien entsandt, der Hauptstadt des ausgedehnten Habsburgerreichs. Sie kauften ein riesiges Haus im Stadtzentrum, das nun die nächsten zehn Jahre lang einer wechselnden Population aus Großeltern, Kindern und Enkeln ein Heim bot, während die Familie zwischen den zwei Städten hin und her pendelte. Einer der Söhne, mein Ururgroßvater Ignaz, bekam die Aufgabe übertragen, die Geschäfte der Ephrussi in Österreich-Ungarn von Wien aus zu leiten. Dann kam

Paris an die Reihe: Leon, der ältere Sohn, sollte Familie und Unternehmen dort etablieren.

Ich stehe vor Leons Außenposten auf einem honigfarbenen Hügel im achten Arrondissement. Eigentlich lehne ich am Haus gegenüber und denke an den glühheißen Sommer von 1871, als sie aus Wien eintrafen und in dieses neuerbaute goldgelbe Haus zogen. Die Stadt litt noch unter einem Trauma. Die Belagerung durch die preußische Armee hatte erst einige Monate zuvor mit der Niederlage Frankreichs und der Ausrufung des Deutschen Kaiserreichs im Spiegelsaal von Versailles ihr Ende gefunden. Die neue Dritte Republik stand auf wackeligen Beinen, sie war gefährdet durch die Kommunarden auf der Straße und durch Fraktionskämpfe in der Regierung.

Das Haus der Ephrussi war zwar fertig, doch die Nachbarhäuser waren alle noch im Bau. Die Stuckateure waren eben erst gegangen, die Vergolder lagen in unbequemen Verrenkungen auf den flachen Treppen und polierten die Knäufe am Handlauf. Möbel, Bilder, Kisten mit Geschirr werden langsam in die Wohnungen hinaufgeschleppt. Lärm innen, Lärm außen, alle Fenster zur Straße stehen offen. Leon geht es nicht gut, er ist herzkrank. Und das Leben der Familie in dieser schönen Straße beginnt mit einem schrecklichen Schlag. Betty, das jüngste der vier Kinder von Leon und Mina, verheiratet mit einem jungen jüdischen Bankier von tadelloser Reputation, stirbt einige Wochen nach der Geburt ihrer Tochter Fanny. Sie müssen in der jüdischen Abteilung des Friedhofs am Montmartre, in ihrer neuen Heimatstadt, ein Familienmausoleum errichten. Es ist gotisch, groß genug für die ganze Sippe; auch das macht deutlich, dass sie hierbleiben werden, komme, was da wolle. Schließlich mache ich es ausfindig. Die Türflügel sind verschwunden, der Herbstwind hat Kastanienblätter darinnen zusammengeweht.

Diese Anhöhe war das perfekte Umfeld für die Familie Ephrussi. So wie die Wiener Ringstraße, wo der andere Teil der Sippe lebte, spöttisch Zionstraße genannt wurde, war jüdisches Geld auch hier in der Rue de Monceau der gemeinsame Nenner. Die Gegend war in den 1860ern von Isaac und Emile Péreire entwickelt worden, zwei sephar-

dischen Brüdern, die als Financiers, Eisenbahnbauer und Immobilien-
magnaten zu Geld gekommen waren und kolossale Hotel- und Kauf-
hausprojekte finanziert hatten. Sie erwarben die Plaine de Monceau,
ein weites, ödes Gelände, ursprünglich außerhalb der Stadtgrenzen
gelegen, und gingen daran, Häuser für die aufstrebende Finanz- und
Handelselite zu errichten, eine angemessene Umgebung für die eben
erst ansässig werdenden jüdischen Familien aus Russland und der Le-
vante. In diesen Straßen entstand eine regelrechte Kolonie, ein Komplex aus Einheiraten, gegenseitigen Verpflichtungen und religiöser
Gleichgestimmtheit.

Die Péreires gestalteten den bereits bestehenden Park aus dem
18. Jahrhundert um, um den Häusern ringsum eine schönere Aussicht
zu bieten. Neue schmiedeeiserne Gittertore mit vergoldeten Emblemen, die auf die Tätigkeit der Péreires Bezug nahmen, führten nun
hinein. Manche nannten die Gegend rings um den Parc Monceau *le
West End*. Wenn man Sie fragt, wo der Boulevard Malesherbes hin-
führt, schrieb ein zeitgenössischer Journalist, »dann sagen Sie einfach
ganz keck: ins West End … Eine englische Bezeichnung ist viel vornehmer als eine französische.« Das war der Park, wo man, wie ein anderer gallig schrieb, »die großen Damen aus den noblen Faubourgs
promenieren sehen kann … die weiblichen Pendants der ›Haute Finance‹ und der ›Haute Colonie Israelite‹«.Wege schlängelten sich im
Park an Blumenbeeten im neuen englischen Stil vorrüber, mit bunten
einjährigen Pflanzen, die ständig erneuert werden mussten; weit entfernt von der gestutzten grauen Akkuratesse der Tuilerien.

Während ich in einem Tempo, das mir einem Flaneur angemessen scheint, etwas langsamer als üblich, vom Hôtel Ephrussi abwärts
schlendere und hin und wieder die Straßenseite wechsle, um mir die
Details der Stuckatur um die Fenster näher anzusehen, wird mir bewusst, dass viele der Häuser, an denen ich vorübergehe, diese Geschichten von Neuerfindung in sich tragen. Fast alle, die sie erbauten,
hatten anderswo begonnen.

Zehn Häuser abwärts vom Heim der Ephrussi, auf Nummer 61,
steht das Haus von Abraham Camondo, sein Bruder Nissim wohnte

auf Nummer 63, seine Schwester Rebecca gegenüber auf Nummer 60. Die Camondos, jüdische Finanzmagnaten wie die Ephrussi, waren aus Konstantinopel via Venedig nach Paris gekommen. Der Bankier Henri Cernuschi, ein plutokratischer Anhänger der Kommune, stammte aus Italien und lebte mit seinen japanischen Kostbarkeiten in kühler Pracht am Rand des Parks. Auf Nummer 55 befindet sich das Hôtel Cattaui, das einer Familie jüdischer Bankiers aus Ägypten gehörte. Auf Nummer 43 steht das Palais von Adolphe de Rothschild; er hatte es von Eugène Péreire erworben und umgebaut, samt einem glasüberdachten Ausstellungsraum für seine Renaissance-Kunstsammlung.

Nichts aber kann sich mit dem vom Schokolademagnaten Émile-Justin Menier erbauten Herrenhaus vergleichen. Es war ein so grandios-exzessives Gebäude, garniert mit so eklektischen Verzierungen, die man über die hohen Mauern hinweg erspähte, dass Zolas Beschreibung, es sei ein »opulenter Bastard aus allen Stilen«, heute noch treffend scheint. In Zolas 1872 erschienenem düsterem Roman »La Curée« (Die Beute) lebt Saccard, ein habgieriger jüdischer Immobilienmagnat, hier in der Rue de Monceau. Man spürt die Straße, als die Familie hierherzieht: Es ist eine Straße der Juden, eine Straße voller Menschen, die sich in ihren verschwenderisch goldstrotzenden Häusern zur Schau stellen. *Monceau* ist ein Pariser Slangausdruck für neureich, Emporkömmling.

Das ist die Welt, in der sich meine Netsuke zunächst niederließen. In dieser abfallenden Straße fühle ich das Changieren zwischen Diskretion und Opulenz, eine Art Einatmen–Ausatmen von Unsichtbarkeit zu Sichtbarkeit.

Charles Ephrussi war einundzwanzig, als er hier einzog. In Paris pflanzte man Bäume, breite Bürgersteige ersetzten die beengten Durchgänge der alten Stadt. Seit fünfzehn Jahren wurde unter der Leitung des Stadtplaners Baron Haussmann abgerissen und neu gebaut. Er hatte die mittelalterlichen Viertel demolieren lassen und Parks und Boulevards geschaffen. Mit rasanter Geschwindigkeit wurden neue Schneisen angelegt.

Wenn man diesen Moment spüren will, den Staub schmecken, der

*Gustave Caillebotte, Le Pont de l'Europe, 1876*

über den frisch gepflasterten Avenuen und über den Brücken wabert,
dann sollte man sich zwei Gemälde von Gustave Caillebotte ansehen.
Caillebotte, einige Monate älter als Charles, wohnte in unmittelbarer
Nähe der Ephrussi, ebenfalls in einem großen Hôtel. Auf seinem Bild
»Le Pont de l'Europe« sieht man einen jungen, gutgekleideten Mann
in grauem Überzieher und schwarzem Zylinder, vielleicht der Künstler selbst, auf dem großzügig angelegten Trottoir die Brücke überqueren. Er geht zwei Schritte vor einer jungen Frau im dezent gerüsch-
ten Kleid, die einen Sonnenschirm hält. Die Sonne scheint. Der frisch
behauene Stein schimmert. Ein Hund schnürt vorüber. Ein Arbeiter
lehnt sich über das Brückengeländer. Es ist wie der Anfang der Welt:
eine Litanei vollkommener Bewegungen und Schatten. Alle, auch der
Hund, wissen, was sie tun.

Die Straßen von Paris wirken gelassen: Makellose Steinfassaden,
rhythmisch angeordnete Balkone, frisch gepflanzte Linden sieht man
in seinem Gemälde »Jeune homme à sa fenêtre«, das in der zweiten

Impressionistenausstellung 1876 gezeigt wurde. Hier steht Caillebottes Bruder am offenen Fenster der Familienwohnung und blickt auf die Kreuzung der Straßen neben der Rue de Monceau. Die Hände in den Taschen steht er da, gut angezogen und selbstsicher, sein Leben vor ihm, ein Plüschsessel hinter ihm.

Alles ist möglich.

Das könnte der junge Charles sein. Er ist in Odessa geboren und hat die ersten zehn Jahre seines Lebens in einem gelben, stuckverzierten Palais am Rand eines staubigen, von Kastanienbäumen gesäumten Platzes verbracht. Wenn er zum Dachboden des Hauses hinaufsteigt, sieht er über die Masten der am Hafen liegenden Schiffe aufs Meer. Sein Großvater bewohnt ein ganzes Stockwerk und besetzt viel Raum. Die Bank ist nebenan. Charles kann nicht die Promenade entlanggehen, ohne dass jemand seinen Großvater oder Vater oder seine Onkel aufhält, sie um Informationen bittet, um eine Gefälligkeit, eine Kopeke, irgendetwas. Unwissentlich lernt er, dass sich in der Öffentlichkeit zu bewegen eine Reihe von Begegnungen und Ausweichmanövern bedeutet; wie man Bettlern und Straßenhändlern Geld gibt, wie man Bekannte grüßt, ohne stehen zu bleiben.

Dann übersiedelt Charles nach Wien und lebt dort die nächsten zehn Jahre mit seinen Eltern und Geschwistern, seinem Onkel Ignaz und seiner frostigen Tante Emilie sowie seinen drei Cousins, Stefan (hochnäsig), Anna (scharfzüngig) und dem kleinen Viktor. Ein Hauslehrer kommt jeden Morgen. Sie lernen Sprachen: Latein, Griechisch, Deutsch und Englisch. Zuhause müssen sie immer Französisch sprechen, untereinander dürfen sie das Russische verwenden, bei Jiddisch aber, das sie in den Hinterhöfen Odessas aufgeschnappt haben, dürfen sie sich nicht erwischen lassen. Die Cousins können alle einen Satz in einer Sprache anfangen und in einer anderen beenden. Diese Sprachen brauchen sie, als die Familie von Odessa nach St. Petersburg, Berlin, Frankfurt und Paris zieht. Sie brauchen sie auch, weil sie der gemeinsame Nenner einer Klasse sind. Mit Sprachen kann man von einer sozialen Lage in eine andere überwechseln. Mit Sprachen ist man überall zuhause.

Sie besuchen Breughels »Jäger im Schnee« mit dem Gewusel von Hunden auf dem Hügelkamm. In der Albertina öffnen sie die Schränke mit Graphiken, sehen die Dürer-Aquarelle, den zitternden Feldhasen, den Flügel einer Blauracke. Im Prater lernen sie reiten. Die Buben lernen fechten, alle Cousins und Cousinen erhalten Tanzstunden. Sie können alle gut tanzen. Der achtzehnjährige Charles hat einen Familien-Spitznamen, *Le Polonais*, der Polonaisentänzer.

In Wien kommen die ältesten Buben, Jules, Ignaz und Stefan, ins Büro an der Schottenbastei mit, etwas abseits der Ringstraße. Ein abweisendes Gebäude. Hier erledigen die Ephrussi ihre Geschäfte. Die Buben sollen stillsitzen, während man über Getreidelieferungen spricht und Aktienprozentsätze abfragt. Es gibt neue Gelegenheiten, Öl in Baku, Gold um den Baikalsee. Büroangestellte huschen herum. Hier werden die Knaben auf die schiere Größe dessen eingeschworen, was einmal ihnen gehören wird, hier lernen sie aus den endlosen Zahlenkolonnen in den Kontobüchern den Katechismus des Profits.

Da sitzt Charles nun mit seinem jüngsten Cousin Viktor und zeichnet Laokoon und die Schlangen, die Skulptur, die ihm in Odessa so gefallen hat, er macht die Schlingen um die muskelbewehrten Schultern besonders straff, um den Jungen zu beeindrucken. Es dauert lange, jede Schlange ordentlich wiederzugeben. Er zeichnet, was er in der Albertina gesehen hat. Er zeichnet die Dienstboten. Und er redet mit den Freunden seiner Eltern über ihre Bilder. Es ist immer angenehm, sich mit einem so beschlagenen jungen Mann über die eigenen Bilder zu unterhalten.

Und dann, endlich, die lange geplante Übersiedlung nach Paris. Charles sieht gut aus, schlank, mit einem adrett gestutzten dunklen Bart, der in einem bestimmten Licht rötlich schimmert. Er hat die Ephrussi-Nase, eine lange Hakennase, und die hohe Stirn aller Verwandten. Seine Augen sind dunkelgrau und lebhaft, er ist charmant. Man sieht, wie gut er sich anzieht, seine Krawatte ist wunderschön gefältelt, und dann hört man ihn reden: Er redet ebenso gut, wie er tanzt.

Charles kann tun und lassen, was er möchte.

Ich hätte gerne, dass das so ist, weil er der jüngste Sohn war, der dritte Sohn, und weil in allen guten Märchen immer der dritte Sohn das Heim verlässt und auf Abenteuer auszieht – reine Projektion, ich bin ein dritter Sohn. Doch ich vermute, die Familie weiß, dass dieser Knabe nicht für die Börse geschaffen ist. Seine Onkel Michel und Maurice sind nach Paris gezogen: Vielleicht gab es genügend Söhne für die Büros von Ephrussi et Cie in der Rue de l'Arcade 45, damit keinem dieser liebenswürdige Bücherwurm abging, der sich gerne zurückzog, wenn das Thema Geld aufs Tapet kam, und ein Talent dafür hatte, sich im Gespräch zu verlieren.

Charles' Wohnung ist im Haus der Familie – goldstrotzend, sauber, leer. Er hat etwas, wohin er zurückkehren kann, ein neues Haus auf einer frisch gepflasterten Pariser Anhöhe. Er beherrscht Sprachen, er hat Geld, und er hat Zeit. Also geht er auf Reisen. Wie ein gebildeter junger Mann fährt er nach Süden, nach Italien.

# 2

# Ein Paradebett

In der Vorgeschichte meiner Netsuke-Sammlung ist dies das erste Stadium von Charles' Sammlungen. Vielleicht hatte er als Junge in den Promenaden von Odessa Rosskastanien aufgelesen oder in Wien Münzen gesammelt; jedenfalls weiß ich, dass es hier angefangen hat. Womit er beginnt und was er in seine Wohnung in der Rue de Monceau bringt, bezeugt Begierde. Begierde oder Gier oder freigesetzte Erregung: Jedenfalls kauft er sehr viel.

Er setzt ein Jahr aus, fern von seiner Familie, ein herkömmliches Wanderjahr, eine Grand Tour durch den Kanon der Renaissancekunst. Diese Reise macht aus Charles einen Sammler. Oder, denke ich, vielleicht ermöglicht sie es ihm, zu sammeln, aus Betrachten Besitz und aus Besitz Wissen zu machen.

Charles kauft Zeichnungen und Medaillons, Renaissance-Emailarbeiten und Gobelins aus dem 16. Jahrhundert nach Vorzeichnungen von Raffael. Er kauft einen Marmorputto à la Donatello. Er kauft die schöne Fayenceskulptur eines jungen Fauns von Luca della Robbia, ein hintergründiges, verletzliches Wesen, das den Betrachter über die Schulter hinweg anblickt, glasiert in dunklem Madonnenblau und Dottergelb. In seiner Wohnung in der zweiten Etage stellt Charles sie später in eine Nische in seinem Schlafzimmer, umrahmt von italienischen Broderien aus dem 16. Jahrhundert, üppig bestickten Stoffen. Eine Art satirischer Altar mit dem Faun statt eines Märtyrers.

Es gibt eine Abbildung dieses Altars, sie findet sich in einer riesigen dreibändigen, kastanienbraun gebundenen Folioausgabe in der Bibliothek des Victoria and Albert Museum. Ich fülle den Bestellschein aus, unter Scherzen und Witzeln schafft man sie auf einem Krankenhauswägelchen in den Lesesaal. Dieses »Musée Graphique« enthält Stiche aller wichtigen Sammlungen von Renaissancekunst in Europa, besonders jener von Sir Richard Wallace (Wallace Collection, London), diverser Rothschilds – und des dreiundzwanzigjährigen Charles. Diese Folios sind Selbstzahler-Produkte in kolossalem Maßstab, herausgeben von Sammlern, um andere Sammler zu beeindrucken. Drei Seiten nach seiner erlesenen Nische für den Faun – dunkles Burgunderrot mit plastischer Goldstickerei, Tafelbilder mit Heiligenfiguren, Wappen – wird ein weiterer Teil seiner Kollektion vorgestellt.

Ich muss laut lachen: ein gigantisches Renaissancebett, ein *lit de parade*, ebenfalls mit Broderien behangen. Ein hoher Baldachin mit Putti, umfasst von komplizierten Mustern, Groteskköpfen, heraldischen Emblemen, Blumen, Früchten. Zwei schwere Vorhänge, zusammengehalten von Schnüren mit dicken Troddeln, auf jedem ein E vor goldenem Hintergrund. Am Kopfteil des Bettes ein weiteres E. Ein herzogliches, beinahe fürstliches Bett. Es gehört ins Reich der Phantasie. Von einem solchen Bett aus könnte man einen Stadtstaat regieren, eine Audienz geben, man könnte darin Sonette schreiben und ganz sicher jemanden lieben. Was für ein junger Mann würde ein solches Bett kaufen?

Ich notiere mir die lange Liste seiner neuen Besitztümer und versuche mir vorzustellen, wie es wäre, dreiundzwanzig zu sein, während die Kisten mit all den Kostbarkeiten die geschwungene Treppe in den zweiten Stock hinaufgetragen und dann geöffnet werden, Holzsplitter und Sägespäne fliegen herum; wie ich sie in meiner Zimmerflucht aufstelle, in der von den straßenseitigen Fenstern einfallenden Morgensonne zu arrangieren versuche. Sollen Besucher, die den Salon betreten, zuerst eine Wand voller Zeichnungen oder eine Tapisserie zu Gesicht bekommen? Sollen sie einen Blick auf mein *lit de parade* erhaschen? Ich stelle mir vor, wie ich die Emailarbeiten meinen Eltern und Brüdern zeige, wie ich vor ihnen renommiere. Und plötzlich, verlegen, fühle ich mich wieder wie sechzehn, zerre mein Bett in den Flur und schlafe auf dem Boden, nagle einen Teppich über der Matratze fest, eine Art Baldachin. Hänge an Wochenenden meine Bilder um, sortiere die Bücher neu, versuche, wie es sich anfühlt, seinen eigenen Raum umzugestalten. Es fühlt sich äußerst realisierbar an.

Das ist natürlich ein Bühnenbild. Charles hat nur Gegenstände gesammelt, die das Auge eines Kenners benötigen, Gegenstände, die von Wissen, von Geschichte, Abstammung, vom Sammeln selbst künden. Dröselt man die Liste der Schätze auf – Gobelins, die *nach* Vorzeichnungen Raffaels gewebt wurden, Skulpturen *nach* Donatello –, spürt man, wie Charles sich die Entfaltung der Kunst im Laufe der Geschichte zu eigen macht. Nach Paris zurückgekehrt, schenkt er eine seltene Medaille aus dem 15. Jahrhundert – Hippolytus wird von wilden Pferden zerrissen – dem Louvre. Mir scheint, ich höre allmählich den jungen Kunsthistoriker zu seinen Besuchern sprechen. Man merkt das Notizbuch, nicht nur das Geld.

Doch ich spüre allmählich auch sein Ergötzen an den Gegenständen: die erstaunliche Schwere von Damast, die kühle Oberfläche des Emails, die Patina auf den Bronzearbeiten, die wulstigen Fäden in den plastischen Stickereien.

Diese erste Sammlung ist durch und durch konventionell. Viele Freunde seiner Eltern hatten wahrscheinlich ähnliche Sachen zuhause und stellten sie zusammen, um vergleichbare opulent-dekorative Tableaus zu schaffen, so wie der junge Charles in seinem Pariser Schlafzimmer seine burgunderrot-goldene *mise en scène* schuf. Es ist bloß eine verkleinerte Version dessen, was es auch in anderen jüdischen Haushalten gab. Er zeigt, für einen jungen Mann ziemlich emphatisch, wie erwachsen er ist. Und er bereitet sich auf ein Leben in der Öffentlichkeit vor.

Wollte man solche Versatzstücke in großem Maßstab sehen, musste man die Häuser der Rothschilds in Paris besuchen oder natürlich James de Rothschilds neues Palais in Ferrières außerhalb der Stadt. Hier wurden die Werke der italienischen Renaissance, des Italien der Kaufleute und Bankiers zelebriert: eine Erinnerung daran, dass großes Mäzenatentum durch den geschickten Einsatz von Geld entsteht und keine Sache des Erbteils ist. Ferrières hatte keine große Eingangshalle, ritterlich, christlich, sondern einen zentralen Innenhof, von dem aus vier große Eingänge in die verschiedenen Flügel führten. Unter einem Deckengemälde von Tiepolo gab es eine Galerie mit Wandteppichen, Skulpturen aus schwarzem und weißem Marmor und Bilder von Velázquez, Rubens, Guido Reni und Rembrandt. Und vor allem viel, viel Gold: Gold auf den Möbeln, auf den Bilderrahmen, auf den Leisten, in den Wandteppichen; überall eingelassen waren vergoldete Symbole der Rothschilds. *Le goût Rothschild* wurde zum Kürzel für Vergoldetes. Juden und ihr Gold.

Charles' Sensibilität lässt ihn nicht so weit gehen wie Ferrières. Er hat natürlich auch weniger Platz: bloß seine zwei Salons und sein Schlafzimmer. Doch Charles besitzt nicht nur einen Ort, wo er seine neuen Besitztümer und seine Bücher arrangieren kann, er sieht sich auch als jungen, wissenschaftlich vorgehenden Sammler. Er ist in der ungewöhnlichen Lage, zugleich absurd wohlhabend und sehr eigenständig zu sein.

Nichts davon lässt mich mit ihm warmwerden. Ganz im Gegenteil, das Bett macht mir ein mulmiges Gefühl; ich bin mir nicht sicher, wie lange ich es mit diesem jungen Mann und seinem Sinn für Kunst und Inneneinrichtung, Netsuke hin oder her, aushalte. *Connaisseur*, schrillen die Alarmglocken. *Glaubt, schon alles zu wissen, zu jung dafür.*

Und natürlich viel, viel zu reich für sein eigenes Wohl.

Mir wird klar, dass ich verstehen muss, wie Charles die Dinge betrachtete, und deshalb muss ich seine Schriften lesen. Hier bin ich auf sicherem akademischem Terrain: Ich werde eine umfassende Bibliographie anfertigen und mich dann in chronologischer Reihenfolge vorarbeiten. Ich beginne mit den alten Bänden der *Gazette des Beaux-Arts* aus der Zeit, als Charles sich in Paris niederließ, notiere mir seine ersten, ziemlich trockenen Kommentare zu Malern des Manierismus, Bronzearbeiten und Holbein. Ich fühle mich zielstrebig, wenn auch pflichtbewusst. Er hat einen venezianischen Lieblingsmaler, Jacopo de Barbari, dessen Lieblingsthemen der heilige Sebastian, der Kampf der Tritonen und sich windende gefesselte Nackte waren. Ich bin mir nicht sicher, als wie bedeutsam sich diese Vorliebe für erotisch aufgeladene Sujets herausstellen wird. Laokoon fällt mir ein, und mir wird ein wenig bange.

Seine Anfänge sind nicht besonders. Notizen zu Ausstellungen, Büchern, Essays, Anmerkungen zu Publikationen anderer: das übli-

46

che kunsthistorische Schwemmgut an den Rändern von anderer Leute Gelehrsamkeit (»Anmerkungen zur Authentifizierung von«, »Bemerkungen zum Werkverzeichnis von«). Diese Texte sind ein wenig wie seine italienischen Sammlungen, und mir scheint, ich komme nur langsam voran. Doch im Verlauf der Wochen fange ich mich in Charles' Gesellschaft allmählich zu entspannen an: Der erste Sammler der Netsuke schreibt immer flüssiger. Es gibt unerwartete Gefühlsregister. Drei Wochen meines kostbaren Frühlings verstreichen, dann weitere vierzehn Tage, ein hirnrissiger Aufwand an Tagen, die sich im Dämmerlicht des Zeitschriftenlesesaals abspulen.

Charles lernt, Zeit mit einem Bild zu verbringen. Man fühlt, dass er hinschaute, wegging, wieder hinschaute. Es gibt Essays über Ausstellungen, wo man dieses Antippen an der Schulter fühlt, dieses Umwenden, um noch einmal hinzusehen, das Näher-Herankommen, Zurücktreten. Man spürt seine wachsende Sicherheit und Leidenschaft, und dann endlich eine zunehmende Härte, die Abneigung gegen vorgefasste Meinungen. Charles tariert seine Gefühle mit seinen Urteilen aus, schreibt aber so, dass man beides spürt. Das ist selten, wenn jemand über Kunst schreibt, denke ich, während in der Bibliothek die Wochen verfliegen und der Stapel der *Gazettes* rund um mich immer höher wird, ein Turm neuer Fragen, jeder Band eine Matrix voller Lesezeichen, gelber Post-its und Reservierungsscheine.

Meine Augen schmerzen. Die Schrift ist acht Punkt, die Anmerkungen sind noch kleiner. Wenigstens meldet sich mein Französisch schön langsam zurück. Ich denke allmählich, mit dem Mann könnte ich arbeiten. Meistens gibt er nicht an damit, wie viel er weiß. Er möchte uns das, was er vor sich hat, deutlicher sehen lehren. Das ist ehrenwert genug.

## 3.

# »Ein Mahut, um sie zu leiten«

Noch kommen die Netsuke nicht ins Spiel. Charles in seinen Zwanzigern ist immer unterwegs, auf der Fahrt nach irgendwohin, aus London, Venedig, München sendet er Grüße, entschuldigt sich, weil er Familientreffen versäumt. Er hat ein Buch über Dürer begonnen, den Künstler, für den er in den Wiener Sammlungen eine Neigung fasste, und er muss jede Zeichnung aufspüren, jedes Gekritzel in irgendeinem Archiv, um ihm gerecht werden zu können.

Seine beiden älteren Brüder haben es sich in ihrer eigenen Welt eingerichtet. Jules führt mit seinen Onkeln das Steuerruder von Ephrussi et Cie in der Rue de l'Arcade. Seine frühe Ausbildung in Wien macht sich bezahlt, es stellt sich heraus, dass er ein sicheres Gespür für Geldangelegenheiten hat. In der Synagoge in Wien hat er Fanny geheiratet, die kluge, sarkastische junge Witwe eines Wiener Finanzmagnaten. Sie ist sehr reich, alles der Dynastie angemessen. In den Pariser und Wiener Blättern heißt es, er habe jede Nacht mit ihr getanzt, bis sie es müde wurde, nachgab und ihn heiratete.

Ignaz hat sich absentiert. Er hat ein Faible dafür, sich immer wieder spektakulär zu verlieben. Eine Spezialität dieses *amateur de femmes* ist es, zu einem Rendezvous Hauswände empor und durch Fenster zu klettern – in den Memoiren mancher älterer Damen der Gesellschaft finde ich manchmal Erwähnung davon. Er ist ein *mondain*, ein Pariser Mann von Welt, sein Leben eine Abfolge von Liebesaffären, Abenden im Jockey-Club – das Epizentrum für Junggesellen der besseren Gesellschaft – und Duellen. Das ist zwar illegal, füllt aber die Zeit wohlhabender junger Männer und Armeeoffiziere aus, die wegen nichtigster Überschreitungen des Ehrenkodex zum Degen greifen. Ignaz wird in den Duellhandbüchern jener Zeit erwähnt; eine Zeitung berichtet von einem Vorkommnis, als er bei einer Auseinandersetzung mit seinem Privatlehrer beinahe ein Auge einbüßt. Ignaz ist »zwar nicht klein, doch ein wenig unter Durchschnittsgröße ... Er ist mit Energie begabt, die glücklicherweise durch stählerne Muskeln unterstützt wird ... Monsieur Ephrussi ist einer der begabtesten ... zudem einer der zuvorkommendsten und freimütigsten Fechter, die ich kenne.«

Hier ist er zu sehen, nonchalant mit einem Degen posierend, wie die Hilliard-Miniatur eines elisabethanischen Höflings: »Ein ausdauernder Sportsmann, frühmorgens ist er im Wald zu sehen auf einem prächtigen Apfelschimmel; seine Fechtstunde hat er bereits absolviert ...« Ich stelle mir Ignaz vor, wie er in den Stallungen in der Rue de Monceau die Steigbügel festzurrt. Beim Reiten ist sein Pferd in »russischer Manier« ausstaffiert. Ich bin mir nicht ganz sicher, was das sein soll, aber prächtig klingt es.

In den Salons tritt Charles erstmals ins Licht der Öffentlichkeit. Der scharfzüngige Romancier, Tagebuchschreiber und Sammler Edmond de Goncourt erwähnt ihn in seinem Tagebuch. Dass Leute wie Charles überhaupt in Salons eingeladen wurden, fand der Romancier abstoßend; die Salons seien von »Juden und Jüdinnen verseucht«. Er äußert sich über diese neuen jungen Männer, denen er begegnet; diese Ephrussi seien »mal élevés«, schlecht erzogen, und »insupportables«, unerträglich. Charles, lässt er durchblicken, sei allgegenwärtig, das deute auf einen Menschen hin, der seinen Platz nicht kenne; hungrig nach Kontakten, wisse er nicht, wie er seinen Eifer bemänteln und unsichtbar werden solle.

Goncourt ist eifersüchtig auf den charmanten jungen Mann mit dem unmerklichen Akzent. Charles hat es scheinbar mühelos in die formidablen eleganten Salons jener Zeit geschafft, jeder ein Minenfeld heißumkämpfter Zonen politischen, künstlerischen, religiösen und aristokratischen Geschmacks. Es gab viele davon; die drei wichtigsten waren der von Madame Straus (Bizets Witwe), der Gräfin Greffulhe und jener der vergeistigten Madame Madeleine Lemaire, die Blumenaquarelle malte. Ein Salon, das war ein Empfangszimmer mit regelmäßig geladenen Gästen, die sich zu festgesetzten Zeiten am Nachmittag oder abends trafen. Dichter, Dramatiker, Maler, »Clubmen«, Weltmänner begegneten einander unter der Schirmherrschaft einer Gastgeberin, um sich über Tagesthemen zu unterhalten, Klatsch zu verbreiten, Musik zu hören oder ein neues Gesellschaftsporträt enthüllt zu sehen. Jeder Salon hatte seine eigene, besondere Atmosphäre und seine Jünger: Wer Madame Lemaire ärgerte, der war ein »Langweiler« oder »Abtrünniger«.

Madame Lemaires Donnerstagssalon wird in einem frühen Essay des jungen Marcel Proust erwähnt. Er beschwört den Duft nach Lilien herauf, der ihr Atelier erfüllt und hinausweht in die Rue de Monceau, wo dicht an dicht gedrängt die Kutschen der Beau Monde stehen. An einem Donnerstag kommt man in der Rue de Monceau kaum voran. Proust bemerkt Charles. Es herrscht Stimmengewirr, er bewegt sich durch das Gedränge an Schriftstellern und Gesellschaftslöwen zu ihm hin. Charles steht in einer Ecke und unterhält sich mit einem Porträtmaler, sie haben die Köpfe gesenkt, ihre Unterhaltung verläuft so leise und intensiv, dass Proust, obwohl er sich in der Nähe herumdrückt, kein Fünkchen ihrer Konversation mitbekommt.

Der unwirsche Goncourt ist besonders erbost darüber, dass der junge Charles ein Vertrauter *seiner* Prinzessin Mathilde geworden ist, der Nichte Napoleons. Sie wohnt in der Nähe, in einem riesigen Schloss in der Rue de Courcelles. Er gibt den Klatsch weiter, sie sei in Charles' Haus in der Rue de Monceau gesehen worden, zusammen mit dem *gratin*, der Oberschicht der Aristokratie; die Prinzessin habe in Charles einen »Mahut« gefunden, »der sie durchs Leben leitet«. Ein unvergessliches Bild: die imposante alte, in Schwarz gewandete Prinzessin, eine elefantenhafte Erscheinung, etwa wie Königin Victoria, und der junge Mann in seinen Zwanzigern, der sie mit der leisesten Andeutung oder Berührung lenken kann.

Charles beginnt in dieser komplexen, snobistischen Stadt für sich einen Platz zu finden. Er entdeckt allmählich die Orte, wo man seine Konversation schätzt, wo sein Judentum entweder akzeptiert wird oder ohne Bedeutung ist. Als junger Kunstschriftsteller besucht er jeden Tag die Büros der *Gazette des Beaux-Arts* in der Rue Favart – und nimmt dabei noch sechs, sieben Salons mit, setzt der allwissende Goncourt hinzu. Vom Familienhaus zu den Verlagsräumen sind es genau fünfundzwanzig Minuten, wenn man rasch geht, oder an meinem Aprilmorgen fünfundvierzig Minuten im Flaneurstempo. Charles mag in der Kutsche gefahren sein, geht mir durch den Kopf, aber das kann ich zeitlich nicht nachvollziehen.

Die *Gazette*, der *Courrier Européen de l'art et de la curiosité*, hat einen kanariengelben Umschlag, auf dem Titelblatt ist über einem antiken Grabmal eine malerische Anordnung von Renaissance-Artefakten zu sehen, darüber ein grimmig dreinblickender Leonardo. Für sieben Francs bekommt man Besprechungen der verschiedenen Ausstellungen geliefert, die in Paris um Aufmerksamkeit buhlen, die Exposition des Artistes Indépendants, die offiziellen Salons, vom Boden bis zur Decke mit Bildern behängt, die Übersichtsausstellungen im Trocadéro und im Louvre. Hämisch wird sie als »eine teure Kunstzeitschrift« beschrieben, »die jede große Dame aufgeschlagen, doch ungelesen« auf ihrem Tisch liegen habe, und sie hat auch wirklich einen bestimmten Ruf als unverzichtbarer Bestandteil des Gesellschaftslebens, eine Mischung aus *World of Interiors* und *Apollo*. In der schönen ovalen Bibliothek des Hôtel Camondo etwas abwärts vom Hôtel Ephrussi stehen ganze Regale voll mit den gebundenen Jahrgängen.

In den Verlagsräumen trifft man Schriftsteller und Künstler, dazu gibt es die beste Kunstbibliothek von Paris, mit Zeitschriften aus ganz Europa und Ausstellungskatalogen. Es ist ein exklusiver Kunstclub, ein Ort, wo man Neuigkeiten austauschen und darüber schwatzen kann, welcher Künstler an welchem Auftrag arbeitet, wer bei den Sammlern oder den Jurymitgliedern der Salons nicht mehr gut angeschrieben ist. Zudem geht es geschäftig zu. Die *Gazette* erscheint monatlich, und so wird hier auch fleißig gearbeitet. Entscheidungen müssen getroffen werden, wer über welches Thema schreiben soll, Stiche und Abbildungen müssen bestellt werden. Hört man den Debatten zu, kann man hier Tag für Tag eine Menge lernen.

Als Charles, eben zurückgekehrt von seinen Streifzügen bei den italienischen Kunsthändlern, für die *Gazette* zu schreiben beginnt, befasst er sich mit aufwendigen Gravüren der gerade neuesten Bilder, mit Artefakten, die in den wissenschaftlichen Besprechungen erwähnt werden, und mit Schlüsselwerken der Salons, die in sorgfältigen Reproduktionen abgebildet sind. Ich nehme auf gut Glück ein Heft aus dem Jahr 1878 zur Hand. Es bringt unter anderem Artikel über spanische Tapisserien, archaische griechische Skulpturen, die Architektur des Champ de Mars und über Gustave Courbet – alle natürlich mit Illustrationen, durchschossen mit Seidenpapier. Die ideale Zeitschrift, für die ein junger Mann schreiben kann, eine Visitenkarte für die Zirkel am Schnittpunkt von Gesellschaft und Kunst.

Ich finde die Spuren dieser Schnittpunkte, indem ich mir gewissenhaft einen Weg durch die Gesellschaftsspalten in den Pariser Zeitungen der 1870er Jahre bahne. Anfangs ist das bloß das notwendige Weghacken des Unterholzes, bald aber wird es seltsam zwanghaft, eine Erholung von dem Versuch, jede einzelne Ausstellungsbesprechung von Charles aufzuspüren. Hier finden sich die immergleichen labyrinthischen Aufzählungen von Zusammenkünften und Gästen, die Details, wer was getragen hat, wer gesehen wurde, jede Namensliste genau austariert zwischen kalter Schulter und treffendem Urteil.

Besonders fesselnd finde ich die Anführung von Hochzeitsgeschenken bei Trauungen in der guten Gesellschaft; ich beschwichtige mich, das sei wichtige Forschungsarbeit über Geschenkkultur, und verbringe peinlich viel Zeit damit, herauszufinden, wer übermäßig großzügig, wer geizig und wer einfallslos war. Meine Ururgroßmutter schenkt bei einer Society-Hochzeit im Jahr 1874 ein goldenes Vorlegeservice in Muschelform. Vulgär, denke ich, ohne einen rechten Beweis dafür zu haben.

Und zwischen all den Pariser Bällen und musikalischen Soireen, den Salons und Empfängen finde ich allmählich Erwähnungen der drei Brüder. Sie treten gemeinsam auf: MM. Ephrussi werden bei einer Opernpremiere in der Loge gesehen, bei Begräbnissen, bei den Empfängen von Fürst X und Gräfin Y. Der Zar weilt zu Besuch in der Stadt, und sie sind zugegen, um ihn als prominente russische Staatsbürger zu begrüßen. Sie geben gemeinsam Gesellschaften, man notiert die »Reihe von prachtvollen Diners, die sie gemeinsam veranstalten«, wie andere *sportsmen* werden sie auf dem letzten Schrei gesichtet, dem Fahrrad. Eine Spalte in *Le Gaulois* ist den *déplacements* gewidmet – wer ist nach Deauville abgereist, wer nach Chamonix –, und so weiß ich, wann sie aus Paris zu den Ferien in Jules' und Fannys noblem Chalet Ephrussi in Meggen aufbrechen. Von ihrem goldenen Haus auf der Anhöhe aus scheinen sie binnen weniger Jahre, nachdem sie sich niedergelassen haben, in der Pariser Gesellschaft akzeptiert zu sein. *Monceau*, fällt mir ein, Emporkömmling.

Abgesehen davon, dass er seine Räume umgestaltet und an seinen gewundenen Kunsthistoriker-Perioden feilt, hat der elegante Charles nun neue Interessen: Er hat eine Geliebte. Und er hat begonnen, japanische Kunst zu sammeln. Sex und Japan, sie sind miteinander verwoben.

Noch besitzt er keine Netsuke, doch er kommt ihnen schon näher. Ich feuere ihn an, während er seine Sammlung aufbaut; zunächst kauft er Lackarbeiten bei Philippe Sichel, einem Händler für japanische Kunst. Goncourt schreibt in seinem Tagebuch, er sei bei Sichel gewesen, »wo das jüdische Geld zusammenströmt«; er tritt in ein Hinterzimmer, um das jüngst eingetroffene *objet* zu begutachten, ein Album mit erotischen Drucken, vielleicht eine Bilderrolle. Hier trifft er auf »La Cahen d'Anvers, die gemeinsam mit ihrem Geliebten, dem jungen Ephrussi, ein Lackkästchen bewundert. Sie bedeutet ihm den Tag, wann er mit ihr schlafen kann.«

# 4

# »So leicht, so lind anzufühlen«

Charles' Geliebte ist Louise Cahen d'Anvers, einige Jahre älter als er und sehr hübsch, mit rotgoldenem Haar. »La Cahen d'Anvers« ist mit einem jüdischen Bankier verheiratet und hat vier kleine Kinder, einen Buben und drei Mädchen. Als ein fünftes kommt, gibt Louise ihm den Namen Charles.

Über Pariser Ehen weiß ich nur aus den Romanen von Nancy Mitford Bescheid, aber das kommt mir nun schon ziemlich abgebrüht vor. Und beeindruckend – ich würde am liebsten die bourgeoise Frage stellen, wie man die Zeit für fünf Kinder, einen Ehemann *und* einen Geliebten aufbringt. Die beiden Clans sind gut miteinander bekannt. Nicht nur das: Als ich auf der Place d'Iéna vor Jules' und Fannys ehelicher Wohnung stehe, über dem Portal prangen ihre und seine schwülstig ineinander verschlungenen Initialen, fällt mir auf, dass ich über die Straße direkt zu Louises ebenso barockem neuem Palais an der Ecke der Rue Bassano sehen kann. Nun frage ich mich, ob die kluge, energische Fanny diese Affäre für ihre beste Freundin eingefädelt hat.

An dem Arrangement war sicherlich etwas sehr Intimes. Sie trafen einander ständig bei den üblichen Empfängen und Bällen, und die beiden Familien fuhren oft gemeinsam ins Chalet Ephrussi in der Schweiz oder ins Schloss der Cahen d'Anvers in Champs-sur-Marne, etwas außerhalb von Paris, in die Ferien. Was sah die Etikette vor, wenn man seiner Freundin begegnete, die gerade die Treppen zur Wohnung des Schwagers hinaufging? Das Liebespaar mag die Hinterzimmer eines Händlers nötig gehabt haben, um der drückenden, allwissenden Liebenswürdigkeit zu entfliehen. Und den Kindern.

Charles, dieser zunehmend erfahrene und entgegenkommende junge Salonlöwe, vermittelte einen Auftrag für seinen Bekannten Léon Bonnat, ein Pastellporträt Louises. Sie ist in einem hellen Kleid abgebildet, blickt züchtig zu Boden. In Wirklichkeit war Louise alles andere als züchtig. Goncourt beschreibt sie mit dem Auge des Romanciers am Samstag, dem 28. Februar 1876, in ihrem Salon: »Die Juden besitzen von ihrer orientalischen Abstammung her eine besondere Nonchalance. Heute beobachtete ich entzückt Madame Cahen, die mit trägekatzenhaften Bewegungen in ihrer Vitrine voller Porzellan- und Lackgegenstände herumfischte und mir einige in die Hand drückte. Und wenn sie blond sind, diese Juden, dann ist an diesem Blond etwas Goldenes, wie auf dem Porträt der Mätresse des Tizian.

Als die Suche beendet war, ließ sich die Jüdin auf eine Chaiselongue fallen; den Kopf zur Seite gewandt, ließ sie einen Haarknoten sehen, der einem Natternnest glich; das Gesicht verziehend, amüsiert, fragend, die Nase gekräuselt, beklagte sie sich über das Ansinnen der Männer und Romanschreiber, Frauen seien keine menschlichen Wesen und kennten in der Liebe nicht denselben Überdruss, denselben Ekel wie die Männer.«

Es ist ein unvergessliches Bild erotisierten Schmachtens; die Mätresse des Tizian ist tatsächlich sehr golden, sehr nackt, und bedeckt ihre Blöße mit einer locker darübergelegten Hand. Man spürt Louises Macht über den berühmten Schriftsteller, man spürt, wie sie Herrin der Lage ist. Immerhin ist sie *La muse alpha* für Paul Bourget, einen weiteren bekannten Schriftsteller jener Tage. In dem Porträt, das sie für ihren eigenen Salon bei Carolus-Duran, dem modischen Gesellschaftsmaler von damals, in Auftrag gibt, birst sie fast aus ihrem schwingenden Kleid, die Lippen leicht geöffnet. In dieser Muse steckt allerhand Dramatik. Es würde mich interessieren, warum sie diesen jungen Ästheten als Liebhaber wollte.

Es mag Charles' Mangel an Theatralik gewesen sein, die bedächtige Art des Kunsthistorikers. Oder vielleicht lag es daran, dass sie zwei riesige Haushalte hatte, einen Ehemann und eine Schar Kinder, während Charles ohne Verpflichtungen war und immer frei, sie zu unterhalten, wenn sie Ablenkung brauchte. Sicher teilte das Liebespaar ein echtes Interesse für Musik, Kunst und Literatur – und für Musiker, Künstler und Dichter. Louises Schwager Albert war Komponist, Charles und

Louise gingen mit ihm in die Oper und zu den radikaleren Premieren in Brüssel, um Massenet zu hören. Sie waren beide leidenschaftliche Wagnerianer, eine Leidenschaft, die man schwer simulieren, aber leicht teilen kann. Ich könnte mir vorstellen, dass Wagner-Opern dem Paar in einer der tiefen, plüschigen Logen der Oper genügend Zeit füreinander gestatteten. Sie waren bei einem kleinen, auserlesenen Diner zugegen (ohne Ehemann), gefolgt von einer Lesung von Anatole France; Gastgeber war Proust.

Und sie kaufen miteinander schwarz-goldene japanische Lackschatullen für ihre beiden Sammlungen: Ihre Liebesaffäre beginnt mit Japan.

Mit Louise, der Streitereien mit ihrem Ehemann oder Charles überdrüssig, lässig in ihrer Vitrine mit japanischen Lacknippes herumkramend, dann auf ihre Chaiselongue hingestreckt, komme ich den Netsuke näher, das spüre ich. Sie werden deutlicher, Teil eines komplexen, zersplitterten Pariser Lebens, das real existierte.

Ich möchte herausfinden, wie diese beiden nonchalanten Pariser, Charles und seine Geliebte, mit japanischen Dingen umgegangen sind. Wie es war, etwas so Fremdartiges zum ersten Mal in der Hand zu halten, ein Kästchen hochzunehmen, eine Schale – oder ein Netsuke – aus einem Material, das man nie zuvor gespürt hatte, es zu drehen, sein Gewicht und seine Ausgewogenheit zu spüren, mit den Fingerspitzen über ein plastisches Ornament zu streichen, einen Storch, der durch Wolken fliegt. Es muss irgendwo eine Literatur der Berührung geben, denke ich; irgendjemand muss in einem Tagebuch oder einem Brief etwas von diesem flüchtigen Moment festgehalten haben, was man fühlte, als man eines in die Hand nahm. Irgendwo muss eine Spur ihrer Hände zu finden sein.

Goncourts Bemerkung ist ein guter Anfang. Charles und Louise kauften ihre ersten japanischen Lackarbeiten bei den Gebrüdern Sichel. Das war keine Galerie, wo man den Sammlern in gesonderten Kojen ehrfürchtig *objets* und Drucke zeigte, wie in der exklusiven Galerie Siegfried Bing, die östliche Kunst anbot, sondern ein überquellender Hort aller möglichen japanischen Waren. Die Fülle war überwältigend. Nach einer einzigen Einkaufstour 1874 sandte Philippe Sichel fünfundvierzig Kisten mit fünftausend Objekten aus Yokohama nachhause. Das schuf ein überhitztes Klima. Was gab es hier und wo war es zu finden? Würden andere Sammler einem bei diesen Schätzen zuvorkommen?

Eine solche Unmenge an japanischer Kunst lud zu Tagträumen ein. Goncourt berichtet von einem Tag bei den Sichels, nachdem eine Lieferung aus Japan eingetroffen war, umgeben von »tout cet art capiteux et hallucinatoire« – all der berauschenden, hypnotisierenden Kunst. Seit 1859 kamen allmählich Drucke und Keramik nach Frankreich; in den frühen 1870er Jahren war daraus eine Flut an Gegenständen geworden. Ein Schriftsteller, der auf die Anfänge dieser Besessenheit von japanischer Kunst zurückblickte, schrieb 1878 in der *Gazette*: »Man hielt sich auf dem Laufenden, wann neue Ladungen eintreffen würden. Alte Elfenbeinarbeiten, Emaille, Fayence und Porzellan, Bronzen, Lackwaren, Holzskulpturen … bestickte Seide, Spielsachen, trafen im Laden des Händlers ein und gingen sofort weiter in Künstlerateliers oder die Arbeitszimmer der Schriftsteller … Sie kamen in die Hände von … Carolus-Duran, Manet, James Tissot, Fantin-Latour, Degas, Monet, zu den Schriftstellern Edmond und Jules de Goncourt, Philippe Burty, Zola … zu den Reisenden Cernuschi, Duret, Emile Guimet … Die Bewegung war etabliert, die Masse der Amateure folgte.«

Noch außergewöhnlicher war, was man gelegentlich zu Gesicht bekam: »… junge Männer in unseren großen Faubourgs, auf unseren Boulevards, im Theater, deren Aussehen uns verwundert … Sie tragen Zylinderhüte oder kleine, gerundete aus Filz auf schönem, glänzendem schwarzem Haar, lang und zurückgestrichen, einen ordentlich zugeknöpften Überrock, hellgraue Hosen, schöne Schuhe und eine Krawatte von dunkler Farbe auf dem eleganten Leinen. Wären das Schmuckstück, das die Krawatte hält, nicht zu auffällig, die Hosen nicht am Rist ausgestellt, die Stulpstiefel nicht zu glänzend, der Spazierstock nicht zu dünn – solche Nuancen verraten den Mann, der sich dem Geschmack seines Schneiders unterwirft, statt ihm den seinen aufzuzwingen –, wir würden sie für Pariser halten. Man begegnet ihnen auf dem Trottoir, man sieht sie an: Ihre Haut ist leicht gebräunt, selten tragen sie einen Bart; einige haben sich einen Schnurrbart zugelegt ... der Mund ist groß, dazu geschaffen, sich in Viereckform zu öffnen, wie die Masken der griechischen Komödie; die Backenknochen sind gerundet, die Stirn vorspringend ins Oval des Gesichtes gefügt; die äußeren Winkel der kleinen, zwar verhangenen, doch schwarzen und lebhaften Augen von durchdringendem Blick sind gegen die Schläfen zu nach oben gerichtet. Das sind die Japaner.«

Es ist eine atemberaubende Beschreibung, was es bedeutet, Fremder in einer anderen Kultur zu sein, beinahe unkenntlich außer durch die penible Kleidung. Die Passanten werfen einem einen zweiten Blick zu, doch nur die vollständige Verkleidung verrät einen.

Es enthüllt auch, wie besonders diese Begegnung mit Japan war. Obwohl Japaner in den 1870ern in Paris äußerst selten zu sehen waren – es gab höchstens Delegationen, Diplomaten und hin und wieder einen Prinzen –, war ihre Kunst doch allgegenwärtig. Jeder musste diese *Japonaiseries* in die Hände bekommen: die Maler, die Charles nun immer häufiger in den Salons traf, die Schriftsteller, die er von der *Gazette* her kannte, seine Familie, deren Bekannte, seine Geliebte, alle machten dieses Fieber durch. Fanny Ephrussi berichtet in ihren Briefen von Einkaufstouren zu Mitsui, einem schicken Laden in der Rue Martel, wo es fernöstliche Objekte gab; sie habe dort japanische Tapeten für den neuen Rauchsalon und die Gästezimmer gekauft, die sie und Jules eben an der Place d'Iéna einrichteten. Wie konnte Charles, der Kritiker, der gut angezogene *amateur d'art* und Sammler, da keine japanische Kunst kaufen?

Im Treibhaus der Pariser Kunstszene war es von Bedeutung, wann man zu sammeln begann. Frühe Sammler, *Japonistes*, waren im Vorteil, sie waren Männer von besonderem Kunstverstand und bildeten einen Geschmack. Wie nicht anders zu erwarten, schaffte Goncourt es, anzudeuten, er und sein Bruder hätten sogar schon vor der Öffnung Japans japanische Drucke zu Gesicht bekommen. Unter jenen, die sich die japanische Kunst so früh aneigneten, herrschte zwar starke Konkurrenz, doch einte sie ihr Urteilsvermögen. Aber, wie George Augustus Sala in »Paris Herself Again« 1878 schrieb, die akademische Atmosphäre dieser frühen Sammelzeit schwand bald. »*Japonisme* ist für einige sehr kunstbeflissene Amateure wie die Ephrussi und die Camondo eine Art Religion geworden.«

Charles und Louise waren *Neo-Japonistes*, junge, reiche künstlerische Spätzünder. Denn in Sachen japanischer Kunst gab es einen wunderbaren Mangel an Kennerschaft, man musste sich nicht in das Wissen der Kunsthistoriker verstricken, das einem die unmittelbare Reaktion, die Intuition verwirrte. Hier entfaltete sich eine neue Renaissance, hier gab es die Gelegenheit, die alte, sublime Kunst des Ostens in Händen zu halten. Man konnte viel davon haben und das sofort. Oder man konnte sie gleich kaufen und sich später der Liebe hingeben.

Hält man ein japanisches *objet* in Händen, enthüllt es sich. Die Berührung verrät, was zu wissen nötig ist: Sie verrät einem etwas über sich selbst. Edmond de Goncourt meinte dazu: »Die Berührung ist das Merkmal, woran der Liebhaber sich erkennt. Wer einen Gegenstand mit gleichgültigen, plumpen Fingern handhabt, mit Fingern, die den Gegenstand nicht zärtlich umschließen, der kennt keine Leidenschaft für die Kunst.«

Für diese frühen Sammler und Japan-Reisenden reichte es, ein japanisches Objekt in die Hand zu nehmen, um zu erkennen, ob es »stimmte« oder nicht. Der amerikanische Künstler John La Farge schloss sogar auf einer 1884 unternommenen Reise mit seinen Freunden einen Pakt, »keine Bücher mitzunehmen, keine zu lesen, so unschuldig einzutreffen wie möglich«. Ein Gefühl für Schönheit reichte; die Berührung war eine Art sensorischer Unschuld.

Japanische Kunst war eine schöne neue Welt: Sie brachte neue Texturen, neue Arten, Dinge zu spüren. Sicher, man konnte Alben mit Holzblockdrucken kaufen, aber dies hier war keine Kunst, die man sich bloß an die Wand hängte. Es war eine Epiphanie neuer Materialien: Bronzen mit einer so ausgeprägten Patina, wie man sie an keiner Renaissance-Skulptur fand; Lacke von ungekannter Intensität und Farbtiefe; Wandschirme mit Blattgold, die einen Raum unterteilten, Licht zurückwarfen. Monet malte Madame Monet in einem japanischen Gewand (»La Japonaise«); Camille Monets Kleid war mit »zentimeter-dicken Goldstickereien« bedeckt. Und es gab Objekte, die mit nichts in der westlichen Kunst vergleichbar waren, Objekte, nur als »Spiel-sachen« zu bezeichnen, kleine Schnitzereien von Tieren und Bett-lern, die man in der Hand drehen und wenden konnte; man nannte sie Netsuke. Charles' Freund Louis Gonse, Chefredakteur der *Gazette* und Sammler, beschrieb ein bestimmtes Netsuke aus Buchsbaumholz in schönen Worten als »plus gras, plus simple, plus caresse« – sehr üppig, sehr einfach, sehr gut anzufühlen. Eine solche Kadenz der Resonanz ist schwer zu übertreffen.

Es waren alles Gegenstände, die man in der Hand halten konnte, Sa-chen, die dem Salon oder Boudoir zusätzliche Textur verliehen. Wäh-rend ich die Bilder der japanischen Gegenstände betrachte, bemerke ich, wie die Pariser ein Material aufs andere schichten: Eine Elfenbein-schnitzerei ist in Seide gehüllt, hinter einem Lacktischchen hängt ein Seidentuch, auf einem Lacktischchen steht Porzellan, Fächer spreizen sich auf dem Boden.

Leidenschaftliche Berührung, mit den Händen erforschen, Dinge, die liebevoll eingehüllt werden, *plus caresse*. Japonismus und Berüh-rung, eine verführerische Kombination für Charles und Louise, wie für viele andere.

Vor den Netsuke kommt eine Sammlung von dreiunddreißig schwarz-goldenen Lackkästchen. Sie sollte mit Charles' weiteren Kol-lektionen in seinen Räumen im Hôtel Ephrussi untergebracht wer-den, neben den Renaissance-Wandteppichen aus Burgund und seiner blassen Donatello-Marmorskulptur. Charles und Louise hatten die Sammlung aus Sichels chaotischem Schatzhaus zusammengestellt. Es war eine herausragende Kollektion von Lackarbeiten aus dem 17. Jahr-hundert, die sich mit jeder anderen in Europa messen konnte: Um sie auszuwählen, müssen sie bei Sichel regelmäßig ein und aus gegangen sein. Was mich als Töpfer besonders freut: Neben den Lackarbeiten besaß Charles auch eine Steingut-Deckeldose aus dem 16. Jahrhun-dert. Sie stammte aus Bizen, dem japanischen Töpferdorf, wo ich mit siebzehn meine Lehrzeit verbracht hatte, voller Begeisterung, endlich

*Japanische Goldlackschatulle aus der Sammlung
von Louise Cahen d'Anvers*

meine ungeduldigen Hände an diese schlichten, wunderbar anzufassenden Teeschalen legen zu können.

In »Les Lacques Japonais au Trocadéro«, einem langen, 1878 in der *Gazette* veröffentlichten Essay, beschreibt Charles die fünf oder sechs Vitrinen mit Lackarbeiten, die in der Ausstellung im Trocadéro in Paris zu sehen waren. Es ist seine längste Abhandlung über japanische Kunst. Wie auch in anderen Arbeiten schreibt er abwechselnd akademisch (bei Datierungen ist er firm), deskriptiv und schließlich poetisch über die Objekte, die er vor sich sieht.

Er erwähnt den Ausdruck *Japonisme*, »den mein Freund Philippe Burty geprägt hat«. Drei Wochen, so lange, bis ich eine frühere Erwähnung finde, bin ich der Ansicht, das sei das erste Mal, dass dieser Terminus im Druck auftaucht, und bin ganz aufgeregt, dass es eine so schöne Verbindung zwischen meinen Netsuke und dem Japonismus gibt, ein Augenblick viszeraler Seligkeit – Hab ich's nicht gewusst! – in der Zeitschriftenabteilung der Bibliothek.

Charles wird sehr, sehr erregt in seinem Essay. Er hat herausgefunden, dass Marie Antoinette eine Sammlung japanischer Lackarbeiten besaß, und er benutzt dieses Wissen, um eine hübsche Querverbindung zwischen der Rokoko-Zivilisation des 18. Jahrhunderts und jener Japans herzustellen. In seinem Essay scheinen Frauen, Intimität und Lackarbeiten innig verflochten. Er erklärt, japanische Lackarbeiten seien in Europa selten zu sehen gewesen: »Dazu benötigte es zugleich Reichtum und das Glück, eine Favoritin oder Königin zu sein, um in den beneidenswerten Besitz dieser beinahe unerreichbaren Dinge zu gelangen.« Nun aber ist der Augenblick gekommen – Paris in der Dritten Republik –, in dem zwei weit entfernte, einander fremde Welten aufeinandertreffen. Diese Lackarbeiten von legendärer Seltenheit, in der Machart so kompliziert, dass sie kaum herzustellen sind, die Besitztümer japanischer Prinzen oder westlicher Königinnen, stehen jetzt hier, in einem Pariser Laden, und man kann sie kaufen. Für Charles besitzen die Lackarbeiten inhärente Poesie: Sie sind nicht nur wertvoll und selten, sie bergen auch Geschichten vom Begehren. Seine Leidenschaft für Louise ist offenkundig. Dass diese Lackobjekte unerreichbar sind, verschafft ihnen eine Aura. Man spürt, wie er sich im Schreiben an die goldhaarige Louise wendet.

Und dann hebt Charles ein Kästchen hoch: »Nehmen Sie eine dieser Lackschatullen in die Hand – so leicht, so lind anzufühlen; der Künstler hat blühende Apfelbäume darauf dargestellt, heilige Kraniche, die über das stille Wasser fliegen, darüber eine unter einem wolkenverhangenen Himmel wogende Bergkette, Menschen in wehenden Gewändern, in Posen, die uns bizarr scheinen mögen, doch stets anmutig und elegant unter ihren großen Schirmen miteinander plaudernd.«

Er hält das Kästchen und spricht über dessen Exotik. Seine Vollendung verlange eine Geschmeidigkeit der Hand, die »ganz und gar weiblich ist, ein beharrliches Geschick, ein Opfer an Zeit, das die Nationen des Westens nie mit solcher Leichtigkeit aufbringen würden«. Wenn man diese Lackarbeiten – oder Netsuke oder Bronzen – ansieht oder in Händen hält, ist man sich der geleisteten Arbeit unmittelbar bewusst; sie verkörpern die aufgewandte Mühe und sind doch auf wunderbare Weise davon befreit.

Die Bilder auf dem Lackkästchen sind mit seiner wachsenden Zuneigung zur Malerei der Impressionisten verflochten: Die Motive der blühenden Apfelbäume, des Wolkenhimmels, der Frauen in wehenden Gewändern sind direkt aus Pissarro und Monet entnommen. Japanische Gegenstände – Lackarbeiten, Netsuke, Drucke – beschwören das Bild eines Ortes, wo die Empfindungen immer frisch sind, wo dem Alltagsleben Kunst entströmt, alles ein träumerisches, endloses, wunderbares Fließen.

In Charles' Essay über Lackarbeiten sind Stiche von Objekten aus Louises und seiner Sammlung eingefügt. Hier wird seine Prosa ein wenig üppig, atemlos, während er das Innere von Louises goldenem Lackschränkchen beschreibt, über das sich Windenranken schlängeln. Ihre Sammlungen seien geprägt »von der Laune eines vermögenden Liebhabers, der in der Lage ist, alle seine Begehrlichkeiten zu befriedigen«. Während er ihrer beider Sammlungen dieser eigentümlichen, prächtigen Objekte bespricht, bringt er insgeheim sich und Louise in Verbindung. Beide sind sie schwelgerisch und kapriziös, von jähen Begierden getrieben. Was sie sammeln, sind Objekte, die man mit der Hand entdecken kann, »so leicht, so lind anzufühlen«.

Es ist ein diskret-sinnlicher Akt der Enthüllung, ihre Sammelstücke öffentlich gemeinsam zu zeigen. Und die Zusammenstellung der Lackarbeiten berichtet auch von ihren Verabredungen: Die Sammlung protokolliert ihre Liebesgeschichte, ihre eigene geheime Geschichte der Berührung.

1884 ist in *Le Gaulois* die Besprechung einer Ausstellung von Charles' Lackobjekten zu lesen. Stunden könne man vor diesen Vitrinen verbringen, schreibt der Kritiker. Ich bin ganz seiner Meinung. In welchen Museen Charles' und Louises Lackarbeiten verschwunden sind, kann ich nicht herausfinden, doch ich kehre für einen Tag nach Paris zurück und besuche das Musée Guimet in der Avenue d'Iéna, wo heute Marie Antoinettes Sammlung aufbewahrt wird, und stehe vor Vitrinen, in denen sich die zart schimmernden Gegenstände in labyrinthischen Spiegelungen verlieren.

Charles bringt diese kompakten schwarz-goldenen *objets* in seinen

Salon in der Rue de Monceau, in dem eben erst ein goldgelber Savon-
nerie-Teppich verlegt wurde, ein feiner Seiden-Webteppich, ursprünglich im 17. Jahrhundert für eine Galerie des Louvre angefertigt. Das
Bildprogramm zeigt eine Allegorie der Luft: Die vier Winde blasen mit
geblähten Wangen in ihre Trompeten, alles verwoben mit Schmetter-
lingen und wehenden Bändern. Der Teppich wurde beschnitten, um in
den Raum zu passen. Ich stelle mir vor, wie ich über diesen Boden gehe.
Der ganze Raum ist golden.

# 5.

# Eine Schachtel Süßigkeiten für Kinder

Wollte man sich ein wenig Japan zulegen, fuhr man am besten dorthin. Um diese ultimative Nasenlänge voraus waren Charles' Nachbar Henri Cernuschi oder auch der Industrielle Emile Guimet, der die Ausstellung im Trocadéro organisiert hatte.

Konnte man da nicht mithalten, musste man Pariser Galerien aufsuchen, um japanische *bibelots* zu erwerben. Diese Läden galten als Treffpunkte, beliebte Rendezvous-Orte für Liebende aus der besseren Gesellschaft – *rendezvous des couples adultères*, Ehebrecher wie Charles und Louise. Früher hatte man solche Paare in der Jonque chinoise angetroffen, einem Geschäft in der Rue de Rivoli, oder der dazugehörigen Porte chinoise in der Rue Vivienne, wo die Galeristin Madame Desoye – sie hatte den allerersten Sammlern japanische Kunst verkauft – »juwelenbehängt thronte ... wie ein fettes japanisches Idol«. Nun hatte Sichel diese Rolle übernommen.

Sichel war ein großartiger Kaufmann, aber kein wissbegieriger Anthropologe. In einer 1883 veröffentlichten Broschüre, »Notes d'un bibeloteur au Japon«, schrieb er, das Land sei ihm vollkommen neu gewesen. Offen gesagt, sei er überhaupt nicht interessiert am Alltagsleben gewesen und habe bloß auf dem Basar Lackarbeiten kaufen wollen.

Und sonst tat er auch nichts. Bald nach seiner Ankunft in Japan 1874 entdeckte Sichel unter dicken Staubschichten in einem Basar in Nagasaki etliche Lack-Schreibschränkchen. Er »zahlte einen Dollar für jedes Exemplar, und heute werden viele dieser Gegenstände auf über tausend Francs geschätzt«. Er erwähnt nicht, dass er die Kästchen seinen Pariser Kunden, wie Charles oder Louise oder Gonse, um bedeutend mehr als tausend Francs verkaufte.

Sichel fährt fort: »Damals war Japan ein Schatzhaus mit Kunstobjekten, die man zu Schleuderpreisen bekommen konnte. In den Straßen der Städte reihte sich Laden an Laden mit Kuriositäten, Textilien und verpfändeten Gegenständen. Im Morgengrauen drängten sich die Kaufleute vor meiner Türe: Verkäufer von *fukusa* [Schriftrollen] oder Bronzehändler, die ihre Waren in Karren transportierten. Sogar Vorübergehende verkauften gerne die *netsuke* von ihren *obi* [Kimonogürteln]. Das Trommelfeuer an Angeboten war so unaufhörlich, dass man beinahe überwältigt war von Überdruss und keine Lust zu kaufen mehr verspürte. Trotzdem waren diese Händler exotischer Gegenstände liebenswürdige Kaufleute. Sie dienten als Stadtführer, verhandelten an unserer statt, und das für eine Schachtel Süßigkeiten, wie man sie Kindern schenkt; beschlossen wurden die Geschäfte mit prächtigen Banketten zu unseren Ehren, an deren Ende Tänzerinnen und Sängerinnen reizende Vorführungen boten.«

Japan war eine solche Schachtel Süßigkeiten. In Japan zu sammeln beförderte eine augenscheinliche Gier. Sichel schreibt von dem Drang, *de dévaliser le Japon* – das Land auszuplündern, zu vergewaltigen. Die Geschichten von verarmten *daimyos*, die ihre Erbstücke, von Samurais, die ihre Schwerter, von Tänzerinnen, die ihre Körper verscherbelten – so wie die Passanten die Netsuke –, kündeten von unendlichen Möglichkeiten. Jeder konnte einem alles verkaufen. Japan, das war eine Art Parallelexistenz, wo jede Befriedigung erlaubt war – künstlerisch, kommerziell, sexuell.

Japanische Gegenstände umgab eine Aura erotischer Möglichkeiten, und das hatte nicht bloß mit dem Rendezvous zweier Liebender bei Lackkästchen oder Elfenbein-Nippsachen zu tun. Japanische Fächer, *bibelots* und Kleider wurden nur in privaten Begegnungen mit Leben erfüllt. Es waren Requisiten zum Verkleiden, für Rollenspiele, für das sinnliche Neuerfinden seiner selbst. Natürlich gefielen sie Charles mit seinem herzoglichen Bett samt Brokatbaldachin, seinem endlosen Umgestalten der Räume in der Rue de Monceau.

Auf dem Bild »La Japonaise au bain« von James Tissot sieht man ein nacktes Mädchen, einen schweren Brokatkimono locker über die Schultern geworfen, an der Schwelle eines japanischen Zimmers stehen. In Monets aufreizendem Bild seiner Frau Camille ist sie mit goldblonder Perücke zu sehen, gekleidet in ein wallendes Gewand, auf dem in roter Stickerei ein Samurai sein Schwert aus der Scheide zieht. Über die Wand hinter ihr und auf dem Boden sind Fächer verstreut, es wirkt wie ein Whistlersches Feuerwerk. Es ist eine offenkundige Vorführung für den Künstler, so wie in Prousts »In Swanns Welt« die *demi-mondaine* Odette Swann in ihrem mit japanischen Seidenkissen, Wandschirmen und Laternen ausstaffierten Salon empfängt, der vom schweren Duft der Chrysanthemen erfüllt ist, ein olfaktorischer Japonismus.

Die Besitzrechte wirkten vertauscht. Diese Dinge schienen Unersättlichkeit hervorzurufen, sie nahmen in Anspruch, stellten Forderungen. Die Sammler selbst sprechen vom Rausch des Jagens und Kaufens, ein Vorgang, der sich bis zur Manie steigern konnte: »Von allen Leidenschaften, von allen ohne Ausnahme, ist die Leidenschaft für die *bibelots* vielleicht die schrecklichste und unbezwinglichste. Wer von einer Antiquität besessen ist, ist verloren. *Bibelots* sind nicht nur eine Leidenschaft, sie sind … eine Krankheit«, schrieb der junge Guy de Maupassant 1883 in *Le Gaulois*.

Eine eindringliche Darstellung davon findet sich in einem von Charles' Geißel Edmond de Goncourt verfassten Buch. In »La Maison d'un artiste« beschreibt Goncourt jeden Raum seines Pariser Hauses mit akribischer Sorgfalt – die Holztäfelungen, die Bilder und Bücher, die Objekte; es ist ein Versuch, jeden Gegenstand, jedes Bild und ihre Plazierung zu evozieren, eine Hommage an seinen toten Bruder, mit dem er zusammenlebte. In zwei Bänden mit jeweils mehr als dreihundert Seiten gestaltet Goncourt – neben einer Autobiographie und Reiseerzählung – auch die umfassende Inventur eines Hauses durch die darin enthaltenen Dinge. Das Haus ist gesättigt von japanischer Kunst. Das Vorzimmer ist mit japanischem Brokat und *kakemonos*, Rollbildern, dekoriert. Sogar der Garten zeigt ein mit Bedacht gestaltetes Sortiment von chinesischen und japanischen Bäumen und Sträuchern.

In einem Moment, der eines Borges würdig wäre, enthält seine Sammlung sogar ein Arrangement chinesischer Kunstgegenstände, das von einem japanischen *bibeloteur exotique* im 17. Jahrhundert zusammengestellt wurde. In Goncourts Aufstellung gibt es unendlich viele Beziehungen zwischen Bildern, Wandschirmen, offen aufgelegten Rollbildern und Objekten in Vitrinen.

Ich stelle mir Goncourt vor, dunkeläugig, die weiße Seidenkrawatte nachlässig geknüpft, wie er effekthascherisch vor seiner Birnholzvitrine steht. Er nimmt eines seiner Netsuke und beginnt die Geschichte seiner besessenen Suche nach Vollkommenheit zu erzählen, die hinter jedem Gegenstand liegt:

»Dies ist eine Schmuck-Berlocke, sozusagen, geschaffen von einer ganzen Klasse exzellenter Künstler – meist Spezialisten; sie widmeten sich ausschließlich der Nachbildung eines Gegenstandes oder Lebewesens. So hören wir von einem Künstler, dessen Familie in Japan seit drei Generationen Mäuse gefertigt hat, nichts als Mäuse. Neben diesen berufsmäßigen Künstlern gab es in diesem so kunstfertigen Volk jene, die aus Liebhaberei Netsuke schufen, denen es Vergnügen bereitete, für sich selbst kleine Meisterwerke herzustellen. Eines Tages ging M. Philippe Sichel auf einen Japaner zu, der auf seiner Schwelle saß und ein Netsuke schnitzte, das beinahe vollendet war. Mr. Sichel fragte ihn, ob er es verkaufen wolle, wenn es fertig sei. Der Japaner fing zu lachen an und sagte ihm schließlich, das werde noch etwa achtzehn Monate dauern; dann zeigte er ihm ein anderes Netsuke, das an seinem Gürtel hing, und meinte, das habe ihn einige Jahre Arbeit gekostet. Die beiden kamen ins Gespräch, und der Künstler aus Liebhaberei gestand M. Sichel, ›dass er nicht jeden Atemzug so arbeite … dass er dazu in der Stimmung sein müsse … an bestimmten Tagen, wenn er ein, zwei Pfeifen geraucht habe, wenn er sich fröhlich und ausgeruht fühle‹, und ließ ihn schließlich wissen, dass er für diese Arbeit stundenlange Inspiration benötige.«

Diese Nippes aus Elfenbein oder Lack oder Perlmutt schienen alle auszudrücken, dass die japanischen Handwerker die Phantasie von *bijoux-joujoux lilliputien* hätten, Leuten, die entzückende winzige Sächelchen herstellten. Dass die Japaner klein waren und kleine Dinge schufen, war in Paris eine Binsenweisheit. Diese Vorstellung vom Miniaturhaften galt oft als der Grund, warum es der japanischen Kunst an hohen Zielsetzungen fehle. Die Japaner seien brillant, wenn es gelte, mittels mühseliger Prozeduren rasch aufflackerndes Gefühl sichtbar zu machen, doch wo grandiosere Empfindungen darzustellen seien, Tragik oder Ehrfurcht, versagten sie. Deshalb hätten sie auch kein Parthenon, keinen Rembrandt.

Ihre Sache war das Alltagsleben. Und Emotion. Diese Emotionen hatten Kipling bezaubert, als er bei seinen Reisen in Japan 1889 zum ersten Mal Netsuke zu Gesicht bekam. In einem seiner Briefe aus Japan schreibt er von »einem Laden voller Bruchstücke des alten Japan … Der Professor schwadroniert von den Kästchen aus altem Gold und Elfenbein, besetzt mit Jade, Lapislazuli, Achat, Perlmutt und Karneol, für mich aber sind die Knöpfe und Netsuke auf Watte, die man herausnehmen, mit denen man spielen kann, begehrenswerter als alle Wunderdinge mit ihren fünf Juwelen. Leider ist ein hauchdünn hingekratztes japanisches Schriftzeichen der einzige Hinweis auf den Namen des Künstlers, und so kann ich nicht sagen, wer den alten Mann, der sich vor einem Tintenfisch so schrecklich geniert, erfunden und in cremefarbenem Elfenbein ausgeführt hat; den Priester, der dem Soldaten befohlen hat, ein Reh hochzuheben, und nun lacht, weil das Bruststück ihm zukommt und die Last seinem Begleiter; oder die dürre, magere Schlange, die sich auf einem kieferlosen, von verdorbenen Erinnerungen gefleckten Schädel höhnisch zusammenringelt; oder den Rabelaisischen, auf dem Kopf stehenden Dachs, der einen erröten lässt, obwohl er bloß zwei Zentimeter lang ist; oder den fetten Jungen, der auf seinen kleinen Bruder einschlägt; oder das Kaninchen, das sich eben einen Scherz erlaubt hat, oder – aber es gab eine Menge dieser Andeutungen, geboren aus jeder Art von Heiterkeit, Verachtung und Erfahrung, die das Herz des Menschen bewegt; und mit dieser Hand, die ein halbes Dutzend in der Handfläche hielt, grüßte ich den Schatten des toten Schnitzers! Er ist zur Ruhe eingegangen, doch er hat in Elfenbein drei, vier Wirkungen herausgearbeitet, denen ich in kalter Schrift nachjage.«

Und die Japaner waren gut in Erotika. Solchen wurde mit besonderer Verve nachgestellt: Goncourt erwähnte die »débauches«, die Lustmolche, die sie bei Sichel kauften. Degas und Manet stöberten *shunga* auf, Drucke von akrobatischen Stellungen beim Geschlechtsverkehr oder bizarren Begegnungen zwischen Kurtisanen und Phantasiewesen. Tintenfische waren beliebt, da ihre geschmeidigen Fangarme erfindungsreiche Möglichkeiten boten. Goncourt berichtet, er habe eben »ein Album mit japanischen Obszönitäten erworben ... Sie ergötzen, amüsieren mich, betören mein Auge ... Die Kraft der Striche, das Ungeahnte der Vereinigungen, die Anordnung der Accessoires, das Kapriziöse in Stellungen und Kleidung, die ... pittoreske Beschaffenheit der Genitalien.« Auch erotische Netsuke waren bei Pariser Sammlern hochbegehrt. Zum Standard gehörten zahllose Kraken, die nackte Mädchen umschlingen, Affen, die sehr große und phallische Pilze tragen, aufgeplatzte Khakifrüchte.

Diese erotischen *objets* gesellten sich zu anderen, westlichen Objekten für das männliche Vergnügen: Bronzen, kleinen, klassisch geformten nackten Figuren, die sich in die Hand schmiegten; Kenner bewahrten sie in ihren Arbeitszimmern auf, um sich fachkundig über die Qualität der Modellierung oder über die Patinierung zu unterhalten. Oder die Sammlungen kleiner Email-Schnupftabakdosen; öffnete man sie, kamen priapische Faune oder aufgeschreckte Nymphen zum Vorschein, Miniatur-Inszenierungen von Verhüllung und Enthüllung. Diese kleinen Gegenstände, die man in die Hand nehmen und herumreichen konnte – leichthin, spielerisch, kennerhaft –, wurden in Vitrinen aufbewahrt.

Die Gelegenheit, ein anstößiges Dingelchen von Hand zu Hand gehen zu lassen, war im Paris der 1870er Jahre zu gut, um sie verstreichen zu lassen. Vitrinen waren für die geistreichen, koketten Zwischenspiele des Salonlebens unverzichtbar geworden.

# 6

# Ein Fuchs aus Holz mit eingelegten Augen

Und so kauft Charles die Netsuke. Er kauft 264 Stück.
Ein Fuchs aus Holz mit eingelegten Augen
Eine zusammengeringelte Schlange aus Elfenbein auf einem
Lotusblatt
Ein Hase aus Buchsbaumholz und der Mond
Ein stehender Krieger
Ein schlafender Diener
Kinder, die mit Masken spielen, aus Elfenbein
Kinder, die mit Hündchen spielen
Kinder, die mit einem Samuraihelm spielen
Dutzende Ratten aus Elfenbein
Affen, Tiger, Hirsche, Aale und ein galoppierendes Pferd
Priester, Schauspieler, Samurai, Handwerker und eine badende
Frau in einem Holzzuber
Ein Bündel Kienspäne, mit einem Strick zusammengebunden
Eine Mispel
Eine Hornisse auf einem Hornissennest auf einem abgebrochenen
Ast
Drei Kröten auf einem Blatt
Ein Affe mit seinen Jungen
Ein sich liebendes Paar
Ein liegender Hirsch, der sich mit dem Hinterlauf hinter dem Ohr
kratzt
Ein No-Tänzer in üppig bestickter Robe, der sich eine Maske vors
Gesicht hält
Ein Oktopus
Eine nackte Frau und ein Oktopus
Eine nackte Frau

Drei Kastanien

Ein Priester zu Pferd

Eine Khakifrucht

Und noch zweihundert mehr: eine riesige Sammlung sehr kleiner Dinge.

Charles kaufte sie von Sichel, nicht Stück für Stück, wie die Lackarbeiten, sondern als vollständige, spektakuläre Sammlung.

Waren sie gerade eingetroffen, jedes in sein Seidentuch eingeschlagen und auf Holzwolle gebettet, dann in Kisten von Yokohama auf einer viermonatigen Seereise über das Kap der Guten Hoffnung herbeigeschafft? Hatte Sichel sie eben erst in einer Vitrine ausgestellt, um seine reichen Sammler in Versuchung zu führen, oder hatte Charles eines nach dem anderen ausgewickelt, hatte er meinen Lieblingstiger entdeckt, der sich aufgeschreckt auf einem Bambus umwendet; er war Ende des 18. Jahrhunderts in Osaka geschnitzt worden; oder die hochblickenden Ratten, ertappt auf der Hülle eines vertrockneten Fisches?

Verliebte er sich in den auffallend blassen Hasen mit den Bernsteinaugen, und kaufte er die anderen, um ihm Gesellschaft zu leisten?

Bestellte er sie bei Sichel? Wurden sie in Kyoto von einem schlauen Händler über ein, zwei Jahre von jüngst Verarmten zusammengekauft und weiterverhökert? Ich sehe sie mir genau an. Einige wenige wurden für den westlichen Markt geschaffen und zehn Jahre zuvor in aller Eile angefertigt. Der dickliche Junge mit dem albernen Lächeln und der Maske gehört sicher dazu. Er ist grob ausgeführt, vulgär. Die überwiegende Mehrzahl der Netsuke aber wurde vor der Ankunft von Commodore Perry geschnitzt, manche hundert Jahre zuvor. Es gibt Menschenfiguren, Tiere, Erotika und mythische Wesen: Sie behandeln die meisten Themen, die man in einer umfassenden Sammlung erwarten würde. Einige wurden von berühmten Schnitzern signiert. Diese Sammlung wurde von einem Fachmann zusammengestellt.

War Charles nur zufällig bei Sichel, mit Louise, bei den Kaskaden von Seide, den Mappen mit den Drucken, den Wandschirmen und dem Porzellan, bevor die anderen Sammler die Schatzkammer entdeckten? Wandte sie sich ihm zu, oder er ihr?

Oder war Louise nicht dabei? War das als Überraschung für sie gedacht, wenn sie das nächste Mal in seine Räume hinaufkommen würde?

Wie viel haben sie diesen jungen Mann, diesen eigenwilligen, charmanten Sammler gekostet? Sein Vater Leon war eben an Herzversagen gestorben, mit nur fünfundvierzig Jahren, und neben Betty im Familiengrab am Montmartre beigesetzt worden. Aber Ephrussi et Cie florierte prächtig. Jules hatte vor kurzem das Grundstück am Vierwaldstättersee für sein Ferienchalet erworben. Seine Onkel kauften Schlösser und ließen in Longchamps Rennpferde in den Ephrussi-Farben laufen, blau mit gelben Tupfen. Die Netsuke müssen wirklich sehr teuer gewesen sein, doch Charles konnte sich eine solche Extravaganz leisten, denn sein Vermögen wuchs wie das seiner Familie Jahr für Jahr.

Es gibt Dinge, die ich nicht wissen kann. Aber ich weiß, dass Charles eine schwarze Vitrine gekauft hat, um die Netsuke darin aufzubewahren, poliertes Holz, das wie Lack wirkte, höher als er, über zwei Meter. Man konnte durch die Glastür vorne und durch Glasscheiben an den Seiten hineinsehen. Ein Spiegel an der Rückseite ließ die Netsuke in Unendlichkeiten des Sammelns verschwimmen. Sie lagen alle auf grünem Samt. Netsuke besitzen viele subtile Farbnuancen, alle Tönungen von Elfenbein, von Horn und Buchsbaumholz: cremefarben, wachsgelb, nussbraun, golden, alles auf diesem Feld aus tiefem, dunklem Grün.

Sie liegt nun vor mir, Charles' Sammlung in der Sammlung.

Charles legt die Netsuke auf den grünen Samt in der dunklen Vitrine mit der verspiegelten Rückseite, ihren ersten Ruheplatz in dieser Geschichte, nahe bei den Lackschatullen, nahe bei den aus Italien mitgebrachten prachtvollen Wandbehängen, nahe beim goldenen Teppich.

Ich würde gerne wissen, ob er es aushielt, nicht auf den Treppenabsatz zu gehen und dann nach links, um seinem Bruder Ignaz von der neuen Anschaffung zu erzählen.

Netsuke können nicht ungeschützt in einem Salon oder Studierzimmer herumliegen. Sie gehen verloren, verstauben, werden zerkratzt. Sie brauchen einen Ort, wo sie ruhen können, am besten in Gesellschaft anderer Kuriositäten. Hier kommen Vitrinen ins Spiel. Und in dieser Reise zu den Netsuke beschäftigten mich Vitrinen, verglaste Ausstellungsschränke immer mehr.

In Louises Salon kamen sie mir immer wieder unter. Ich hatte in herrschaftlichen Häusern aus der Belle Époque schön erhaltene Exemplare gesehen, in Charles' Ausstellungsberichten in der *Gazette* davon gelesen, dazu Beschreibungen in Rothschild-Inventaren. Und nun, da Charles seine eigene hat, wird mir klar, dass sie zum Schauspiel des Salonlebens gehören, nicht nur zum Mobiliar. Ein Sammlerfreund von Charles wird beschrieben, wie er japanische Objekte in eine Vitrine legt, wie ein Maler, der auf der Leinwand einen Pinselstrich anbringt. Die Harmonie ist vollkommen, die Finesse exquisit.

Vitrinen sind dazu da, damit man Objekte ansehen, aber nicht anfassen kann: Sie umrahmen Dinge, halten sie auf Entfernung, locken durch Abstand.

Das habe ich, nun wird es mir klar, an Vitrinen missverstanden. Die ersten zwanzig Jahre meines Lebens als Töpfer versuchte ich mit den besten Absichten, Gegenstände aus den Glaskästen zu holen, in die man in Galerien und Museen meine Gefäße oft plazierte. Sie sterben hinter Glas, sagte ich, in diesen Luftschleusen. Vitrinen sind eine Art Särge: Die Gegenstände müssen herausgenommen werden, sie müssen sich abseits der formalen Aufstellung bewähren, befreit werden. »Raus aus dem Salon, rein in die Küche!«, schrieb ich in einer Art Manifest. Es stand zu viel im Weg. Es war *trop de verre*, zu viel Glas, wie ein großer Architekt über das üppig verglaste Haus eines modernistischen Konkurrenten meinte.

Doch die Vitrine ist – anders als der Museumsschrank – dazu da, aufgeschlossen zu werden. Und diese geöffnete Glastür und der Moment des Schauens, des Auswählens, des Hineinlangens und Ergreifens ist ein Moment der Verführung, eine elektrisierende Begegnung zwischen Hand und Objekt.

Charles' Freund Cernuschi, der straßenabwärts beim Eingang zum Parc Monceau lebte, besaß eine große Sammlung japanischer Kunst, an schlichten weißen Wänden arrangiert. Ein Kritiker bemerkte, die

Objekte sähen unglücklich aus, als wären sie im Louvre. Japanische Kunst als Kunst zu präsentieren machte sie problematisch, übermäßig seriös. Aber Charles' Salon weiter oben, ein Ort für ungewöhnliche Begegnungen zwischen alten italienischen und neuen japanischen Gegenständen, ist kein Museum.

Charles' Vitrine ist eine Schwelle.

Und diese Netsuke passen vollendet in Charles' Salonleben. Die goldlockige Louise, die ihre Vitrine voll japanischer Sachen öffnet, darin herumfischt, Gegenstände herausnimmt, um sie anzusehen und zu betasten, zu liebkosen, zeigt, dass japanische Dinge für abschweifende Konversation, für Zerstreuung gemacht sind. Diese Netsuke, so denke ich, fügen Charles' Lebensart etwas ganz Eigentümliches hinzu. Sie sind die ersten Objekte, die eine Beziehung zum Alltagsleben haben, wenn auch zu einem exotischen Alltagsleben. Sie sind natürlich wundervoll und höchst sinnlich, aber nicht fürstlich wie sein Medici-Bett oder seine Lackarbeiten aus der Zeit Marie Antoinettes. Sie sind da, um angefasst zu werden.

Vor allem bringen sie einen auf viele verschiedene Arten zum Lachen. Sie sind witzig und frech und von durchtriebener Komik. Und nun, da ich endlich die Netsuke die geschwungene Treppe hinauf und in Charles' Salon im honigfarbenen Hôtel gebracht habe, entdecke ich, dass ich erleichtert bin: Der Mann, den alle so schätzten, hatte genug Humor, um sie zu genießen. Ich muss ihn nicht bloß bewundern. Ich darf ihn auch mögen.

# 7

# Der gelbe Lehnstuhl

Die Netsuke – mein Tiger, mein Hase, meine Khakifrucht – sind in Charles' Studierzimmer untergebracht, wo er endlich sein Buch über Dürer fertiggestellt hat. Es ist ein Raum, der in einem atemlosen Brief des jungen Dichters Jules Laforgue an Charles Gestalt gewinnt:

»Jede Zeile in Ihrem schönen Buch erweckte so viele Erinnerungen! Besonders die allein in Ihrem Zimmer bei der Arbeit verbrachten Stunden, wo der Farbton eines gelben Lehnstuhls aufleuchtet! Und die Impressionisten! Zwei Fächer von Pissarro, in akribischen kleinen Pinselstrichen zusammengefügt. Die Sisleys, die Seine mit den Telegraphendrähten und dem Frühlingshimmel. Der Lastkahn bei Paris mit dem Strolch, der auf der Landstraße herumlungert. Und Monets blühende Apfelbäume, die den Hügel emporklettern. Und Renoirs strubbelige kleine Wilde und Berthe Morisots üppiges, frisches Unterholz, eine sitzende Frau, ihr Kind, ein schwarzer Hund, ein Schmetterlingsnetz. Und noch eine Morisot, ein Kindermädchen mit seinem Schützling – blau, grün, rosa, weiß, mit Sonnenflecken. Und die anderen Renoirs, die Pariserin mit den roten Lippen und dem blauen Jersey. Und diese unbekümmerte Frau mit dem Muff und der Lackrose im Knopfloch … Und die Tänzerin mit den nackten Schultern von Mary Cassatt in Gelb, Grün, Blond, Rostrot auf dem roten Fauteuil. Und die nervösen Tänzerinnen von Degas, Duranty von Degas – und natürlich Manets *Polichinelle* mit Banvilles Versen!

Ah! Die süßen Stunden, die ich dort verbrachte, als ich mich über den Tabellen des *Albert Dürer* verlor, träumte … in Ihrem hellen Zimmer, wo der Farbton des gelben Lehnstuhls aufleuchtet, so gelb, so gelb.«

»Albert Dürer et ses dessins« war Charles' erstes wirkliches Buch, ein Buch, das ihn quer durch Europa hatte »vagabundieren« lassen.

Laforgue, einundzwanzig Jahre alt und ein Neuling in Paris, war ihm als Sekretär empfohlen worden, er sollte die Listen, Berichtigungen, Anmerkungen zu zehn Jahren Studium durchgehen und daraus Appendices, Tabellen und Register für die Veröffentlichung zusammenstellen. Für Laforgue war Charles in seinem chinesischen Morgenrock ein betörender Gönner in einer betörenden Umgebung.

Auch ich bin ziemlich aus dem Häuschen, denn bevor mir in einem Buch über Manet eine Fußnote unterkam, hatte ich keine Ahnung, dass Laforgue für Charles arbeitete: Laforgue, der wunderbare Dichter der Städte, der regenfeuchten Parkbänke, der Telegraphendrähte an verlassenen Landstraßen.

Charles ist kein gehetzter junger Mann mehr. Er ist nun der »benediktinische Dandy aus der Rue de Monceau«, ein Wissenschaftler im schwarzen Rock, dabei Flaneur, mit leicht schräg sitzendem Zylinder; jemand, der seinen Spazierstock mit einem Gefühl für Korrektheit und *amour propre* unter dem Arm trägt. Jemand, der einen Kammerdiener beschäftigt, damit der Hut auch gebürstet ist. Jemand, da bin ich mir sicher, der niemals Sachen in seinen Jacketttaschen getragen und damit den Sitz der Kleider beeinträchtigt hätte. Wir sehen ihn als Dreißigjährigen mit seiner Geliebten in seiner neuen Rolle als jüngst bestellter Herausgeber der *Gazette* und erkennen, dass er Selbstsicherheit erlangt hat. Er ist ein mondäner Kunsthistoriker mit einem Sekretär. Und er sammelt, nicht nur Netsuke, auch Bilder.

In diesem Zimmer wirkt er so lebendig. Diese Farben – das Schwarz seines Rocks, seines Zylinders, der rötliche Schimmer in seinem Bart – vor dem Strom phantastischer Bilder, die vor der lodernden Helligkeit des gelben Lehnstuhls an Leuchtkraft gewinnen. Das Arbeitszimmer eines Mannes, so stellt es man sich vor, der Farbe nicht nur braucht, sondern auch sein Leben darum herum errichtet. Ein Mann, der in der Rue de Monceau untadelige Uniform, rabbinisches Schwarz, trägt und hinter der Tür seines Studierzimmers ein anderes Leben führt.

Welche Art Studien konnte man in einem solchen Zimmer überhaupt betreiben?

Jules Laforgue begann am 14. Juli 1881 für Charles zu arbeiten. Den

*Der »benediktinische Dandy aus der Rue de Monceau«:*
*Jules Laforgues Selbstporträt mit Charles, 1881*

ganzen Sommer über war er in diesem Arbeitszimmer tätig, halbe
Nächte hindurch. Mit einiger Missbilligung bemerke ich, dass sein jüdischer Mäzen ihn sehr schlecht bezahlte. Durch Laforgues Augen sehen wir, wie Charles sein Buch fertigstellte: »Stein für Stein haben
Sie langsam und sorgfältig die Pyramide errichtet, auf dem Ihr schönes bärtiges Monument stehen wird.« Auf einen Zettel mit Randbemerkungen hat Laforgue eine Skizze von ihnen beiden gekritzelt. Laforgue, winzig, mit hochgebauschtem Haar, geht voraus, die Arme in
die Seiten gestemmt, er bläst Rauchwolken vor sich hin, hinter ihm ein
liebenswürdig-eleganter, aufrechter, hochgewachsener, monumentaler
Charles mit einem assyrischen Profil. Er ist sehr stattlich geworden.
    Laforgue bewundert ihn, neckt ihn aber auch. Er will sich an die-
ser seiner ersten Stelle unbedingt bewähren. »Und was haben Sie nun

vor, o benediktinischer Dandy aus der Rue de Monceau? Ich sehe immer die Inhaltsangaben von *Gazette* und *Art*. Was hecken Sie aus zwischen Monets *Grenouillère*, Manets *Constantin Guys* und den ... bizarren Archäologien Moreaus – sagen Sie es mir.«

Laforgue richtet »unserem« Zimmer seine Grüße aus, er sendet »Grüße an den Monet – Sie wissen, welchen«. Sein Sommer mit Charles ist eine Begegnung mit dem Impressionismus, eine Begegnung, die von ihm fordert, eine neue poetische Sprache zu finden. Er versucht eine Art Prosagedicht, nennt es »Guitare« und widmet es Charles. Aber diese Beschreibungen von Charles' Arbeitszimmer sind ja selbst Prosagedichte: Da sind die Mischungen der präzise gesehenen Farbkleckse – »la tache colorée« –, der gelbe Lehnstuhl, die roten Lippen und der blaue Sweater des Renoir-Mädchens. Die Briefe, ein wildes Durcheinander von Sinneseindrücken, ideengesättigt, nähern sich Laforgues Beschreibung des impressionistischen Stils als eines, in dem Betrachter und Betrachtetes eng miteinander verwoben sind: »irrémédiablement mouvants, insaisissables et insaissants«.

Charles hing sehr an Laforgue. Nach dem langen Sommer in Paris kümmerte er sich darum, dass der junge Dichter in Berlin eine Anstellung als Französisch-Vorleser der Kaiserin erhielt – Charles hatte auf beiläufige Art bemerkenswerte Beziehungen –, er schrieb ihm, schickte ihm Geld, gab ihm Ratschläge, kritisierte seine Buchbesprechungen und half Laforgue, veröffentlicht zu werden. Charles behielt mehr als dreißig Briefe von Laforgue aus dieser Zeit; nach dem frühen Tod des Dichters an Tuberkulose veröffentlichte er sie in der Zeitschrift *La Revue blanche*.

In diesen Briefen spürt man das Zimmer. Hier wollte ich mit den Netsuke sein, doch ich fürchtete, nie über ein kennerhaftes Inventar des prunkvollen Mobiliars in Charles' Wohnung hinauszukommen. Ich wusste nicht, wie ich ein Leben einzig und allein aus Gegenständen rekonstruieren sollte. So wie Laforgues Schriften quillt das Zimmer über von unerwarteten Konjunktionen und Disjunktionen. Ich kann die ausufernden nächtlichen Gespräche der beiden hören, und nun bin ich endlich hier.

Alles in diesem Salon ist gesteigerte Emotion. Schwer, sich nicht lebendig zu fühlen an einem Ort, der so gesättigt ist von Bildern von Freiheit und Müßiggang, von Tagen auf dem Land, von jungen Frauen, einem Zigeunermädchen, Badenden in der Seine, einem Vagabunden auf einer Landstraße ins Nirgendwo, einem prachtvollen Faun, umrahmt von Stickereien, und all den kuriosen, witzigen, so angenehm anzufühlenden Netsuke.

# 8.

## Monsieur Elstirs Spargel

Ich sitze wieder in der Bibliothek, zögere. Dürers Selbstbildnis, christusgleich, bärtig, langhaarig, starrt mich an, als ich Charles' Buch »Albert Dürer et ses dessins« aufschlage. Es ist eine Herausforderung in diesem Blick. Ich habe unendlich viel Zeit damit verbracht, darüber nachzudenken, wie diese sorgfältig und fein gesponnenen Gedankenstränge, all die ordentlich ausgearbeiteten Tabellen und Listen in einem Arbeitszimmer mit Monets windgepeitschtem Sommertag an der Wand entstanden sein können.

Wenn ich Charles' angeregte Beschreibung seiner Suche nach den verschollenen Dürer-Zeichnungen lese, kann ich die Emotion in seiner Stimme fühlen: »Um unsere Arbeit zu einem guten Ende zu bringen, haben wir die Zeichnungen unseres Meisters überall aufgespürt, wo sie verborgen sein konnten: in den Museen ausländischer Groß- und Kleinstädte, in Paris und in den Provinzen, in berühmten und wenig bekannten privaten Sammlungen, in den *cabinets* der Liebhaber und jenen brüsk abweisender Menschen, wir durchstöberten, durchwühlten, untersuchten alles.« Charles mag ein Flaneur gewesen sein, viel Zeit in den Salons verbracht haben, beim Rennen und in der Oper gesehen worden sein, doch sein »Vagabundieren« besaß echte Intensität.

»Vagabundieren«, das war sein Ausdruck. Das klingt eher nach Erholung als nach Fleiß oder Professionalität. Es wäre gegen die gesellschaftlichen Gepflogenheiten gewesen, hätte sich ein steinreicher jüdischer *mondain* bei der Arbeit antreffen lassen. Er war ein *amateur de l'art*, ein Kunstliebhaber, und sein Ausdruck ist bewusst bescheiden. Doch er trifft das Vergnügen an der Forschung, die Art, wie man dabei jedes Zeitgefühl verliert, wie man sich ebenso sehr von Launen wie von Plänen leiten lässt. Ich muss an das Herumstöbern in seinem Leben denken, während ich die Spuren seiner Netsuke verfolge, daran, wie ich die Randbemerkungen anderer Leute notiere. Ich vagabundiere in Bibliotheken herum, spüre auf, wo er hingegangen ist und warum. Ich folge den Anhaltspunkten, wen er kannte, über wen er schrieb, wessen Bilder er kaufte. In Paris stehe ich im Sommerregen vor seinem alten Büro in der Rue Favart, wie ein melancholischer kunsthistorischer Privatdetektiv, und warte, wer herauskommt.

Mir fällt auf, dass ich im Laufe der Monate immer empfindlicher auf die Beschaffenheit von Papier reagiere.

Und dass ich Charles ins Herz geschlossen habe. Er ist ein leidenschaftlicher Gelehrter. Er ist gut angezogen und ein guter Kunsthistoriker und hartnäckig beim Recherchieren. Welch großartige und seltene Dreieinigkeit von Attributen, denke ich mit einem Anflug von Neid.

Charles hatte einen ganz besonderen Grund für seine Forschungsarbeit. Er glaubte, dass »alle Dürer-Zeichnungen, selbst die flüchtigsten Skizzen, eine besondere Erwähnung verdienten, dass nichts, das der Hand unseres Meisters zugeschrieben wird, beiseitegelassen werden sollte …« Charles wusste, dass es auf Intimität ankommt. Wenn wir eine Zeichnung in die Hand nehmen, können wir »die Gedanken des Künstlers in aller Unmittelbarkeit wahrnehmen, in ebendem Augenblick, wo sie sich entfalten, und das mit vielleicht mehr Wahrheit und Ehrlichkeit als in den Werken, die Stunden mühevoller Arbeit verlangen und die trotzige Ausdauer des Genies«.

Das ist ein wunderbares Manifest für die Zeichnung. Es feiert den Augenblick der Vorahnung und den flüchtigen Moment der Umsetzung – ein paar Tintenspuren oder Bleistiftstriche. Es ist auch eine schön verrätselte Forderung nach einem Austausch zwischen einer bestimmten Art des Alten und des ganz Neuen in der Kunst. Sein Buch, so Charles, sollte »den größten deutschen Künstler in der französischen Öffentlichkeit bekannter machen«, den ersten Künstler, den er in seiner Kindheit in Wien ins Herz geschlossen hatte. Aber es gab Charles auch eine emotionale wie intellektuelle Plattform, von der aus er argumentieren konnte, dass die verschiedenen Zeitalter einander etwas zu sagen hätten, dass eine Zeichnung von Dürer zu einer Zeichnung von Degas sprechen könne. Er wusste, das konnte funktionieren. Charles wurde durch seine Schriften zum Fürsprecher für die lebenden Künstler, die er kennenlernte. Er war Kritiker, unter seinem eigenen Namen oder unter Pseudonymen, er argumentierte die Vorzüge bestimmter Bilder, er kämpfte für Degas' »Kleine Tänzerin«, »wie sie dasteht in ihrem abgetragenen Kleidchen, müde, abgekämpft«. Als Herausgeber der *Gazette* gab er nun Besprechungen von Ausstellungen jener Maler in Auftrag, die er bewunderte. Leidenschaftlich und parteiisch begann er auch Bilder für den Raum mit dem gelben Lehnstuhl zu kaufen.

Charles' erste Bilder waren von Berthe Morisot. Er liebte ihr Werk: »Sie zermahlt Blütenblätter auf ihrer Palette, um sie später mit luftigen, geistreichen, ein wenig willkürlichen Strichen auf der Leinwand zu verteilen. Sie harmonieren, verschmelzen und erzeugen schließlich etwas Edles, Lebendiges und Reizvolles, das man weniger sieht als ahnt ...«

In drei Jahren stellte er eine Kollektion von vierzig impressionistischen Werken zusammen und erwarb weitere zwanzig für seine Cousins, die Bernsteins in Berlin. Er kaufte Gemälde und Pastellbilder von Morisot, Cassatt, Degas, Manet, Monet, Sisley, Pissarro und Renoir: Charles schuf eine der bedeutenden frühen Impressionisten-Sammlungen. Alle Wände in seinen Räumen müssen mit diesen Bildern bedeckt gewesen sein, bis zu drei übereinander müssen dort gehangen haben. Keine Rede vom Degas-Pastell, das im Metropolitan Museum einsam an einer Wand vor sich hin leuchtet, beiderseits eineinhalb Meter bis zum nächsten Bild, nichts darüber und darunter. In Charles' Zimmer muss dieses Pastell (»Zwei Frauen bei der Modistin«) den Donatello in den Schatten gestellt haben, mit einer Reihe anderer glühender Bilder zusammengeprallt sein, sich an der Vitrine mit den Netsuke gerieben haben.

Als Angehöriger der Vorhut brauchte Charles Mut. Die Impressionisten hatten zwar ihre leidenschaftlichen Partisanen, doch wurden sie nach wie vor in der Presse und in der Akademie als Scharlatane verunglimpft. Seine Fürsprache war bedeutend; er hatte das Gewicht eines prominenten Kritikers und Herausgebers. Und er war schlicht und einfach auch nützlich als Mäzen der um ihre Existenz kämpfenden Künstler: In den »Herrschaftshäusern der Amerikaner oder der israelitischen Bankiers« könne man solche Bilder finden, schrieb Philippe Burty. Und Charles fungierte als Mahut für andere wohlhabende Freunde; so überredete er Madame Straus, die einen hochästhetischen Salon führte, eine von Monets »Seerosen« zu kaufen.

Doch er war viel mehr als das. Er war ein echter Gesprächspartner, er besuchte sie in ihren Ateliers, um den Fortschritt ihrer Werke zu begutachten und die Bilder frisch von der Staffelei zu kaufen, »ein älterer Bruder der jungen Künstler«, wie ein Kritiker schrieb. Er und Renoir unterhielten sich ausführlich darüber, welche Gemälde man in den Salon schicken sollte. Whistler bat ihn, eines seiner Bilder auf Beschädigungen zu untersuchen. »Es war sein Verdienst«, schrieb Proust in einer späten Charakterstudie über Charles als »un amateur de peinture«, »dass viele Bilder, die halbfertig liegen gelassen worden waren, schließlich vollendet wurden.«

Und er war mit den Künstlern befreundet. »Heute ist Donnerstag«, schrieb Manet an Charles, »und ich habe immer noch nichts von Ihnen gehört. Sie sind offensichtlich vom Esprit Ihres Gastgebers in Bann geschlagen … Kommen Sie, nehmen Sie Ihre beste Feder zur Hand und schreiben Sie mir.«

Charles kaufte von Manet eines seiner meisterhaften kleinen Stillleben, auf denen eine Zitrone oder eine Rose im Dunkeln aufleuchtet: Es zeigt zwanzig Spargelstangen, mit Stroh zusammengebunden. Manet wollte achthundert Francs dafür, eine beträchtliche Summe, doch der begeisterte Charles sandte ihm tausend. Eine Woche später erhielt Charles ein kleines, mit einem schlichten M signiertes Bild. Darauf war eine einzelne, auf einem Tisch liegende Spargelstange zu sehen; in der beigefügten Notiz stand: »Die ist wohl aus dem Bund gerutscht.«

Proust, der Charles' Bilder von Besuchen in dessen Wohnung gut kannte, erzählt die Geschichte ihm zuliebe noch einmal, diesmal von Elstir, einem in seinen Romanen auftretenden impressionistischen Ma-

84

*Édouard Manet, »Une botte d'asperges«, 1880*

ler, der Züge von Whistler wie von Renoir hat. Der Herzog von Guermantes schäumt: »Es war nichts weiter als das darauf, ein Bund Spargel
genau wie der, den wir gerade schlucken, die Spargel von Herrn Elstir
aber habe ich nicht geschluckt. Er verlangte dreihundert Francs dafür … Einen Louisd'or höchstens sind sie wert, und auch das nur, solange es noch die ersten sind. Das fand ich denn doch etwas stark.«

Viele der Bilder an den Wänden von Charles' Arbeitszimmer
stammten von seinen Freunden. Es gab ein Degas-Pastell von Edmond
Duranty, das der junge Schriftsteller Joris-Karl Huysmans so beschrieb: »Es zeigt Monsieur Duranty, zwischen seinen Drucken und
Büchern an seinem Schreibtisch sitzend, seine spitz zulaufenden nervösen Finger, seine scharfen, spöttischen Augen, seine forschende
Miene, das verkniffene Lächeln eines englischen Humoristen …«

Ein Bild von Constantin Guys, dem »Maler des modernen Lebens«, hing dort, dazu ein Porträt von ihm von Manet, auf dem er sehr ungepflegt, zerzaust und etwas irr aussieht. Von Degas kaufte Charles das Doppelporträt von General Mellinet und dem Oberrabbiner Astruc, auf dem die Köpfe der beiden ehrfurchtgebietenden Männer – die seit ihren gemeinsamen Erlebnissen im Krieg von 1870 Freunde waren – im Halbprofil nebeneinander zu sehen sind.

Dann hingen da noch Charles' Bilder von seinem Pariser Leben: eine Szene von Degas vor den Rennen in Longchamp; Charles ging dorthin, um die berühmten Rennpferde seines Onkels Maurice Ephrussi zu sehen. »Rennbahn – Ephrussi – 1000 [Francs]«, notierte Degas. Und Bilder aus der Halbwelt, Tänzerinnen, eine Szene bei der Modistin mit den Hinterköpfen zweier junger Frauen auf einem Sofa (2200 Francs), dazu eines einer einsamen Frau in einem Café vor einem Glas Absinth.

Die meisten Bilder Charles' stellten bukolische Themen dar, dahinziehende Wolken, Wind in den Bäumen; sie kamen seinem Sinn für die Vergänglichkeit des Augenblicks entgegen. Es gab fünf Landschaften von Sisley und drei von Pissarro. Von Monet kaufte er um vierhundert Francs eine Ansicht von Vétheuil mit jagenden weißen Wolken über einem Feld mit Weiden und ein im selben Dorf gemaltes Bild mit Apfelbäumen, »Pommiers«. Er kaufte auch eine Szene eines frühen Wintermorgens an der Seine mit berstendem Eis, »Les Glaçons«, ein Gemälde, das Proust in seinem frühen Roman »Jean Santeuil« schön beschreibt: »an einem Tauwettertag, [in dem wir] gesehen hätten, wie die Himmelsbläue, das berstende Eis, der Schlamm, das strömende Wasser aus dem Fluss einen blitzenden Spiegel machen.«

Sogar das Porträt der »strubbeligen kleinen Wilden«, dem Laforgue Grüße ausrichtete, hält dieses Gefühl der Flüchtigkeit, des unmittelbar bevorstehenden Wandels fest. »La Bohémienne«, das rothaarige Zigeunermädchen mit den zerzausten Haaren, steht in ländlicher Kleidung unter Gras und Bäumen in gleißendem Sonnenlicht. Es ist offensichtlich Teil der Landschaft, kurz davor, wegzulaufen, immer weiterzulaufen.

Es waren lauter Gemälde, so schrieb Charles, »die das lebendige Wesen in Gestik und Attitüde wiederzugeben vermochten, wie es sich in flüchtiger, ständig wechselnder Stimmung und Beleuchtung bewegt; im Vorübergehen die Beweglichkeit der Atmosphäre festhaltend, bewusst nicht auf individuelle Schattierungen achtend, um eine leuchtende Einheit zu erreichen, deren einzelne Elemente in ein unteilbares Ganzes verschmelzen und sogar mittels Dissonanzen zu einer allumfassenden Harmonie gelangen«.

Er kaufte überdies ein spektakuläres Monet-Bild mit Badenden, »Les Bains de la Grenouillère«.

Wieder in London, schaue ich auf dem Weg in die Bibliothek in der National Gallery vorbei, um mir das Bild anzusehen und es mir neben dem gelben Fauteuil und den Netsuke vorzustellen. Es zeigt einen vielbesuchten Platz an der Seine im Hochsommer. Menschen in Badekostümen schlendern über einen schmalen Holzsteg ins sonnengefleckte Wasser, während die angezogenen Nicht-Badenden am Ufer spazieren, ein kleiner purpurner Fleck an einem Kleidersaum. Im Vordergrund ein Gewirr von Ruderbooten, ein Baldachin aus Zweigen hängt über der Szene. Das gekräuselte Wasser vermengt sich mit den auf und nieder tanzenden Köpfen der Schwimmer. Es ist gerade warm genug, um ins Wasser zu gehen, möchte man meinen, beinahe zu kalt, um wieder herauszusteigen. Beim Ansehen fühlt man sich lebendig.

Dieses Zusammentreffen japanischer Objekte und des flirrenden neuen Malstils scheint passend: Mochte der Japonismus für die Ephrussi eine »Art Religion« sein, in Charles' künstlerischem Freundeskreis fand diese neuartige Kunst den stärksten Widerhall. Manet, Renoir und Degas sammelten wie er eifrig japanische Drucke. Die Struktur japanischer Bilder schien das Wesen des Daseins auf andere Art zu erproben. Belanglose Partikel der Wirklichkeit – ein Wanderhändler, der sich am Kopf kratzt, eine Frau mit einem weinenden Kind, ein nach links abdriftender Hund – hatten ebenso viel Bedeutung wie ein hoher Berg am Horizont. Wie bei den Netsuke verlief das Alltagsleben ohne Einstudierung. Dieses beinahe gewaltsame Aufeinanderprallen von Erzählung mit graphischer, kalligraphischer Klarheit war ein Katalysator.

Die Impressionisten lernten das Leben in flüchtige Blicke und Interjektionen aufzuteilen. Statt eines formalen Tableaus sieht man ein Trapezseil ein Bild durchschneiden, die Hinterköpfe von Personen bei der Modistin, die Säulen der Börse. Edmond Duranty, dessen von Degas geschaffenes Pastellporträt in Charles' Arbeitszimmer hing, war sich dessen bewusst: »Die Person ... steht niemals im Mittelpunkt der Leinwand, im Mittelpunkt der Bildanordnung. Sie ist nicht immer vollständig zu sehen; manchmal scheint sie in der Mitte der Beine, in der Mitte des Körpers durchgeschnitten, manchmal der Länge nach.« Betrachtet man das seltsame Porträt von Degas, »Graf Lepic und seine Töchter: Place de la Concorde« (heute in der Eremitage in St. Petersburg) – drei Figuren und ein Hund wandern durch eine seltsame Leere, welche die ganze Leinwand einnimmt –, dann scheint der Einfluss der flachen Perspektive japanischer Drucke offensichtlich.

Wie bei den immer wiederholten Themen der Netsuke kennen auch japanische Drucke die Serie – siebenundvierzig Ansichten eines berühmten Berges lassen die Möglichkeit erkennen, sich ihm auf verschiedene Arten immer wieder zu nähern und Bildelemente neu zu deuten. Heuhaufen, eine Flussbiegung, Pappeln, die schroff aufragende Fassade der Kathedrale von Rouen, in allen findet sich diese poetische Wiederkehr. Whistler, der Meister der »Variationen« und »Capricen«, erklärte: »Auf der Leinwand müssen die Farben sozusagen aufgestickt werden; das heißt, dieselbe Farbe muss in bestimmten Abständen wieder erscheinen, wie ein Faden in einer Stickerei.« Zola, ein früher Verfechter, schrieb über Manets Bilder: »Diese Kunst der Vereinfachung kann man mit jener japanischer Drucke vergleichen; sie ähneln ihnen in ihrer eigenartigen Eleganz und in den wundervollen Farbflecken.« Vereinfachung schien im Zentrum der neuen Ästhetik zu stehen, doch nur wenn sie mit »Fleckigkeit« zusammenfiel, mit einer abstrakten Behandlung der Farbe oder mit ihrer ständigen Wiederkehr.

Manchmal brauchte man bloß das Pariser Leben im Regen zu malen. Eine Flottille grauer Regenschirmflecken anstelle von Sonnenschirmen macht aus Paris eine Art Edo.

Wenn Charles – schön und präzise – über seine Freunde schreibt, dann versteht er, wie radikal sie in Technik und Sujetwahl sind. Es erinnert an die besten Besprechungen des Impressionismus.

»... um das Bild würdigen zu können, muss das Auge es also als Ganzes aufnehmen und aus der richtigen Entfernung darauf blicken; das ist das Ideal der neuen Schule. Sie hat ihren optischen Katechismus nicht gelernt, sie verachtet bildnerische Regeln und Vorschriften, sie gibt das, was sie sieht, wieder, wie sie es sieht, spontan, gut oder schlecht, kompromisslos, ohne Kommentar, ohne Wortreichtum. In ihrem Abscheu vor Plattitüden sucht sie frische Themen, sie durchstreift die Gänge der Theater, Cafés, Cabarets, sogar derbe Tingeltangel; das grelle Licht der billigen Tanzlokale schreckt sie nicht, und sie rudert in Asnières und Argenteuil.«

Das war auch die Umgebung für Renoirs Bravourstück »Le Déjeuner des canotiers« (»Das Frühstück der Ruderer«). Es zeigt uns einen wohlig verruchten Nachmittag in der Maison Fournaise, einem der jüngst beliebt gewordenen Restaurants an der Seine, die Pariser Ausflügler mit dem Zug erreichen konnten. Durch silbergraue Weiden erkennt man Vergnügungsboote und ein Ruderboot. Ein rot-weiß gestreifter Baldachin schützt die Gesellschaft vor der gleißenden Sonne. Man hat gerade gegessen in dieser von Renoir geschaffenen neuen Welt der miteinander befreundeten Maler, Mäzene und Schauspielerinnen. Neben leeren Flaschen und den Resten des Mittagsmahls rauchen, trinken und unterhalten sich die Malermodelle. Hier gibt es keine Regeln und Vorschriften.

Die Schauspielerin Ellen Andrée, eine Blume an den Hut gesteckt, hebt ein Glas an die Lippen. Baron Raoul Barbier, ehemals Bürgermeister des kolonialen Saigon, die braune Melone zurückgeschoben, unterhält sich mit der jungen Tochter des Besitzers. Ihr Bruder, im Strohhut des Berufsruderers, steht im Vordergrund und betrachtet das Essen. Caillebotte, entspannt und fit in weißem Unterhemd und Strohhut, sitzt rittlings verkehrt auf seinem Stuhl und mustert die junge Näherin Aline Charigot, Renoirs Geliebte und zukünftige Ehefrau. Der Maler Paul Lhote hat besitzergreifend einen Arm um die Schauspielerin Jeanne Samary gelegt. Es ist eine Matrix aus lächelnder Unterhaltung und Liebeleien.

Auch Charles ist anwesend. Ganz im Hintergrund steht er, in Zylinder und schwarzem Anzug, ein wenig abgewandt, nur mit einem Seitenblick erfasst. Man erkennt gerade noch seinen rotbraunen Bart. Er unterhält sich mit Laforgue, sympathisch offenes Gesicht, schlecht rasiert, wie ein echter Poet in Arbeitermütze und Cordsamtjacke.

Ich bezweifle, dass Charles wirklich zu einem Bootsausflug im Sommersonnenschein seine benediktinische Kleidung trug, schwer und dunkel, einen Zylinder statt eines Strohhuts. Es ist ein Insiderscherz unter Freunden über seine Mäzenaten-Uniform; Renoir deutet an, dass Gönner und Kritiker gebraucht werden, im Hintergrund, am Rande, und das selbst am sonnigsten und unbeschwertesten Tag.

Proust schreibt über dieses Bild; er erwähnt einen Herrn, »in Rock und Zylinderhut auf einem Volksfest am Wasser, bei dem er offenbar nichts mit sich anzufangen wußte: ein Hinweis darauf, daß er für Elstir mehr war als nur ein gewohntes Modell, ein Freund, vielleicht ein Gönner«.

Charles weiß offenbar nichts mit sich anzufangen, aber er ist Modell, Freund und Gönner, und er ist anwesend. Charles Ephrussi – oder zumindest sein Hinterkopf – tritt in die Kunstgeschichte ein.

# 9.

## Sogar Ephrussi ist darauf hereingefallen

Es ist Juli, ich bin in meinem Atelier im Süden Londons. Es liegt in der Nähe einer Bahnstrecke, zwischen einem Wettbüro und einem karibischen Schnellimbiss, eingezwängt zwischen Autoreparaturwerkstätten. Eine laute Umgebung, aber ein schöner Raum; meine Töpferscheiben und Brennöfen stehen in einer langgestreckten, luftigen Werkstatt; eine steile Treppe führt zu einem Raum mit meinen Büchern. Hier stelle ich einige meiner Werke aus, Gruppen von Porzellanzylindern, derzeit in bleigefassten Behältnissen; hier bewahre ich meine Stöße Notizen zum frühen Impressionismus auf und schreibe weiter über den ersten Sammler meiner Netsuke.

Es ist ein friedlicher Raum, Bücher und Töpfereien sind gute Gefährten. Hierher bringe ich Kunden, die bei mir etwas bestellen wollen. Es ist sehr seltsam für mich, so viel über Charles als Mäzen und über seine Freundschaft mit Renoir und Degas zu lesen. Es ist nicht nur der schwindeln machende Abstieg vom Auftraggeber zu demjenigen, der den Auftrag erhält. Oder davon, Bilder zu besitzen oder über sie zu schreiben. Es ist einfach so, dass ich lange genug als Töpfer gearbeitet habe, um zu wissen, dass ein Auftrag eine sehr heikle Sache ist. Man ist natürlich dankbar, aber Dankbarkeit ist etwas anderes als Verpflichtung. Eine interessante Frage für jeden Künstler: Wie lange muss man sich dankbar fühlen, wenn jemand einmal ein Werk gekauft hat? Angesichts der Jugend dieses Gönners – 1881 war Charles einunddreißig – und des Alters mancher Künstler – Manet war achtundvierzig, als er das Spargelbündel malte –, muss es kompliziert gewesen sein. Und, so denke ich, wenn ich ein Bild von Pissarro betrachte, das Charles gehörte, Pappeln im Wind, es muss besonders heikel sein, wenn das künstlerische Credo Freiheit des Ausdrucks, Spontaneität und eine Ablehnung jedes Kompromisses verlangt.

Renoir brauchte Geld, und so überredete Charles eine Tante, ihm Modell zu sitzen; danach begann er Louise zu bearbeiten. Es brauchte einen langen Sommer heikler Verhandlungen zwischen den Liebenden und dem Maler; Fanny schildert in einem Brief aus dem Chalet Ephrussi, wo sich Charles eben aufhielt, im Detail, was er alles unternahm, um sicherzugehen, dass der Auftrag erfolgreich erledigt wurde. Es war ziemlich mühsam, die beiden Gemälde zustande zu bringen. Das erste zeigt Louises ältere Tochter Irene, rotgoldenes Haar, wie das ihrer Mutter, fällt ihr über die Schultern. Das zweite, unendlich süßliche Porträt zeigt die jüngeren Mädchen, Alice und Elisabeth. Auch sie haben das Haar ihrer Mutter. Sie stehen vor einem dunkelburgunderroten gerafften Vorhang, der den Blick auf den Salon dahinter freigibt, halten sich wie schutzsuchend an den Händen – rosa-hellblaues, berüschtes, bebändertes Zuckerwerk. Beide Bilder wurden im Salon 1881 ausgestellt. Ich weiß nicht, ob sie Louise gefallen haben. Nach all der Arbeit ließ sie sich schändlich viel Zeit, die bescheidene Summe von 1500 Francs zu begleichen. Ähnlich betreten fühle ich mich, als ich eine ungehaltene Notiz von Degas finde, der Charles an eine Rechnung erinnert.

Diese Auftragsarbeiten für Renoir machten einige Malerfreunde Charles' misstrauisch. Degas war besonders unnachsichtig: »Monsieur Renoir, Sie sind kein Ehrenmann. Es ist unerhört, dass Sie auf Bestellung malen. Ich höre, Sie arbeiten jetzt für Financiers, Sie treiben sich mit Monsieur Charles Ephrussi herum, demnächst werden Sie noch wie Monsieur Bouguereau im Mirliton ausstellen!« Solche Ängste wurden zerstreut, als Charles allmählich auch Bilder anderer Künstler kaufte; dieser Mäzen schien Fortschritte zu machen, nach neuen Empfindungen Ausschau zu halten. An diesem Punkt allerdings geschah es, dass Charles' Judentum ihn verdächtig machte.

Charles hatte zwei Gemälde von Gustave Moreau gekauft. Goncourt beschreibt dessen Arbeiten als die »Aquarelle eines poetischen Goldschmieds, die mit dem Glanz und Schimmer der Schätze aus Tausendundeiner Nacht übergossen zu sein scheinen«. Es waren üppige, symbolbefrachtete Malereien von Salome, Herkules, Sappho, Prometheus, im Stil der Parnassiens. Moreaus Sujets sind außer mit einem Hauch Gaze kaum bekleidet. Die Landschaften sind klassisch, voller verfallener Tempel, die Einzelheiten anspruchsvoll verrätselt. Das alles war sehr, sehr weit entfernt von windgepeitschten Wiesen, einer Flussströmung zwischen Eisschollen oder einer über ihre Arbeit gebeugten Näherin.

Huysmans' Skandalroman »À rebours« (Gegen den Strich) hat zum Thema, wie es sich mit einem Bild von Moreau lebt. Oder, um genauer zu sein, in der Atmosphäre eines Moreau-Bildes. Sein Held Des Esseintes war dem dekadenten Grafen Robert de Montesquiou nachgebildet, einem Mann, der sich eine durch und durch ästhetisierte Existenz zum Ziel gesetzt und die Einrichtung seines Hauses so gestaltet hatte, dass er vollkommen in jeden Sinneseindruck eintauchen konnte. Der Clou war eine Schildkröte mit juwelenüberkrustetem Panzer; kroch sie langsam durch den Raum, steigerte sie die Farbwirkung eines Perserteppichs. Das beeindruckte Oscar Wilde, der in seinem Pariser Tagebuch auf Französisch notierte, »ein Freund Ephrussis hatte eine smaragdbesetzte Schildkröte. Auch ich brauche Smaragde, lebende Nippsachen ...« Das war erheblich besser, als die Tür einer Vitrine aufzuschließen.

In Des Esseintes' morbidem Dasein gibt es einen Künstler, »der ihn zu großer Begeisterung hinriss – Gustave Moreau. Zwei seiner Meisterwerke befanden sich in seinem Besitz; und während der Nacht saß er oft träumend vor dem einen, dem Gemälde der Salome«; er ist so besessen von diesen intensiv aufgeladenen Bildern, dass er mit ihnen eins wird.

Das kommt dem nahe, was Charles angesichts seiner zwei großen Bilder fühlte. Er schrieb an Moreau, dessen Werk habe die »Tönung eines idealen Traums« – ein idealer Traum ist einer, in dem man in einem Zustand schwereloser Entrückung versinkt und die Grenzen des Selbst sich auflösen.

Renoir hingegen war äußerst aufgebracht. »Ah, dieser Gustave Moreau! Wenn man sich bloß vorstellt, so einer wird ernst genommen, ein Maler, der nicht einmal gelernt hat, einen Fuß ordentlich zu malen ... der weiß, wie es geht. Es war schlau von ihm, die Juden reinzulegen, mit Goldtönungen zu malen ... Sogar Ephrussi ist darauf hereingefallen, ich dachte wirklich, der hätte Verstand! Ich gehe ihn besuchen und wen sehe ich da? Gustave Moreau!«

Ich stelle mir vor, wie Renoir die Marmorhalle betritt und über die geschwungene Treppe, vorbei an Ignaz' Wohnung, zu Charles' Räumen im zweiten Stock hinaufsteigt; wie man ihn einlässt und er Moreaus »Jason« vor sich sieht: Er steht nackt auf dem erlegten Drachen, reckt seinen zerbrochenen Speer und das Goldene Vlies in die Höhe. Medea hält das Fläschchen mit dem Zaubertrank und hat ihre Hand hingebungsvoll auf seine Schulter gelegt – ein »Traum, ein Aufleuchten der Verzauberung«, »die bizarren Archäologien Moreaus«, wie Laforgue es nannte.

Oder vielleicht sah er sich »Galatée« gegenüber, gewidmet »meinem Freund Charles Ephrussi«, ein Bild, das Huysmans als eine Höhle beschreibt, »wie ein Tabernakel von kostbaren Steinen erleuchtet, sie birgt jenes unvergleichliche, strahlende Juwel, den weißen Körper, Brüste und Lippen rosenfarben getönt, die schlafende Galatea ...« Hier leuchtet tatsächlich neben dem gelben Lehnstuhl eine Menge Gold: Galatea ist von einem Pseudo-Renaissance-Rahmen umschlossen, der eines Tizian würdig wäre.

»Jüdische Kunst«, schreibt Renoir, verbittert, dass sein Gönner, der Herausgeber der *Gazette*, dieses Zeug im *goût Rothschild* an der Wand hängen hat, juwelenhaft und mystisch, so nahe neben seinen Gemälden, dass es sie zu infizieren droht. Der Salon in der Rue de Monceau ist eine »Höhle« geworden, »wie ein Tabernakel«. Ein Raum, der Renoir verärgern, Huysmans inspirieren und sogar den sanguinischen Oscar Wilde beeindrucken konnte: »Pour écrire il me faut de satin jaune«, schrieb er in sein Pariser Tagebuch; zum Schreiben brauche ich gelbe Seide.

Mir fällt auf, dass ich Charles' Geschmack zensurieren möchte. Gold und Moreau machen mir zu schaffen. Und noch mehr die Arbeiten von Paul Baudry, der den Plafond in der Pariser Oper mit Malereien versah, versiert im Ausschmücken der barocken Kartuschen in den neuen Gebäuden der Pariser Belle Époque. Baudrys Arbeiten wurden von den Impressionisten als bombastischer Schmarrn verhöhnt – ein akademischer Maler, wie der verhasste William-Adolphe Bouguereau. Besonderen Erfolg hatte er mit seinen Akten. Und das bis heute. Ein Baudry-Gemälde, eine Welle, die sich über einem hingestreckten Mädchen bricht, »Die Perle und das Meer«, findet als Poster reißenden Absatz, das Sujet ist auch in Museumshops und auf Kühlschrankmagneten allgegenwärtig. Und Baudry war Charles' engster Freund unter den Künstlern, ihre Briefe sind voller Bekundungen der Zuneigung. Charles war sein Biograph und Testamentsvollstrecker.

Vielleicht sollte ich weiter jedes Bild aufspüren, das in Charles' Zimmer mit den Netsuke gehangen hat. Ich beginne damit, alle Museen zu verzeichnen, in denen seine Bilder sich heute befinden, und versuche nachzuvollziehen, wie sie dorthin gelangt sind. Ich überlege, wie lange es dauern würde, vom Art Institute of Chicago zum Musée de la Ville de Gérardmer zu fahren, um mir Manets »Rennen in Longchamp« neben Degas' Doppelporträt des Generals und des Rabbiners in der Phantasie vor Augen zu führen. Ich überlege, ob ich mein weißes Netsuke des Hasen mit den Bernsteinaugen in die Tasche stecken soll, um Objekt und Abbild wieder zusammenzubringen. Eine Tasse Kaffee lang begrüße ich das als reale Möglichkeit, als eine Methode, in Bewegung zu bleiben.

Mein Zeitplan ist nutzlos geworden. Mein anderes Leben als Töpfer liegt auf Eis. Ich soll einem Museum Antwort geben. Ich sei verreist, sagen meine Mitarbeiter, wenn jemand anruft, und nicht zu erreichen. Ja, ein großes Projekt. Er meldet sich.

Stattdessen unternehme ich die vertraute Fahrt nach Paris, stehe unter Baudrys Deckengemälden in der Oper und eile dann hinüber ins Musée d'Orsay, um Charles' einzelnen Spargel von Manet und die zwei Moreau-Bilder zu betrachten, die nun dem Museum gehören; ich möchte sehen, ob das alles zusammenhängt, ob es klingt, ob ich sehen kann, was sein Auge sah. Das aber kann ich natürlich nicht, aus dem einfachen Grund, weil Charles kauft, was ihm gefällt. Er kauft Kunst nicht, weil es irgendeinen Zusammenhang gibt oder weil er Lücken in seiner Sammlung füllen will. Er kauft Bilder seiner Freunde, mit all den Komplikationen, die das mit sich bringt.

Charles hat auch außerhalb der Künstlerateliers viele Freunde. Die Samstagabende verbringt er mit Kollegen im Louvre, jeder Sammler oder Schriftsteller bringt eine Zeichnung oder einen Kunstgegenstand mit, oder man diskutiert über Probleme der Zuschreibung: »Wie viele schöne Stunden haben wir nicht in vertrauten und lehrreichen Gesprächen verbracht«, erinnerte sich der Kunsthistoriker Clément de Ris. »Alles konnte aufs Tapet kommen, außer Pedanterie! Was wir dort alles gelernt haben und nie hinterfragen mussten! Welch unermüdliche Reisen in alle Museen Europas wir auf diesen schönen Stühlen im Louvre unternahmen!« Charles hatte anregende Kollegen, die bei der *Gazette* arbeiteten. Seine Freunde waren Nachbarn, so die Brüder Camondo und Cernuschi, denen man jederzeit eine Neuerwerbung zeigen konnte.

Charles wurde allmählich eine öffentliche Person. 1885 war er Eigentümer der *Gazette* geworden. Er war behilflich gewesen, Geld aufzutreiben, damit der Louvre einen Botticelli erwerben konnte. Er schrieb und betätigte sich auch als Kurator: 1879 war er an der Organisation von Ausstellungen mit Zeichnungen Alter Meister beteiligt, 1882 und 1885 von Porträtausstellungen. Es war eine Sache, ein genießerischer, vagabundierender junger Mann zu sein, eine ganz andere, solche Verantwortung, einen solch genauen Blick zu haben. Eben war er wegen seiner Verdienste um die Kunst zum Ritter der Ehrenlegion ernannt worden.

Den größten Teil seines Arbeitslebens verbrachte er im Blick der Öffentlichkeit, im Blick von Kollegen, Nachbarn, Freunden, seinen jungen Sekretären, seiner Geliebten und ihrer Familie.

Proust, ein Neuling, noch nicht ganz ein Freund, kam nun regelmäßig zu Besuch, er schlürfte Charles' hochfliegende Konversation auf, die Art, wie er seine neuen Kostbarkeiten arrangierte, seine umfassenden Beziehungen. Charles kannte Proust mit seinem gesellschaftlichen Heißhunger gut genug, um ihm zu raten, dass man nach einem Diner um Mitternacht aufbricht, da die Gastgeber meist schon gerne zu Bett gehen würden. Wegen einer längst vergessenen Kränkung nannte ihn der nebenan wohnende Ignaz »Proustaillon« – eine recht passende Bezeichnung für diese Schmetterlingsexistenz, die von einem gesellschaftlichen Anlass zum nächsten flatterte.

Proust ist nun auch in den Räumen der *Gazette* in der Rue Favart eine fixe Größe. Hier ist er fleißig: vierundsechzig Kunstwerke, die später in den zwölf Romanen erwähnt sind, aus denen »Auf der Suche nach der verlorenen Zeit« besteht, wurden in der *Gazette* abgebildet, ein riesiger Teil der visuellen Textur des Werkes. Wie schon Laforgue hatte er Charles seine frühen Schriften über Kunst geschickt, zunächst harsche Kritik und dann einen ersten Auftrag geerntet. Für Proust sollte es eine Studie über Ruskin sein. Das Vorwort zu Prousts Übersetzung von Ruskins »Bibel von Amiens« trägt eine Widmung: »M. Charles Ephrussi, der stets so gut zu mir ist.«

Charles und Louise sind immer noch ein Liebespaar, ich bin mir allerdings nicht sicher, ob Louise nicht noch einen oder mehrere weitere Liebhaber hat. Der diskrete Charles hat hier keine Spuren hinterlassen, und ich fühle mich frustriert, dass ich nichts Genaueres aufspüren kann. Ich notiere, dass Laforgue der Erste von mehreren weit jüngeren Männern war, die für ihn tätig waren, mehr Jünger als Sekretäre, und mache mir Gedanken über diese Reihe intensiver Beziehungen in seinen duftgeschwängerten, grottenartigen, von gelber Seide und den Moreaus schimmernden Räumen. In Paris ging der Klatsch, Charles sei *entre deux lits*, bisexuell.

In diesem Frühjahr 1889 blüht und gedeiht Ephrussi et Cie, doch in der Familie herrscht Aufregung. Der stramm heterosexuelle Ignaz war ebenso wie andere schmachtende Junggesellen der Gräfin Potocka ergeben. Über diese faszinierende Gräfin heißt es bei Proust, man begreife, »daß sie äußerst verführerisch sein kann, mit ihrer antiken Schönheit, ihrer römischen Majestät, ihrer florentinischen Anmut, ihrer französischen Höflichkeit und ihrem Pariser Esprit«. Das schwarze Haar in der Mitte gescheitelt, hielt sie Hof unter einer Schar junger Männer, die Saphir-Ansteckkadeln mit der Inschrift *À la Vie, à la Mort* trugen. Sie gab »makkabäische« Diners, bei denen sie schworen, zu ihren Ehren Außergewöhnliches zu vollbringen. Da die Makkabäer judäische Märtyrer waren, muss sie wohl Judith verkörpert haben, fällt mir etwas spät auf, die Heldin, die dem betrunkenen Holofernes den Kopf abschlug. Nach einem Diner berichtet ein Brief an Maupassant, Ignaz sei ein wenig weiter gegangen als die anderen und habe die glorreiche Idee gehabt, splitternackt durch die Straßen von Paris zu schlendern; er wurde dann aufs Land expediert, um sich zu erholen.

Der vierzigjährige Charles bewegte sich am Scheitelpunkt dieser unterschiedlichen Welten. Sein privater Geschmack war Allgemeingut geworden. Alles an ihm war ästhetisch. In Paris galt er als Schöngeist, seine Aufträge und Aussprüche wurden ebenso begutachtet wie der Schnitt seines Jacketts. Er war ein begeisterter Opernbesucher.

Sogar seine Hündin hieß Carmen.

Ich finde einen Brief an sie, c/o Monsieur C. Ephrussi, 81 Rue de Monceau, im Archiv des Louvre, er stammt von Puvis de Chavannes, dem symbolistischen Maler fahler Figuren und verwaschener Landschaften.

## 10.

# Meine kleinen Benefizien

Nicht nur Renoir mochte keine Juden. Eine Reihe von Finanzskandalen in den 1880er Jahren wurde den neuen jüdischen Finanzmagnaten zur Last gelegt, und die Familie Ephrussi war eine besondere Zielscheibe: »Jüdische Machenschaften« sollten hinter dem Zusammenbruch der Union Générale 1882 stehen, einer katholischen Bank mit engen Verbindungen zur Kirche und vielen kleinen katholischen Einlegern. Der populäre Demagoge Édouard Drumont schrieb in »La France Juive«: »Die Unverfrorenheit, mit der diese Männer solche enormen Operationen durchführen, für sie bloße Züge in einem Spiel, ist unbeschreiblich. In einer Session kauft oder verkauft Michel Ephrussi Öl oder Weizen im Wert von zehn oder fünfzehn Millionen. Nicht der Rede wert; er sitzt zwei Stunden lang neben einer Säule in der Börse, strählt phlegmatisch seinen Bart mit der Linken und erteilt dreißig Höflingen, die mit gezücktem Stift um ihn herumstehen, seine Befehle.«

Höflinge wispern Michel die Neuigkeiten vom Tag ins Ohr. Geld gilt diesen jüdischen Geldmenschen als Bagatelle, deutet Drumont an, es ist ein Spielzeug. Es hat nichts zu tun mit den Ersparnissen, die man an Markttagen sorgsam in die Bank trägt oder in der Kaffeekanne auf dem Bord versteckt. Das ist ein anschauliches Bild einer geheimen Kraft, einer Verschwörung. Es hat die Intensität von Degas' Bild »In der Börse«, wo sich hakennasige, rotbärtige Financiers zwischen den Säulen im Flüsterton besprechen. Die Börse und ihre Spieler gehen über in den Tempel und die Geldverleiher.

»Wer wird diesen Männern den Lebensnerv abgraben, wer wird Frankreich bald zum Brachland machen? ... Es ist der Spekulant in ausländischem Weizen, es ist der Jude, der Freund des Grafen von Paris ... der Liebling aller Salons im Aristokratenviertel; es ist Ephrussi, der Häuptling der jüdischen Bande, die in Weizen spekuliert.« Spekulation, Geld aus Geld zu machen, gilt als ausgesprochen jüdisches Vergehen. Sogar Theodor Herzl, der Apologet des Zionismus, der für seine Sache immer gerne Geld von reichen Juden nahm, äußert sich in einem Brief ruppig über »den Spekulanten Ephrussi«.

Ephrussi et Cie besaßen außerordentlichen Einfluss. Als die Brüder sich während einer Krise nicht an der Börse blicken ließen, entstand Panik. In einem besorgten Zeitungsbericht während einer weiteren Krise nahm man ihre Drohung ernst, als Reaktion auf Pogrome in Russland die Märkte mit billigem Weizen zu überschwemmen. »[Die Juden] … haben die Macht dieser Waffe zu gebrauchen gelernt, als sie Russland während der letzten Judenverfolgungen zwangen, sich zurückzuhalten … indem sie russische Wertpapiere in dreizehn Tagen um vierundzwanzig Punkte abwerteten. ›Krümmt unseren Leuten noch ein Haar‹, sagte Michel Ephrussi, Chef des großen Hauses in Odessa, der größten Getreidehändler der Welt, ›und ihr sollt keinen einzigen Rubel mehr haben, um euer Reich zu retten.‹« Kurz gesagt, die Ephrussi waren sehr reich, sehr sichtbar und sehr parteiisch.

Drumont, Chefredakteur einer antisemitischen Tageszeitung, fungierte als Einwinker solcher Ansichten in gedruckte Form. Er sagte den Franzosen, woran man einen Juden erkenne – eine Hand sei größer als die andere – und wie man der Bedrohung, die diese Rasse für Frankreich bedeute, begegnen könne. Sein Buch »La France Juive« (»Das jüdische Frankreich«) verkaufte sich im Erscheinungsjahr 1886 hunderttausend Mal. 1914 waren bereits zweihundert Auflagen erschienen. Drumont argumentierte, die Juden seien im Grunde ihres Wesens Nomaden und fühlten sich deswegen keinem Staat verpflichtet. Charles und seine Brüder, russische Staatsbürger aus Odessa und Wien und Gott weiß woher, hätten nur ihre eigenen Interessen im Auge, während sie das Lebensblut Frankreichs aussaugten, indem sie mit realem französischem Geld spekulierten.

Die Ephrussi hielten sich für echte Pariser. Drumont hingegen tat das nicht: »Die aus allen Ghettos Europas ausgespienen Juden sitzen jetzt als Herren in altehrwürdigen Häusern, die die glorreichsten Erinnerungen an das alte Frankreich wachrufen … Überall Rothschilds: in Ferrières und Les Vaux-de-Cernay … Die Ephrussi in Fontainebleau, im Palais Franz' I. …« Drumonts Spott über die Geschwindigkeit, mit der diese Familie den Aufstieg von »Abenteurern ohne einen Pfennig in der Tasche« in die gute Gesellschaft geschafft hat, über ihre Versuche mit der Jagd, ihr jüngst angeschafftes Wappen, wird zu bösartigem Gegeifer, wenn er daran denkt, wie sein Erbteil von den Ephrussi und ihren Freunden besudelt wird.

Ich zwinge mich, diesen Schund zu lesen: Drumonts Bücher, seine Zeitung, die endlosen Pamphlete in zahllosen Auflagen, die englischen Versionen. Jemand hat in ein Buch über die Pariser Juden aus meiner Londoner Bibliothek Randbemerkungen eingetragen. Sorgfältig geschrieben und zustimmend steht da in Blockbuchstaben neben Ephrussi das Wort »käuflich«.

Es gibt massenhaft von diesem Zeug, das wild changiert zwischen abgeschmackten Binsenweisheiten und gehässigen Details. Die Familie Ephrussi taucht immer wieder auf. Es ist, als hätte man eine Vitrine aufgeschlossen, und man nähme jeden Einzelnen heraus und hielte ihn in die Höhe, um ihn dann niederzumachen. Über den französischen Antisemitismus wusste ich im Großen und Ganzen Bescheid, aber diese Besonderheit macht mich krank. Täglich wird ihr Leben auseinandergenommen.

Charles wird an den Pranger gestellt als jemand, »der in der Welt der Literatur und Kunst seine Machenschaften vollführt«. Er übe Macht in der französischen Kunst aus, beschimpft ihn der Autor, betrachte aber die Kunst als Kommerz. Alles, was Charles tut, geht auf Gold zurück, sagen die Autoren von »La France Juive«. Einschmelzbares, transportierbares, wandelbares Gold, das Juden mitnehmen, kaufen und verkaufen können, Juden, die keine Ahnung haben von Land noch Volk. Sogar sein Dürer-Buch wird auf semitische Neigungen hin untersucht. Wie kann Charles diesen großen deutschen Künstler verstehen, schreibt ein erboster Kunsthistoriker, ist er doch bloß ein »Landsmann aus dem Osten«, ein Orientale.

Seine Brüder und Onkel werden heruntergemacht, seine Tanten, die in die französische Aristokratie eingeheiratet haben, bösartig parodiert. Alle jüdischen Finanzunternehmen in Frankreich werden der Reihe nach verdammt: »Les Rothschilds, Erlanger, Hirsch, Ephrussi, Bamberger, Camondo, Stern, Cahen d'Anvers … Membres de la finance internationale.« Die komplexen Ehebündnisse zwischen den Clans werden wieder und wieder aufgerollt, um das Bild eines scheußlichen Spinnennetzes aus Intrigen zu zeichnen, ein noch dichter gewebtes Netz, als Maurice Ephrussi Beatrice heiratet, die Tochter des Chefs der französischen Rothschilds, Alphonse de Rothschild. Diese zwei Familien gelten nun als eine.

Die Antisemiten müssen diese Juden dorthin zurückstoßen, woher sie gekommen sind, sie müssen sie ihrer kultivierten Pariser Lebensart entkleiden. Ein antisemitisches Pamphlet, »Ces Bons Juifs«, beschreibt eine imaginäre Unterhaltung zwischen Maurice Ephrussi und einem Freund:

»Stimmt es, dass Sie bald nach Russland abreisen?

In 2 oder 3 Tagen, sagte M. de K. …

Gut, entgegnete Maurice Ephrussi. Wenn Sie nach Odessa fahren, gehen Sie in die Börse und erzählen Sie meinem Vater von mir.

M. de K. verspricht das, und nachdem er seine Geschäfte in Odessa erledigt hat, geht er auf die Börse und fragt nach Ephrussi, dem Vater.

Sie wissen ja, sagt man ihm, wenn man etwas erledigt haben will, braucht man die Juden.

Ephrussi Vater kommt, ein scheußlich aussehender Hebräer mit langem, fettigem Haar, er trägt einen mit Fettflecken übersäten Umhang.

M. de K. … überbringt dem alten Mann die Botschaft und will wieder gehen, da zupft ihn jemand an der Kleidung, und er hört, wie Vater Ephrussi sagt:

Sie haben meine kleinen Benefizien vergessen.

Was meinen Sie mit kleinen Benefizien?, rief M. de K. …

Sie verstehen sehr gut, lieber Herr, entgegnete der Vater von Rothschilds Schwiegersohn, während er einen tiefen Bückling vollführte, ich bin eine der Sehenswürdigkeiten an der Börse von Odessa; wenn

Fremde mich sehen wollen, ohne ein Geschäft abzuschließen, geben sie mir immer ein kleines Geschenk. Mein Sohn schickt mir im Jahr über tausend Besucher und das hilft mir bei meinem Auskommen. Und mit breitem Lächeln setzte der edle Patriarch hinzu: Sie wissen gut, dass man sie eines Tages belohnen wird ... meine Söhne!«

Die Ephrussi, die *Rois du Blé*, die Weizenkönige, werden zugleich als Emporkömmlinge verachtet und als Mäzene hofiert. Im einen Augenblick erinnert man sie an den Getreidehändler aus Odessa, den Patriarchen mit dem fleckigen Umhang und der ausgestreckten Hand. Im nächsten besucht Beatrice einen Ball der Gesellschaft und trägt ein Diadem aus Hunderten vibrierenden feinen Goldähren. Maurice, der in Fontainebleau ein riesiges Schloss besaß, trug sich auf der Urkunde seiner Hochzeit mit Beatrice de Rothschild als »Gutsbesitzer« ein, nicht als Bankier. Das war kein Versehen. Für Juden war Landbesitz eine relativ neue Erfahrung: Erst seit der Revolution besaßen Juden die vollen Bürgerrechte; nach Ansicht mancher Kommentatoren ein Fehler, da Juden ja keine voll rechtsfähigen Erwachsenen seien. Seht euch nur an, wie die Ephrussi leben, hieß es in einer Romantirade, »The Original Mr Jacobs«, »die Liebe zu Nippes, zu allem möglichen Schnickschnack, oder eher die jüdische Leidenschaft für Besitz reicht oft ins Kindische«.

Ich möchte wissen, wie die Brüder unter solchen Bedingungen lebten. Nahmen sie das alles mit einem Achselzucken hin oder setzte es ihnen zu, dieses dauernde Gebrodel, die Anschwärzungen, das Getuschel über Käuflichkeit, die ständig blubbernde Feindseligkeit, die der Erzähler in Prousts Romanen bei seinem Großvater entdeckt: »Wenn ich also einen neuen Freund mitbrachte, so kam es selten vor, daß er nicht vor sich hinsummte: ›Kehr o Gott unserer Väter‹ aus der ›Jüdin‹ oder ›Israel, brich deine Kette‹ ... Und nachdem er uns geschickt ein paar mehr ins einzelne gehende Fragen gestellt hatte, rief er aus: ›Achtung! Achtung!‹ oder wenn es das arme Opfer selbst war, das er durch ein wohlgetarntes Verhör ... zum Eingestehen seiner Herkunft gezwungen hatte, begnügte er sich, um uns zu zeigen, daß er sich nicht getäuscht hatte, uns anzuschauen und dabei die Melodie

Dieses scheuen Israeliten
Schritte leitet ihr also hierher!
kaum hörbar zu summen.«

Es gab Duelle. Obwohl gesetzlich verboten, waren sie nichtsdestotrotz beliebt bei jungen Adeligen, Mitgliedern des Jockey-Clubs und Offizieren. Viele der Streitigkeiten waren nichtig, Territorialkämpfe unter jungen Männern. Eine herabsetzende Bemerkung über ein Rennpferd, das den Ephrussi gehörte, in einem Artikel in *Le Sport* hatte einen Streit mit dem Journalisten zur Folge, »der zu einem Wortwechsel und schließlich einem feindseligen Rencontre« mit Michel Ephrussi führte.

Einige dieser Streitereien allerdings enthüllen die zunehmenden, alarmierenden Risse in der Pariser Gesellschaft. Mochte auch Ignaz ein geübter Duellant sein, so galt es doch als besondere jüdische Schwäche, einen Kampf abzulehnen. Ein hämischer Bericht erzählt ein Beispiel: Ein Geschäft zwischen Michel und dem Grafen Gaston de Breteuil endete mit beträchtlichen Verlusten für den Grafen. Michel, der Geschäftsmann, sah darin keinen Anlass für ein Duell und verweigerte Satisfaktion. Als der Graf nach dieser Abfuhr nach Paris zurückkehrte, traf er, so kursierte die Geschichte in den Clubs, Ephrussi »und zwickte dessen Nase mit den Banknoten, die den Fehlbetrag ausmachten; die Klammer, mit denen sie zusammengehalten waren, versetzte dem Rüssel des großen Weizenhändlers ein paar arge Kratzer. Er legte seine Mitgliedschaft im Club in der Rue Royale zurück und ließ unter den Armen von Paris eine Million Francs verteilen …« Das wird als Komödie wiedergegeben – reiche Juden, ordinär und ehrlos, und ihre Nasen.

Sie sind keinesfalls über jeden Tadel erhaben; Juden wissen einfach nicht, wie man sich benimmt.

Michel focht einige erbitterte Duelle mit dem Comte de Lubersac aus; Grund war ein Cousin aus dem Haus Rothschild, dessen Ehre gekränkt worden und der zu jung war, um sich selbst zu verteidigen. Eines fand auf der Insel Grande Jatte in der Seine statt. »Beim vierten Vorstoß wurde Ephrussi an der Brust verwundet, der Degen des Grafen hatte eine Rippe getroffen ... Der Graf attackierte von Anfang an heftig, und die Kombattanten trennten sich am Ende ohne den üblichen Händedruck. Der Graf verließ den Ort in einem Landauer und wurde mit Zurufen wie ›À bas les juifs!‹ und ›Vive l'Armée‹ bedacht.«

Für Juden in Paris wurde es immer schwieriger, ihre Namen und ihre Familienehre zu verteidigen.

# 11

# »Ein sehr brillantes Five o'clock«

Im Oktober 1891 brachte Charles seine Netsuke in eine neue Wohnung in der Avenue d'Iéna. Das Haus Nummer 11 ist größer als das Hôtel Ephrussi in der Rue de Monceau und wirkt von außen nüchterner – keine Girlanden, keine Urnen. Es ist so groß, dass es praktisch unsichtbar ist. Ich stehe davor und betrachte es. Die Abstände zwischen den Etagen sind größer: Diese Räume besitzen Volumen. Charles zog mit seinem Bruder Ignaz drei Jahre nach dem Tod ihrer verwitweten Mutter hierher. Ich versuche es auf gut Glück, läute an und schildere einer Frau mit einem gewandten, unerschütterlichen Lächeln meine Mission; sie entgegnet mir ganz langsam, dass ich mich irre, hier wohnten ganz andere Leute, das sei privat, und von jener Familie habe sie nie etwas gehört. Sie sieht mir nach, bis ich wieder auf der Straße bin.

Ich bin wütend. Eine Woche später entdecke ich, dass das Haus der Brüder in den 1920er Jahren abgerissen und neu erbaut wurde.

Diese Gegend ist noch vornehmer als die Rue de Monceau. Es ist erst zwanzig Jahre her, seit die Ephrussi nach Paris gekommen sind, nun aber fühlen sie sich etabliert und sicher. Das Haus der beiden Junggesellen stand etwa 270 Meter abwärts vom pompösen Herrenhaus Jules' und Fannys mit seinen Ährenverzierungen über den Fenstern und den verschlungenen Initialen über dem riesigen Hofeingang. Louises Palais befand sich gerade gegenüber, in der Rue Bassano. Es ist die Gegend an der Anhöhe nördlich des Champ de Mars, wo eben der Eiffelturm errichtet worden war. Dort musste man damals wohnen, am »Hügel der Künste«, wie es hieß.

Charles' Geschmack wandelte sich noch immer. Seine Leidenschaft für das Japanische war allmählich überholt. Der Kult war inzwischen so weit verbreitet, dass in den 1880ern die Häuser voller *Japonaiseries* waren: Sie wurden jetzt als Nippes betrachtet, die sich wie Staub auf jeder nur erdenklichen Oberfläche niederließen. »Alles ist jetzt japanisch«, meinte Alexandre Dumas 1887: Zolas mit japanischen Objekten vollgestopftes Haus außerhalb von Paris galt als leicht lächerlich. Es war schwieriger geworden, deren besondere Qualitäten zu würdigen, seit sie Mainstream geworden waren, seit Werbeplakate für Fahrräder oder Absinth, die an den Bretterwänden flatterten, japanischen Holzblockdrucken nachempfunden waren. Doch es gab immer noch ernsthafte Sammler japanischer Kunst – etwa Guimet, der in der Nachbarschaft lebte – und viel mehr kunsthistorisches Wissen als während des Booms zehn Jahre zuvor. Goncourt hatte seine Arbeiten über Hokusai und Utamaro veröffentlicht, Siegfried Bing gab seine Zeitschrift *Le Japon artistique* heraus, doch in Charles' modischen Kreisen las man so etwas nicht mehr so eifrig wie früher.

Proust berichtet von diesem Moment des Übergangs anhand des Salons der Geliebten Swanns, der Halbweltdame Odette: »Im übrigen trat in der künstlerischen Unordnung, in dem atelierhaften Durcheinander ... Ostasien mehr und mehr hinter dem Rokoko zurück ... Immer seltener empfing Odette ihre Intimen in japanischen Kimonos, an deren Stelle helle Peignoirs im Stile Watteaus traten.«

Das war ein Wandel der Exotismen, den man an Charles, dem Kritiker, Sammler und Kurator beobachten konnte. Ein Journalist schrieb, Charles habe begonnen, »sich allmählich von [Japan] zu lösen und sich mehr und mehr dem französischen 18. Jahrhundert zuzuwenden, den Erzeugnissen Meißens und des Empire, wovon er ein Ensemble von Werken höchster Qualität besitzt«. In seinem neuen Haus ließ Charles im Arbeitszimmer mit Silberfäden durchschossene Wandteppiche aufhängen, die Szenen aus Kinderspielen zeigten. Zudem schuf er eine Reihe ineinander übergehender Räume, eine Enfilade, die er mit Gruppen zartfarbiger Empiremöbel mit Bronzebeschlägen einrichtete, darauf Porzellangarnituren aus Sèvres und Meißen: auch hier genau abgestimmte Rhythmen. Und dann hing er seine Moreaus, Manets und Renoirs auf.

Bei Proust schwärmt die Herzogin von Guermantes von solchen

klassizistischen Möbeln, die sie im Haus des Herzogs d'Iéna gesehen hat:»… was da alles in unsere Häuser eindringt, Sphinxen, die sich an den Füßen unserer Sessel niederkauern, Schlangen, die sich um Kandelaber winden … dann all diese pompejanischen Leuchten, die kleinen Ruhebetten in der Form eines Bootes, die aussehen, als habe man sie auf dem Nil entdeckt«. Auf einem Bett findet sich das Relief einer Sirene, sie sehe aus, so meint sie, wie von Moreau.

In diesem neuen Haus ersetzt Charles sein *lit de parade* durch ein Empirebett. Es ist ein *lit à la polonaise*, ein Bett im polnischen Geschmack mit Seidenvorhängen.

In einem Pariser Antiquariat finde ich die Verkaufskataloge von Teilen der Kunstsammlungen Michels und Maurices, die nach ihrem Tod zerstreut wurden. Ein Händler hatte für die Uhren geboten, ohne Erfolg, und bei jedem Stück den Ausrufepreis notiert: 10780 Francs für eine astronomische Uhr aus der Zeit Ludwigs XV. mit eingelegten bronzenen Tierkreiszeichen. All das Porzellan, die Savonnerie-Teppiche, die Gemälde von Boucher, die Boiserien und Gobelins künden vom Bedürfnis der Familie Ephrussi, sich nahtlos in die Gesellschaft einzufügen. Und mir wird allmählich klar, dass Charles' neuer Geschmack an Empire-Bildern und -Mobiliar, während er sich den Mittvierzigern näherte, mehr war als nur die Kreation eines Ensembles, in dem er leben wollte. Es war auch der Anspruch auf ein essenzielles Franzosentum, auf ein wirkliches Dazugehören. Und vielleicht auch eine Möglichkeit, den Abstand zwischen den ersten, allzu heterogenen Räumen und seinem Leben als Kunstautorität und Fachmann in Stilfragen zu vergrößern. Empire ist nicht *le goût Rothschild*, es ist nicht jüdisch. Es ist französisch.

Mich würde interessieren, wie die Netsuke hier gewirkt haben: In diesen formellen Räumen beginnt Charles sich von ihnen abzuwenden. Seine Zimmer in der Rue de Monceau hatten ihren »optischen Katechismus« nicht gelernt; der gelbe Lehnstuhl war wie ein Schnitt quer hindurch. Es gab Ansammlungen verschiedener Dinge, die man aufnehmen und befühlen konnte. Doch ich spüre, dass Charles vornehmer wird. Ein geistreicher Pariser nennt ihn nun den »opulenten

Charles«. Es gibt weniger anzufassen: Man würde es nicht wagen, die Meißner Vasen von ihren Bronzesockeln zu nehmen und zur Betrachtung herumzureichen. Nach Charles' Tod beschrieb ein Kritiker die Einrichtung dieser Räume als das Beste seiner Art: Sie seien »pompeux, ingénieux et un peu froids«, grandios, geistreich und ein wenig kalt. Kalt stimmt, denke ich, während ich verstohlen über die Samtkordel hinweglange und die Armlehne eines Empire-Fauteuils im Musée Nissim de Camondo in der Rue de Monceau befühle, alles im Interesse der Forschung.

Die Vorstellung fällt mir zunehmend schwer, wie die Vitrine aufgeschlossen wird und eine Hand unschlüssig über den Netsuke schwebt, ob sie sich ein Gewusel aus Elfenbeinhündchen nehmen soll oder ein Mädchen, das sich in einem hölzernen Badezuber einseift. Ich bin nicht sicher, ob sie überhaupt hierherpassen.

In ihrem neuen Haus gaben die Brüder größere Diners und Abendgesellschaften. Am 2. Februar 1893 berichtet *Le Gaulois* in seiner Kolumne »Mondanités«: »Sehr brillantes Five o'clock letzten Abend bei MM. Charles und Ignaz Ephrussi, zu Ehren der Prinzessin Mathilde.« Der Bericht fährt fort:

»Um fünf Uhr erschien Ihre kaiserliche Hoheit, begleitet von Baronne de Galbois, in den prachtvollen Salons in der Avenue d'Iéna, wo mehr als zweihundert Personen sich versammelt hatten, die obersten Ränge der Pariser und ausländischen Gesellschaft.

Wir erwähnen willkürlich herausgegriffen:

Comtesse d'Haussonville, in schwarzem Satin; Comtesse von Moltke-Hvitfeldt, ebenfalls in Schwarz; Princesse de Léon, in dunkelblauem Samt; die Duchesse de Morny, in schwarzem Samt; Comtesse de Louis de Talleyrand-Périgord, in schwarzem Satin; Comtesse Jean de Ganay, in Schwarz und Rot; Baronne Gustave de Rothschild, in schwarzem Samt ... Comtesse Louise Cahen d'Anvers, in mauvefarbenem Samt; Mme. Edgard Stern, in Graugrün; Mme. Manuel de Yturbe, geborene Diaz, in lila Samt; Baronne James de Rothschild, in Schwarz; Comtesse de Camondo, geborene Cahen, in grauem Satin; Baronne Benoist-Méchin, in schwarzem Samt und Pelz, etc.

Unter den Männern konnte man folgende bedeutende Persönlichkeiten bemerken:

Der schwedische Minister, Prinz Orloff, Prinz de Sagan, Prinz Jean Borghèse, Marquis de Modène, MM. Forain, Bonnat, Roll, Blanche, Charles Yriarte Schlumberger, etc.

Mme Léon Fould und Mme. Jules Ephrussi begrüßten die Gäste, die eine in einem dunkelgrauen Kleid, die andere in Hellgrau.

Die eleganten Räume wurden hoch gerühmt, besonders der prachtvolle Salon im Stil Louis XVI, wo man den Kopf des Königs Midas bewundern konnte, ein Wunderwerk von Luca della Robbia, und Charles Ephrussis Räumlichkeiten im reinsten Empirestil.

Der Empfang war äußerst beschwingt, eine Zigeunerkapelle bot ein sehr schönes Musikprogramm dar.

Prinzessin Mathilde verließ die Avenue d'Iéna erst um sieben Uhr.«

Der Abend war ein voller Erfolg für die Brüder. Wie es in der Zeitung hieß, war es ein kalter, klarer Vollmondabend. Die Avenue d'Iéna ist breit, in der Mitte mit Platanen bepflanzt; ich stelle mir vor, wie die Kutschen der Besucher die Straße blockieren und aus der Wohnung Zigeunermusik dringt. Ich stelle mir Louise vor, eine rotgoldene Tizian-Frau in mauvefarbenem Samt, wie sie die paar Dutzend Meter zu ihrem riesigen Herrenhaus im Pseudo-Renaissancestil und zu ihrem Ehemann hinaufgeht.

Ein »sehr brillantes Five o'clock« wäre im folgenden Jahr schwer zu veranstalten gewesen. 1894 »verließ der Jockey-Club«, wie der Maler J. E. Blanche formulierte, »die Tafeln der Fürsten Israel«.

Es war der Beginn der Dreyfus-Affäre, zwölf Jahre, die Frankreich aufwühlten und Paris polarisierten. Alfred Dreyfus, ein jüdischer Offizier im französischen Generalstab, wurde beschuldigt, für Deutschland spioniert zu haben, und das alles aufgrund eines gefälschten Beweises, eines Zettels, den man in einem Papierkorb gefunden hatte. Er wurde von einem Kriegsgericht für schuldig befunden, obwohl es dem Generalstab klar war, dass es sich um einen gefälschten Beweis handelte. Dreyfus wurde vor einer tobenden Menge, die seine Hinrichtung verlangte, unehrenhaft aus der Armee ausgestoßen. Auf den

Straßen verkaufte man Spielzeuggalgen. Dreyfus wurde auf die Teufelsinsel geschickt, um in Einzelhaft eine lebenslängliche Strafe abzubüßen.

Unmittelbar darauf begann eine Kampagne für eine Wiederaufnahme des Verfahrens, die eine heftige und wüste antisemitische Reaktion nach sich zog; die Juden, so hieß es, würden das natürliche Recht außer Kraft setzen wollen. Ihr Patriotismus sei nur vorgetäuscht; wenn sie Dreyfus unterstützten, zeigten sie, dass sie zuerst und vor allem Juden seien, Franzosen erst an zweiter Stelle. Charles und seine Brüder, immer noch russische Staatsbürger, galten als typische Juden.

Zwei Jahre später tauchten Beweise auf, dass ein anderer französischer Offizier, Major Esterházy, hinter der Fälschung steckte; er wurde jedoch bereits am zweiten Tag seines Verfahrens vor dem Militärtribunal freigesprochen, die Verurteilung von Dreyfus neuerlich bestätigt. Weitere Fälschungen sollten das Lügengespinst stützen. Trotz Zolas leidenschaftlichem Appell an den Präsidenten, »J'accuse!«, im Januar 1898 in der Zeitung *L'Aurore* veröffentlicht, wurde Dreyfus 1899 zurückgebracht und ein drittes Mal verurteilt. Zola wurde der Verleumdung schuldig erkannt und floh nach England. Erst 1906 wurde Dreyfus rehabilitiert.

Zwischen erbitterten Dreyfus-Anhängern und Anti-Dreyfusards taten sich tiefe Risse auf. Freundschaften zerbrachen, Familienmitglieder zerstritten sich, in den Salons, wo bis dahin Juden und Krypto-Antisemiten einander begegnet waren, herrschte eine regelrecht feindselige Atmosphäre. Unter Charles' Künstlerfreunden war Degas der wüsteste Dreyfus-Gegner, er sprach kein Wort mehr mit Charles und dem jüdischen Maler Pissarro. Auch Cézanne war von Dreyfus' Schuld überzeugt, und Renoir benahm sich gehässig gegenüber Charles und seiner »jüdischen Kunst«.

Die Ephrussi waren Dreyfus-Anhänger aus Glauben und Neigung – und weil sie ein öffentliches Leben führten. In einem Brief an André Gide im Krisenfrühjahr 1898 erzählt ein Freund, er habe einen Mann seine Kinder vor dem Haus der Ephrussi in der Avenue d'Iéna abfragen gehört: Wer wohnt hier? *Le sale juif!* Der dreckige Jude!

Ignaz folgten nach einem späten Abendessen auf dem Land vom Nordbahnhof einige Polizisten, die ihn für den exilierten Zola hielten. »Fünf Agenten«, berichtete das Anti-Dreyfus-Blatt *Le Gaulois* am 19. Oktober 1898, »verbrachten die Nacht mit seiner Beobachtung. Inspektor Frecourt kam am Nachmittag an, um M. Zola, von dem man annahm, er habe bei Ephrussi Zuflucht gesucht, die Vorladung zum Gericht zu überbringen ... Wenn er es wagt, zurückzukehren, wird M. Zola dem wachsamen Auge der Polizei nicht entgehen.«

Die Dreyfus-Affäre war auch ein Familienanliegen: Fanny, die Nichte von Charles und Ignaz, die angebetete Tochter ihrer verstorbenen Schwester Betty, hatte Theodore Reinach geheiratet, einen Archäologen und Hellenisten aus einer prominenten jüdisch-französischen Intellektuellenfamilie. Theodores Bruder, der Politiker Joseph Reinach, war ein Hauptverfechter von Dreyfus' Verteidigung und verfasste später ein Standardwerk, »Histoire de l'affaire Dreyfus«. Reinach wurde der Blitzableiter für Antisemiten: Drumont versprühte viel Gift und Galle gegen diesen »Inbegriff des unechten Franzosen«. Der »Jude Reinach« verlor bei einem Militärgerichtsverfahren seinen militärischen Rang, man schlug ihn zusammen, als er den Prozess gegen Zola verließ, und er wurde Opfer einer landesweiten bösartigen Verleumdungskampagne.

Paris hatte sich für Charles verändert. Dem Weltmann wurde jetzt die Tür vor der Nase zugeschlagen, den Mäzen ächteten manche seiner Künstler. Ich stelle mir vor, wie das gewesen sein muss, und erinnere mich, was Proust über den Ingrimm des Herzogs von Guermantes schrieb: »Aber was Swann anbetrifft ... soll er, wie ich jetzt höre, sich in aller Offenheit zu diesem Dreyfus bekennen. Niemals hätte ich das von einem Manne gedacht, der solch ein Kenner, ein positiver Geist, ein Sammler, ein Liebhaber alter Bücher, dazu Mitglied des ›Jockey‹ ist, einem Mann, von allgemeiner Achtung getragen, im Besitz hervorragender Adressen, der uns den besten Portwein geschickt hat, den man trinken kann, einem Freund der Künste, einem Familienvater! Ah! Ich muß sagen, ich fühle mich wirklich betrogen.«

In Paris durchstöbere ich die Archive und schreite meine Wege zwischen den alten Häusern und Büros ab, vagabundiere in Museen herum, einmal ziellos, dann wieder mit allzu genauen Plänen. Ich kartographiere eine Reise in die Erinnerung. Ich habe ein Netsuke eines gefleckten Wolfs in der Tasche. Es ist beinahe zu seltsam, wie sehr Charles mit dem Proustschen Swann verflochten ist.

Immer wieder kommen mir Orte unter, wo Charles Ephrussi und Charles Swann sich überschneiden. Bevor ich meine Reise begann, wusste ich bloß, dass Charles eines der zwei wichtigsten Vorbilder für Prousts Protagonisten war – das weniger wichtige, wie es hieß. Ich erinnere mich an eine abschätzige Bemerkung über ihn (»ein polnischer Jude ... beleibt, bärtig und hässlich, von schwerfälligem, ungelenkem Betragen«) in der Proust-Biographie von George Painter aus den 1950er Jahren und dass ich sie für bare Münze nahm. Das andere Rollenmodell, von Proust bestätigt, war ein charmanter Dandy und Clubman namens Charles Haas. Er war etwas älter, weder Schriftsteller noch Sammler.

Wenn jemand schon der erste Besitzer meines Wolfs sein soll, dann wünsche ich mir Swann – den Leidenschaftlichen, Geliebten, Anmutigen –, doch ich möchte nicht, dass Charles einfach im Quellenmaterial, in den literarischen Fußnoten verschwindet. Er ist für mich so real geworden, dass ich Angst habe, ihn in den Proust-Abhandlungen zu verlieren. Und Proust ist mir viel zu wichtig, um seine Romankunst in ein beliebiges Akrostichon der Belle Époque zu verwandeln. »Für meinen Roman gibt es keinen Schlüssel«, sagte Proust immer wieder.

Ich versuche die eindeutigen Korrespondenzen zwischen meinem und dem fiktionalen Charles, ihrer beider Lebenslinien, aufzuzeichnen. Ich sage eindeutig, doch als ich sie aufzuschreiben beginne, wird eine ganz schöne Liste daraus.

Sie sind beide Juden. Sie sind *hommes du monde*. Ihr gesellschaftlicher Umgang reicht von gekrönten Häuptern (Charles geleitete Queen Victoria durch Paris, Swann ist ein Freund des Prince of Wales) über die Salons bis in die Künstlerateliers. Sie sind Kunstliebhaber und begeistern sich beide für die Werke der italienischen Renaissance, vor allem Giotto und Botticelli. Sie sind Experten für das arkane Thema venezianischer Medaillons des 15. Jahrhunderts. Sie sind Sammler, Mäzene der Impressionisten, beim Bootsausflug eines Malerfreundes im Sonnenschein wirken sie beide fehl am Platz.

Beide verfassen sie Monographien zu Themen der Kunst: Swann über Vermeer, mein Charles über Dürer. Sie benutzen ihre »Kunstgelehrsamkeit ... die Damen der Gesellschaft beim Ankauf von Bildern und bei der Ausstattung ihrer Stadtvillen zu beraten«. Ephrussi wie Swann sind Dandys, und beide sind sie Ritter der Ehrenlegion. Sie haben den Japonismus abgelegt und sich dem neuen Geschmack am Empire zugewandt. Und sie sind beide Dreyfusards, die erkennen, dass in ihren sorgfältig aufgebauten Lebensläufen durch ihr Jüdischsein ein tiefer Riss klafft.

Proust spielte mit der gegenseitigen Durchdringung von Realem und Erfundenem. Seine Romane zeigen ein Spektrum aus historischen Personen, die als sie selbst auftreten – zum Beispiel Madame Straus und Prinzessin Mathilde – und mit Personen Umgang haben, die anhand erkennbarer Figuren neu erfunden wurden. Elstir, der große Maler, der seine Besessenheit vom Japonismus abstreift, um Impressionist zu werden, hat Züge von Whistler und Renoir, aber eine zusätzliche Dynamik. Auf ähnliche Weise stehen Prousts Charaktere vor realen Bildern. Die visuelle Textur der Romane ist gesättigt nicht nur von Anspielungen auf Giotto und Botticelli, Dürer und Vermeer, dazu Moreau, Monet und Renoir, sondern auch vom Betrachten von Bildern, vom Sammeln und der Erinnerung daran, wie das war, etwas zu sehen, mit der Erinnerung an den Augenblick des Begreifens.

Swann fallen Ähnlichkeiten gleichsam en passant auf: Odette gleicht einem Botticelli-Bild, das Profil eines Lakais auf einem Empfang einem Mantegna. Auch Charles ging es so. Ich möchte wirklich wissen, ob meine so gepflegte, so propere Großmutter in ihrem gestärkten weißen Kleidchen auf den Kieswegen im Schweizer Chalet jemals verstanden hat, warum Charles sich niederbeugte, das Haar ihrer hübschen Schwester zerstrubbelte und sie mit seinem Zigeunermädchen von Renoir verglich.

Wenn ich Swann begegne, ist er witzig und charmant, doch reser-

*Charles Ephrussi, Stich von Jean Patricot,*
*abgebildet neben seinem Nachruf*
*in der »Gazette des Beaux-Arts«, 1905*

viert, wie »ein versperrter Schrank«. Er bewegt sich durch die Welt und danach sind die Menschen wacher gegenüber jenen Dingen, die er liebt. Ich denke daran, wie der junge, in Swanns Tochter verliebte Erzähler ihn zuhause besucht und mit solcher Höflichkeit empfangen, wie er in die Weihen seiner Sammlung eingeführt wird.

Das ist mein Charles, der sich so sehr bemüht, seine Bücher oder Bilder jungen Freunden zu zeigen, Proust zum Beispiel, Charles, der mit Sinnesschärfe und Aufrichtigkeit über Objekte und Bildhauerei schreibt, der die Welt der Dinge lebendig macht. Das weiß ich. So habe ich zum ersten Mal Berthe Morisot zu sehen gelernt, ich habe gelernt, ein wenig zurückzutreten und dann wieder nach vorn. So habe ich Massenet hören gelernt, Savonnerie-Teppiche betrachten, habe erfahren, dass es lohnend ist, sich mit japanischen Lackarbeiten zu beschäftigen. Eines nach dem anderen von Charles' Netsuke nehme ich in die Hand und denke dabei daran, wie er sie ausgewählt hat. Und ich denke an seine Zurückhaltung. Er gehört zu jener Pariser Glitzerwelt, aber er bleibt nach wie vor russischer Bürger. Er behält dieses geheime Hinterland.

Charles hatte ein schwaches Herz, wie sein Vater. Er war fünfzig Jahre alt, als Dreyfus von der Teufelsinsel zurückgebracht wurde, um die Farce seines zweiten Gerichtsverfahrens durchzustehen und 1899 neuerlich verurteilt zu werden. In dem feinen Stich, den Jean Patricot in jenem Jahr von Charles anfertigte, blickt er nach unten, nach innen, sein Bart ist immer noch adrett gestutzt, seine Krawatte ziert eine Perle. Er beschäftigt sich nun mehr mit Musik und unterstützt die Société des Grandes Auditions Musicales der Comtesse Greffulhe, »wo sein Ratschlag sehr gewürdigt wird und wo er mit Hingabe an der Arbeit ist«. Er hat beinahe aufgehört, Bilder zu kaufen, außer einen Monet, die Felsen in Pourville an der Küste der Normandie bei Ebbe. Es ist ein schönes Bild, im Vordergrund nass glänzende Felsen, Holzstangen der Fischer ragen aus dem Meer und fügen sich zu seltsamen Kalligraphien. Mir kommt es ziemlich japanisch vor.

Charles schrieb nun auch weniger, obwohl er seine Pflichten bei der *Gazette* gewissenhaft wahrnahm; er sprach sich klar dafür aus, was veröffentlicht werden sollte, »war niemals zu spät, stets penibel bis in die kleinsten Details jedes Artikels, immer auf der Suche nach Vollkommenheit«, engagierte immer neue Beiträger.

Louise hatte einen neuen Geliebten. Charles wurde von Kronprinz Alfonso von Spanien ausgestochen, dreißig Jahre jünger als sie, mit fliehendem Kinn, aber immerhin: ein zukünftiger König.

An der Schwelle zum neuen Jahrhundert sollte Charles' Cousin in Wien heiraten. Charles kannte Viktor von Ephrussi seit Kindertagen, als die ganze Familie beisammen gewohnt hatte, alle Generationen unter einem Dach; an den Abenden hatte man den Umzug nach Paris geplant. Viktor war der gelangweilte kleine Junge, sein jüngster Cousin, für den Charles Karikaturen der Bediensteten gezeichnet hatte. Der Clan pflegte einen engen Zusammenhalt, sie hatten einander bei Gesellschaften in Paris und Wien, in den Ferien in Vichy und St. Moritz, bei Fannys sommerlichen Zusammenkünften im Chalet Ephrussi gesehen. Und gemeinsam war ihnen beiden Odessa – die Stadt, in der sie geboren waren, der niemals erwähnte Ausgangspunkt.

Die drei Brüder in Paris schicken Hochzeitsgeschenke an Viktor und seine junge Frau, die Baronesse Emmy Schey von Koromla. Das Paar wird sein neues Leben im riesigen Palais Ephrussi an der Ringstraße beginnen.

Jules und Fanny schicken einen schönen intarsierten Louis-XVI-Tisch mit schmal zulaufenden Beinen, die in kleinen vergoldeten Hufen enden.

Ignaz schickt einen Alten Meister, holländisch, zwei Schiffe im Sturm. Vielleicht ein verschlüsselter Scherz über die Ehe von einem, der bisher jeder Verpflichtung aus dem Weg gegangen ist.

Charles schickt etwas Besonderes, ein spektakuläres Etwas aus Paris: eine schwarze Vitrine, die Borde mit grünem Samt ausgelegt, und verspiegelter Rückwand; darin spiegeln sich 264 Netsuke.

TEIL ZWEI

*Wien 1899–1938*

# 12.

## Die Potemkinsche Stadt

Im März 1899 wird Charles' großzügiges Hochzeitsgeschenk für Viktor und Emmy sorgfältig in eine Kiste verpackt und aus der Avenue d'Iéna geschafft; es nimmt Abschied vom goldfarbenen Teppich, von den Empire-Fauteuils und den Moreaus. Es reist quer durch Europa und wird im Palais Ephrussi in Wien, Ecke Ringstraße/Schottengasse, abgeliefert.

Nun ist die Zeit vorüber, mit Charles spazieren zu gehen und über Pariser Inneneinrichtungen nachzulesen; jetzt sind die *Neue Freie Presse* und das Wiener Straßenleben um 1900 an der Reihe. Es ist Oktober, und mir fällt auf, dass ich beinahe ein Jahr mit Charles verbracht habe – weit länger, als ich für möglich hielt, allzu viele Zeitstränge sind für Recherchen über die Dreyfus-Affäre draufgegangen. Wenigstens brauche ich in der Bibliothek nicht die Etage zu wechseln: Französische und deutschsprachige Literatur sind nebeneinander aufgestellt.

Neugierig, wo mein Wolf aus Buchsbaumholz und mein Elfenbeintiger hinkommen werden, buche ich ein Ticket nach Wien und mache mich auf zum Palais Ephrussi.

Dieses neue Heim der Netsuke ist absurd riesig. Es sieht aus wie eine Fibel zum Thema klassische Architektur; daneben würden sogar die Pariser Häuser der Ephrussi bescheiden wirken. Das Palais hat korinthische Pilaster und dorische Säulen, Urnen und Architrave, an den Ecken vier kleine Türme, Reihen von Karyatiden unter dem Dach. Die ersten beiden Stockwerke weisen mächtiges Rustika-Mauerwerk auf, darüber sind zwei Stockwerke aus blassrötlichen Ziegeln, hinter den Karyatiden im fünften Stockwerk Stein. So viele der gedrungenen, unendlich geduldigen griechischen Mädchen mit den halb von der Schulter gerutschten Gewändern stehen da oben – dreizehn an der langen Breitseite zur Schottengasse hin, sechs an der Front zur Ringstraße –, dass es ein wenig so wirkt, als wären sie an einer Wand zu einem gravitätischen Tanz aufgereiht. Ich kann dem Gold nicht entkommen: viel, viel Gold an den Kapitellen und Balkonen. Auf der Fassade glitzert sogar ein Name in Gold, aber das ist verhältnismäßig neu: Das Palais beherbergt derzeit die Zentrale der Casinos Austria.

Auch hier führe ich meine Hausbeobachtung durch. Oder besser, ich habe es versucht, aber gegenüber dem Palais ist nun eine Straßenbahnhaltestelle oberhalb einer U-Bahn-Station, und ständig strömen Menschen vorüber. Nirgendwo kann ich mich an eine Mauer lehnen, innehalten und schauen. Ich versuche die Dachlinie gegen den Winterhimmel zu fixieren und laufe beinahe in eine Straßenbahn; ein bärtiger Mann in drei Mänteln und einer Sturmhaube staucht mich zusammen, weil ich nicht aufgepasst habe, und ich gebe ihm zu viel Geld, damit er verschwindet. Das Palais steht gegenüber dem Hauptgebäude der Universität Wien, wo eben drei Protestkampagnen – gegen die amerikanische Nahostpolitik, gegen Kohlendioxidemissionen, gegen irgendwelche Gebühren – einander an Krach und Unterschriften zu übertreffen suchen. Da kann man sich einfach nicht aufhalten.

Das Haus ist schlicht zu riesig, um es in sich aufzunehmen, es nimmt zu viel Raum ein in diesem Teil der Stadt, zu viel Himmel. Es ist eher eine Festung oder ein Wachturm als ein Haus. Ich versuche seine Größe in den Blick zu bekommen. Das ist sicher kein Haus für den Ewigen Juden. Und dann fällt mir meine Brille hinunter, einer der Bügel bricht am Gelenk, ich muss das Gestell zusammenklemmen, um überhaupt etwas zu sehen.

Ich bin in Wien, durch einen kleinen Park hindurch sind es ein paar hundert Meter bis zu Freuds Wohnung, ich stehe vor dem Haus meiner väterlichen Familie – und ich kann nicht klar sehen. Wenn das keine Symbolik ist, grummle ich, während ich meine Brille hochhalte und den rosa Monolith zu fixieren versuche; für mich ein Beweis, dass dieser Teil meiner Reise schwierig werden wird. Es hat mich schon auf dem falschen Fuß erwischt.

Also gehe ich spazieren. Ich dränge mich durch die Studenten und bin an der Ringstraße; nun kann ich mich bewegen und Atem schöpfen.

*Das Palais Ephrussi, Blick von der*
*Schottengasse zur Votivkirche, Wien, 1881*

Allerdings, diese Straße ist so ambitiös, dass einem die Luft weg-
bleibt, atemberaubend imperial in ihrer Anlage. Sie ist so breit, dass ein
Kritiker während der Bauzeit monierte, sie habe eine ganz neue Neu-
rose geschaffen, die Agoraphobie. Wie pfiffig von den Wienern, eine
Phobie für ihre neue Stadt zu erfinden.

Kaiser Franz Joseph hatte angeordnet, rund um Wien eine moderne
Metropole entstehen zu lassen. Die mittelalterlichen Stadtmauern
sollten abgerissen, die Gräben aufgefüllt und ein großer Bogen neuer
Gebäude, ein Rathaus, ein Parlament, ein Opernhaus, ein Theater, Museen und eine Universität errichtet werden. Dieser Ring sollte mit dem
Rücken zur alten Stadt entstehen und in die Zukunft blicken, ein Ring
des bürgerlichen und kulturellen Gepränges, ein Athen, eine Kulmi-
nation von Prachtbauten.

Diese Gebäude würden in verschiedenen Baustilen errichtet werden,
doch das Ensemble würde das Heterogene in ein Ganzes zusammenfügen, den grandiosesten öffentlichen Raum Europas, ein Ring mit

123

Parks und offenen Flächen; der Heldenplatz, der Burggarten und der Volksgarten würden mit Statuen geschmückt werden, um die höchsten Errungenschaften in Musik, Poesie und Drama zu feiern. Für ein solches Schauspiel war ein enormer technischer Aufwand vonnöten. Zwanzig Jahre lang nur Staub, Staub, Staub. Wien, so der Schriftsteller Karl Kraus, wurde »zur Großstadt demoliert«.

Alle Untertanen des Kaisers vom einen Ende der Monarchie zum anderen – Ungarn, Kroaten, Polen, Tschechen, Juden aus Galizien und Triest, alle Nationalitäten, Amtssprachen, Religionen – würden hier auf die kaiserlich-königliche Zivilisation treffen.

Es funktioniert: Ich bemerke, dass es seltsam schwierig ist, am Ring stehen zu bleiben, wird doch das Versprechen eines Augenblicks, in dem man alles zusammen in den Blick bekommt, immer wieder hinausgeschoben. Diese neue Straße ist nicht von einem einzigen Gebäude dominiert; es gibt kein Crescendo hin zu einem Palast oder einer Kathedale, dafür aber einen fortwährenden triumphalen Zug von einem großen Aspekt der Zivilisation zum nächsten. Immer wieder denke ich, es werde einen prägenden Blick durch die kahlen Winterbäume geben, einen Moment nur, gerahmt durch meine zerbrochene Brille. Der Wind treibt mich weiter.

Ich gehe vorbei an der im Neo-Renaissancestil erbauten Universität; zwei Treppen führen hinauf zu einem von Bogenfenstern flankierten Portikus, in jeder Nische Büsten von Gelehrten, auf dem Dach klassische Wachposten, auf goldenen Schriftbändern stehen die Namen von Anatomen, Dichtern, Philosophen.

Weiter, vorbei am Rathaus, Phantasiegotik, in Richtung zur wuchtigen Oper, an den Museen vorbei, vorher am Reichsrat, dem Parlament, erbaut von Theophil Hansen, dem damals modischen Architekten. Hansen war Däne und hatte sich durch das Studium der klassischen Architektur in Athen einen Namen gemacht; in Athen hatte er auch die Akademie entworfen. Hier am Ring erbaute er das Palais für Erzherzog Wilhelm, den Musikverein, die Akademie der bildenden Künste und die Börse. Und das Palais Ephrussi. Er hatte bis in die 1880er Jahre so viele Ausschreibungen gewonnen, dass andere Architekten eine Ab-

machung zwischen Hansen und »seinen Vasallen ... den Juden« arg-
wöhnten.

Es war keine Verschwörung. Er wusste einfach seinen Auftragge-
bern das zu geben, was sie wollten: Sein Reichsratsgebäude häuft ein
griechisches Detail auf das andere. Geburt der Demokratie, ruft der
große Portikus. Beschützerin der Stadt, die Statue der Athene. Überall, wo man hinsieht, ein kleines Detail, das den Wienern schmeichelt.
Auf dem Dach sind Pferdegespanne, fällt mir auf.

Tatsächlich, wenn ich hinaufblicke, sehe ich nun überall Figuren gegen den Himmel ragen.

Weiter und weiter. Es wird eine musikalische Suite von Gebäuden,
die Pausen dazwischen sind Parks, die Betonungen Statuen. Es hat einen Rhythmus, der dem Zweck entspricht. Seit sie am 1. Mai 1865 mit
einem Festzug durch Kaiser und Kaiserin offiziell eröffnet wurde, war
die Straße ein Ort für Umzüge, für Schaustellungen. Am habsburgi-
schen Hof herrschte das spanische Hofzeremoniell, ein streng ritua-
lisierter Code, und es gab zahllose Anlässe für aufwendige Prozessionen. Die Hoch- und Deutschmeister marschierten auf, an hohen
Feiertagen die ungarische Garde, dazu gab es die Feiern zu Kaisers Geburtstag, Jubiläen, Ehrenspaliere, wenn eine Kronprinzessin eintraf,
Begräbnisse. Alle Garden hatten verschiedene Uniformen: Kreationen
mit Schärpen, Pelzbesatz, federbesetzten Hüten, Epauletten. War man
auf der Ringstraße unterwegs, hörte man immer irgendwo eine Musikkapelle spielen, das Getrappel marschierender Füße. Die k. u. k. Armee hatte »die schönsten Uniformen der Welt«, und die Bühne war ihnen angemessen.

Ich bemerke, dass ich zu schnell gehe, als hätte ich ein Ziel statt eines Ausgangspunktes. Mir fällt ein, dass diese Straße für die langsa-
mere Fortbewegungsart des täglichen Korsos angelegt wurde, für das
ritualisierte Flanieren am Kärntner Ring, wo man sich traf und flirtete
und Klatsch austauschte und sich sehen ließ. In den illustrierten Skan-
dalblättchen, die zur Zeit von Viktors und Emmys Hochzeit florierten,
gab es oft Zeichnungen, »Ein Corso-Abenteuer« betitelt, schnurrbär-
tige Herren mit Spazierstöcken, die sich an Frauen heranmachten, oder

Halbweltdamen, die Blicke warfen. »An der bekannten Straßenecke«, schrieb Ludwig Hevesi, »wo alles wie auf ein Commando kehrt macht, stauen sich die Gruppen von Rittern des Chic, der Monokel-Adel, die Bügelfaltokratie.«

Für solche Anlässe warf man sich in Gala. Und hier fand auch der spektakulärste Maskenzug statt. Zwanzig Jahre, bevor Viktor und Emmy heirateten und Charles' Netsuke eintrafen, organisierte Hans Makart, ein äußerst populärer Maler riesiger Historienschinken, 1879 zur Silbernen Hochzeit des Kaisers einen Festzug. Die Handwerker Wiens traten in 43 Gilden auf, jede mit ihrem eigenen, allegorisch geschmückten Festwagen. Musiker und Herolde, Hellebardenträger und Männer mit Bannern umringten die Festwagen, alle in Renaissancekostüme gewandet; Makart im breitkrempigen Hut ritt der pompösen Kavalkade auf einem weißen Hengst voran. Es scheint mir, als passten diese kleinen Nachlässigkeiten – ein bisschen Renaissance, ein wenig Rubens, ein Hauch Pseudo-Klassik – perfekt auf die Ringstraße.

Es ist alles so bewusst grandios und doch ein wenig Cecil B. de Mille. Ich bin nicht das Publikum dafür. Ein junger Maler und Architekturstudent, Adolf Hitler, zeigte hingegen die gebührende, emotionale Reaktion auf die Ringstraße: »Ich lief die Tage vom frühen Morgen bis in die späte Nacht von einer Sehenswürdigkeit zur anderen, allein es waren immer nur Bauten, die mich in erster Linie fesselten. Stundenlang konnte ich so vor der Oper stehen, stundenlang das Parlament bewundern; die ganze Ringstraße wirkte auf mich wie ein Zauber aus Tausendundeiner Nacht.« Hitler malte alle großen Bauwerke am Ring, das Burgtheater, Hansens Parlament, die zwei großen Gebäude gegenüber dem Palais Ephrussi: Universität und Votivkirche. Er wusste zu würdigen, wie man Raum für dramatische Schaustellungen nutzen konnte. Er verstand diese Ornamentik anders: Sie drücke »ewige Werte« aus.

Der ganze Zauber wurde dadurch finanziert, dass man Grundstücke an die rasch wachsende Schicht der Finanzleute und Unternehmer verkaufte. Auf vielen wuchsen die typischen Ringstraßenpalais empor, ein Gebäudetyp, in dem sich hinter einer prächtigen Fassade mehrere Wohnungen verbargen. Man konnte eine eindrucksvolle Palais-Adresse vorweisen, mit einem Prunkportal, Balkonen und Fenstern auf die Ringstraße, einer marmorgetäfelten Eingangshalle, einem Salon mit Deckengemälde – und doch in einem einzigen Stockwerk wohnen. In dieser Etage, dem Nobelstock, gruppierten sich die Empfangsräume um einen großen Ballsaal. Der Nobelstock ist leicht von außen zu erkennen, dort gibt es nämlich die üppigsten Verzierungen um die Fenster.

Viele Bewohner dieser Palais waren erst vor kurzem zu Reichtum gelangte Familien, und das bedeutete einen starken jüdischen Bevölkerungsanteil an der Ringstraße. Bei meinem Spaziergang weg vom Palais Ephrussi passiere ich die Palais der Lieben, Epstein, Schey von Koromla, Königswarter, Todesco, Wertheim, Gutmann. Diese pompösen Gebäude sind ein Appellplatz der untereinander verschwägerten jüdischen Familien, eine architektonische Parade selbstbewussten Wohlstands, in der Judentum und Ornament verwoben waren.

Während ich so dahingehe, den Wind im Rücken, denke ich an mein »Vagabundieren« rund um die Rue de Monceau, und ich erinnere mich an Zolas habgierigen Saccard in seinem vulgär opulenten Herrenhaus, das sich der Straße aufdrängt. Hier in Wien laufen die Auseinandersetzungen über die Juden der Zionstraße hinter den grandiosen Fassaden ihrer Palais auf andere Weise ab. Hier, so heißt es, seien die Juden so assimiliert, hätten ihre nichtjüdischen Nachbarn so geschickt nachgeahmt, dass sie die Wiener überlistet hätten und einfach im Gewirk des Rings verschwunden seien.

In Robert Musils Roman »Der Mann ohne Eigenschaften« grübelt der alte Graf Leinsdorf über dieses Verschwinden nach. Die Juden hätten das gesellschaftliche Leben in Wien durcheinandergebracht, da sie ihren pittoresken Wurzeln nicht treu geblieben seien. »Die ganze sogenannte Judenfrage wäre aus der Welt geschafft, wenn die Juden sich entschließen wollten, hebräisch zu sprechen, ihre alten eigenen Namen wieder anzunehmen und orientalische Kleidung zu tragen ... Ich gebe zu, daß ein soeben erst bei uns reich gewordener Galizianer im Steireranzug mit Gamsbart auf der Esplanade von Ischl nicht gut aussieht. Aber stecken Sie ihn in ein lang herabwallendes Gewand ... Sie sollen sehen, wie diese … auf unserer Ringstraße spazieren gehen, die dadurch so einzigartig auf der Welt dasteht, daß man auf ihr inmitten der höchsten westeuropäischen Eleganz, wenn man mag, auch einen Mohammedaner mit seinem roten Kappl, einen Slowaken im Schafpelz oder einen Tiroler mit nackten Beinen sehen kann!«

In den Slums von Wien, in der Leopoldstadt, kann man beobachten, wie Juden leben sollten, zu zwölft in einem Zimmer, ohne Wasser, auf der Straße ist es laut, sie tragen die richtigen Gewänder, sprechen die richtige Mundart. 1863, als Viktor als dreijähriges Kind aus Odessa nach Wien kam, lebten noch weniger als achttausend Juden in Wien. 1867 gewährte der Kaiser den Juden die Bürgerrechte; damit fielen die letzten Barrieren, sie durften nun unterrichten und Grundbesitz erwerben. Als Viktor 1890 dreißig war, gab es 118 000 Juden in Wien, viele davon Neuankömmlinge, Ostjuden, die durch die Schrecken der Pogrome im vorangegangenen Jahrzehnt aus Galizien vertrieben worden waren. Juden kamen auch aus den kleinen Dörfern Böhmens, Mährens und Ungarns, wo sie in bitterem Elend vegetiert hatten. Tief in der talmudischen Tradition verwurzelt, sprachen sie Jiddisch und trugen manchmal den Kaftan. Wollte man den Wiener Massenblättern glauben, waren viele von ihnen möglicherweise in Ritualmorde verwickelt, ganz sicher aber hatten sie mit Prostitution zu tun, sie handelten mit Altkleidern und verhökerten, seltsame Körbe auf dem Rücken tragend, in der ganzen Stadt ihre Waren.

Zur Zeit von Viktors und Emmys Hochzeit, 1899, lebten 145 000 Juden in Wien. Um 1910 hatten allein Warschau und Budapest eine größere jüdische Bevölkerung, außerhalb Europas nur New York. Und es war eine Bevölkerung wie keine andere. Viele aus der zweiten Generation der neuen Zuwanderer hatten Bemerkenswertes erreicht. Wien war eine Stadt, so Jakob Wassermann um die Jahrhundertwende, in der »die ganze Öffentlichkeit von Juden beherrscht wurde. Die Banken, die Presse, das Theater, die Literatur, gesellschaftliche Veranstaltungen, alles war in den Händen der Juden … Dennoch war meine Verwunderung groß über die Mengen von jüdischen Ärzten, Advokaten, Klubmitgliedern, Snobs, Dandys, Proletariern, Schauspielern, Zeitungsleuten und Dichtern.« Tatsächlich waren 71 Prozent der Finanz-leute Juden, 65 Prozent der Anwälte, 59 Prozent der Ärzte und die Hälfte der Wiener Journalisten. Die *Neue Freie Presse* »gehörte Juden, sie wurde von ihnen herausgegeben und geschrieben«, meinte Henry Wickham Steed in seinem beiläufig antisemitischen Buch über das Habsburgerreich.

Und diese Juden hatten perfekte Fassaden – sie verschwanden ein-fach. Es war eine Potemkinsche Stadt, und sie waren Potemkinsche Einwohner. So wie der russische General aus Holz und Mörtel eine Stadt hingestellt habe, um Katharina die Große bei ihrem Besuch zu beeindrucken, so sei die Ringstraße, schrieb der junge Hitzkopf Adolf Loos, nichts als ein gigantisches Scheingebilde. Es sei potemkinsch. Die Fassaden hätten keine Beziehung zu den Gebäuden. Der Stein sei bloß Stuck, Machwerk für Parvenüs. Die Wiener sollten aufhören, in diesen Bühnenbildern zu leben, »wo sie hofften, niemand würde den Schwindel entdecken«. Und der Satiriker Karl Kraus stimmte ihm zu und sprach von der »Verschweinung des praktischen Lebens durch das Ornament«. Dazu kam noch, dass durch diese »katastrophale Verwir-rung« die Sprache selbst infiziert werde: »Die Phrase ist das Orna-ment des Geistes.« Diese üppig verzierten Gebäude, ihre ornamentale Gestaltung, das ornamentale Leben, das sich um sie herum abspielte: Wien war bombastisch geworden.

Kein einfacher Ort für die Netsuke, denke ich, während ich in der Dämmerung zum Palais Ephrussi zurückschlendere; ich fühle mich ruhiger. Es ist kompliziert, weil ich nicht sicher bin, was all die Orna-mente bedeuten. Meine Netsuke sind aus verschiedenen Materialien, Buchsbaumholz oder Elfenbein. Sie sind durch und durch hart. Sie sind nicht potemkinsch, sie sind nicht aus Gips und Pappe. Es sind wit-zige kleine Sachen, und ich kann mir nicht vorstellen, wie sie in dieser selbstgefällig-großmäuligen Stadt überleben sollen.

Andererseits könnte ihnen auch keiner nachsagen, sie wären etwas Praktisches. Sicher kann man sie für ornamental halten, sogar für eine Art Verzauberung. Wie passend mag Charles' Hochzeitsgeschenk, ein-mal nach Wien gelangt, wohl gewesen sein?

# 13.

# Zionstraße

Als die Netsuke im Palais eintrafen, war das Gebäude beinahe dreißig Jahre alt; es war ungefähr zur selben Zeit erbaut worden wie das Hôtel Ephrussi in der Rue de Monceau. Es ist ein Schaustück, eine phantastische Darbietung durch den Auftraggeber, Viktors Vater, meinen Ururgroßvater Ignaz.

In dieser Geschichte, die sich über drei Generationen erstreckt, treten verwirrenderweise drei Ignaz Ephrussi auf. Der jüngste ist mein Großonkel Iggie in seiner Tokioter Wohnung. Dann gibt es Charles' Bruder, den Pariser Duellanten Ritter Ignaz von Ephrussi mit seinen vielen Liebesaffären. Und hier in Wien treffen wir auf Baron Ignaz von Ephrussi, Inhaber des Eisernen Kreuzes Dritter Klasse, für seine Verdienste vom Kaiser in den Adelsstand erhoben, Kaiserlicher Rat, Ritter des Ordens vom heiligen Olaf, Honorarkonsul des Königs von Schweden und Norwegen, Inhaber eines bessarabischen, eines russischen Ordens.

Ignaz war der zweitreichste Bankier von Wien; er besaß ein weiteres riesiges Gebäude an der Ringstraße und mehrere Häuser für die Bank. Und das war bloß in Wien. Ich finde einen Buchprüfungsbeleg, in dem steht, dass er in der Stadt Vermögenswerte in der Höhe von 3 308 319 Gulden besaß, das entspricht grob geschätzt einem heutigen Gegenwert von 145 Millionen Euro; siebzig Prozent dieser Reichtümer in Aktien, dreiundzwanzig Prozent in Grundstücken und Immobilien, fünf Prozent in Kunst und Schmuck und zwei Prozent in Gold. Viel Gold, denke ich, und eine herrlich ruritanische Titelfülle. Um ihr würdig zu sein, brauchte man wohl eine üppig vergoldete Fassade mit extra viel Karyatiden.

Ignaz war ein Magnat der Gründerzeit der österreichischen Moderne. Er war mit seinen Eltern und seinem älteren Bruder Leon aus

*Ritter Ignaz von Ephrussi, 1871*

Odessa nach Wien gekommen. Während der katastrophalen Überschwemmung 1862, das Wasser der Donau reichte damals bis an die Altarstufen des Stephansdoms, gewährte die Familie Ephrussi der Regierung hohe Darlehen, um Schutzdämme und neue Brücken zu errichten.

Ich besitze eine Zeichnung von Ignaz. Er muss um die fünfzig sein, trägt einen recht schönen Rock mit breiten Revers und eine Krawatte mit dickem Knoten und einer Perle. Bärtig, das dunkle Haar zurückgestrichen, blickt er mich geradeheraus prüfend an, der Mund wirkt etwas skeptisch.

Auch von seiner Frau Emilie besitze ich ein Porträt; sie hat graue Augen, trägt eine mehrfach um den Hals gewundene Perlenkette, eine Schlinge fällt über ein Kleid aus schillernder schwarzer Seide. Auch sie wirkt ein wenig reserviert; jedes Mal, wenn ich das Bild zuhause aufhängte, musste ich es wieder abnehmen, sie sah gar so kritisch auf unser häusliches Leben nieder. Emilie hieß in der Familie »das Krokodil«, sie zeigte ein sehr gewinnendes Lächeln – wenn sie lächelte. Da Ignaz Affären mit ihren beiden Schwestern hatte und dazu noch eine ganze Schar Geliebte, bin ich froh, dass sie überhaupt lächelt.

Irgendwie stelle ich mir vor, dass es Ignaz war, der sich Hansen als Architekten aussuchte; er verstand, wie Symbole funktionieren. Was dieser reiche jüdische Bankier wollte, war ein Gebäude, das den Aufstieg seiner Familie symbolisierte, ein Haus, das neben den großen Institutionen am Ring bestehen konnte.

Der Vertrag zwischen den beiden wurde am 12. Mai 1869 unterzeichnet, der Magistrat erteilte Ende August die Baugenehmigung. Als Theophil Hansen am Palais Ephrussi arbeitete, war er bereits geadelt worden und hieß nun Theophil Freiherr von Hansen; sein Auftraggeber war in den Ritterstand erhoben worden, Ignaz Ritter von Ephrussi. Ignaz und Hansen hatten schon zu Beginn Meinungsunterschiede über den Maßstab der Aufrisszeichnungen; die Pläne zeigen immer neue Änderungen, während die beiden willensstarken Männer austüftelten, wie man den spektakulären Baugrund nutzen solle. Ignaz verlangte Stallungen für vier Pferde und eine Remise »für zwei bis drei Kutschen«. Sein wichtigster Wunsch war eine Treppe nur für ihn alleine, die sonst niemand im Haus benützen sollte. Das alles steht in einem Artikel in der *Allgemeinen Bauzeitung,* der mit wunderbaren Plänen und Aufrisszeichnungen illustriert ist. Das Palais würde eine Aussichtstribüne über Wien sein; von den Balkonen aus würde man einen guten Blick auf Wien haben, und die Stadt würde an dem riesigen Eichentor vorüberrauschen.

Ich stehe davor. Es ist der letzte Augenblick, wo ich mich noch umwenden, die Straße überqueren, in die Straßenbahn steigen und dieses dynastische Haus und seine Geschichte sein lassen könnte. Ich atme tief durch, drücke auf die linke Tür, die in das riesige Eichentor eingeschnitten ist, und stehe in einem langen, hohen, dunklen Gang, über mir eine goldverzierte Kassettendecke. Ich gehe weiter und bin in einem glasüberdachten, fünf Stockwerke hohen Hof mit umlaufenden Innenbalkonen, die den riesigen Raum akzentuieren. Vor mir steht auf seinem Podest die lebensgroße Statue eines ziemlich muskulösen Apollo, der halbherzig an seiner Leier zupft.

Ein paar Sträucher in Übertöpfen, eine Rezeption. Ich erkläre stockend, wer ich bin, dies sei das Haus meiner Familie, ich würde mich gerne, wenn das kein zu großes Problem sei, ein wenig umsehen. Das ist ganz sicher kein Problem. Ein charmanter Herr erscheint und fragt, was ich sehen möchte.

Überall Marmor: massenhaft Marmor. Das sagt noch nicht genug. Alles ist Marmor. Boden, Wände, Treppen, Treppenhäuser, die Säulen am Treppengeländer, die Decke über der Treppe, die Friese an der Decke über der Treppe. Es geht nach links, ich steige die Familientreppe hinauf, flache Marmorstufen. Wende mich nach rechts und komme in eine weitere Vorhalle. Ich schaue nach unten und sehe die in den Marmorboden eingelassenen Initialen des Patriarchen: JE (für Joachim Ephrussi), darüber eine Krone. Neben den breiten Treppen zwei hohe Kerzenständer, höher als ich. Die Stufen führen immer weiter, zum Stolpern flach. Schwarze Marmorumrahmungen um die riesigen Flügeltüren – schwarz und gold; ich stoße sie auf und betrete die Welt des Ignaz Ephrussi.

Für Räume mit so viel Goldverzierung wirken sie sehr, sehr düster. Die Wände sind in Paneele geteilt, durch vergoldete Streifen getrennt. Die Kamine massive Schaustücke in Marmor. Die Böden aufwendig gemustertes Parkett. Die Decken ein Gespinst aus rautenförmigen, ovalen und dreieckigen Feldern mit dicken vergoldeten Umrahmungen, erhaben und kassettiert, schnörkelumschlungen, klassizistische Gischt. Kränze und Akanthusblätter krönen die überwältigende Mixtur. Die Deckenpaneele sind mit Malereien von Christian Griepenkerl geschmückt, dessen Deckenfresken im Zuschauerraum der Oper großen Anklang fanden. Jeder Raum weist ein klassisches Thema auf: Im Billardzimmer sind es eine Reihe von Eroberungen des Zeus, Leda, Antiope, Danae und Europa; jedes entblätterte Mädchen wird von Putten und Samtdraperien gehalten. Im Musikzimmer gibt es Allegorien der Musen, im Salon streuen assortierte Göttinnen Blumen, im kleineren Salon nach Gutdünken verstreute Putten. Im Speisezimmer schenken, was sonst, Nymphen Wein aus, sie sind mit Traubenranken umwunden oder haben Wildbret über die Schulter geworfen. Auf den Türstürzen noch mehr Putten, aus unerfindlichen Gründen.

Alles hier glänzt, fällt mir auf. Nirgendwo an diesen Marmoroberflächen kann man sich anhalten. Dieser Mangel an Taktilität macht mich panisch: Ich streiche mit der Hand über die Wände, sie fühlen sich ein wenig klamm an. Ich hatte gedacht, in Paris wäre ich mir über meine Gefühle zur Belle Époque klargeworden, als ich mit gerecktem Hals die Baudrys an der Decke der Oper betrachtete. Aber hier ist alles viel näher, viel persönlicher. Es ist aggressiv golden, aggressiv beziehungslos. Was hatte Ignaz denn vor? Wollte er seine Kritiker mundtot machen?

Im Ballsaal mit den drei großen Fenstern, von denen aus man über den großen Platz hinweg zur Votivkirche sieht, hat sich Ignaz plötzlich ein wenig verraten. Wo man in den anderen Ringstraßenpalais vielleicht auf etwas Elysisches stoßen würde, findet sich hier eine Reihe von Deckenmalereien mit Szenen aus dem biblischen Buch Esther: Esther wird zur Königin Israels gekrönt, sie kniet vor dem Hohen Priester in seinen Rabbinergewändern, sie wird gesegnet, hinter sich die kniende Dienerschaft. Und dann ist da die Niederwerfung der Söhne Hamams, des Feindes der Juden, durch jüdische Krieger.

Das ist gelungen. Hier wird auf Dauer ein Terrain abgesteckt, und das, ohne ein Wort zu verlieren. Der Ballsaal war der einzige Raum in einem jüdischen Haushalt, wie grandios und reich jemand auch sein mochte, den die nichtjüdischen Nachbarn bei gesellschaftlichen Anlässen zu Gesicht bekamen. Es ist das einzige jüdische Bild an der gesamten Ringstraße. Hier an der Zionstraße ein kleines bisschen Zion.

## 14.

# Der Lauf der Geschichte

In diesem strengen Marmorpalast wuchsen Ignaz' drei Kinder auf. In dem Bündel Familienfotos, das mir mein Vater gegeben hat, ist auch ein Salonbild dieser Kinder, steif vor Samtdraperien und einer Topfpalme aufgepflanzt. Stefan, der älteste Sohn, ist hübsch, scheint etwas befangen. Er verbringt seine Tage mit dem Vater im Büro und wird ins Getreide-Business eingeführt. Anna hat ein langes Gesicht und riesige Augen, eine Unmenge Locken, und wirkt unendlich gelangweilt, das Bilderalbum rutscht ihr beinahe aus der Hand. Sie ist fünfzehn, nimmt Tanzstunden und stattet mit der frostigen Mama in der Kutsche Besuche ab. Mein Urgroßvater ist der kleine Viktor. Er wird bei seinem russischen Familienkosenamen Tascha gerufen, trägt einen Samtanzug und hält einen Samthut und ein Spazierstöckchen. Er hat schwarz glänzendes welliges Haar und sieht aus, als hätte man ihm eine Belohnung dafür versprochen, diesen langen Nachmittag fern von seinem Schulzimmer unter all den schweren Draperien zu verbringen.

Aus Viktors Schulzimmer blickt man auf die Baustelle, wo eben die Universität mit ihrer rationalen Säulenreihe errichtet wird, die den Wienern vermitteln soll, Wissen sei etwas Säkulares und Modernes. Jahrelang waren aus allen Fenstern im neuen Familienhaus an der Ringstraße nur Staub und Abriss zu sehen. Und während Charles sich mit Madame Lemaire in den Pariser Salons über Bizet unterhält, sitzt Viktor mit seinem deutschen Hauslehrer, dem Preußen Wessel, im Schulzimmer des Palais Ephrussi. Herr Wessel lässt Viktor Passagen aus Edward Gibbons »Decline and Fall of the Roman Empire« aus dem Englischen ins Deutsche übersetzen, zeigt ihm anhand der Werke des großen deutschen Historikers Leopold von Ranke, wie Geschichte funktioniert, »wie es eigentlich gewesen«. Geschichte geht in diesem Augenblick vor sich, erfährt Viktor; Geschichte streicht wie der Wind durch ein Weizenfeld, immer weiter, von Herodot, Cicero, Plinius und Tacitus über ein Reich nach dem anderen bis zu Österreich-Ungarn und Bismarck und dem neuen Deutschland.

Um Geschichte zu verstehen, doziert Herr Wessel, müsse man auch Ovid und Vergil lesen. Man müsse erkennen, wie Helden mit Exil, mit Niederlage und Rückkehr umgehen. So muss Viktor also nach den Geschichtsstunden Teile der »Aeneis« auswendig lernen. Und danach, wahrscheinlich zur Erholung, lehrt Herr Wessel Viktor einiges über Goethe, Schiller und Humboldt. Viktor lernt, Deutschland zu lieben heiße die Aufklärung zu lieben. Deutsch bedeute Befreiung von Rückständigkeit, es bedeute Bildung, Kultur, Wissen, hin zur Erfahrung. Bildung, so wird impliziert, ist die Reise vom Russisch- zum Deutschsprechen, von Odessa an die Ringstraße, vom Getreidehandel zur Schiller-Lektüre. Viktor beginnt seine eigenen Bücher zu kaufen.

In der Familie gilt er als der kluge Kopf, also muss seine Erziehung darauf abgestimmt werden. Wie Charles ist Viktor ein überzähliger Sohn und muss nicht Bankier werden. Dafür wird Stefan ausgebildet, so wie Leons ältester Sohn Jules. Auf einem einige Jahre später aufgenommenen Foto ist Viktor zweiundzwanzig und sieht mit dem adrett gestutzten Bart, bereits etwas dicklich, mit weißem Stehkragen und schwarzem Jackett wie ein braver jüdischer Gelehrter aus. Er hat natürlich die Ephrussi-Nase, doch am auffälligsten ist der Kneifer, das Kennzeichen eines jungen Mannes, der Historiker werden möchte. Tatsächlich kann Viktor in seinem Stammcafé schon des Langen und Breiten über den geschichtlichen Moment dozieren, wie es sein Hauslehrer ihm beigebracht hat, und wie man die Kräfte der Reaktion im Kontext des Fortschritts sehen müsse. Und so weiter und so fort.

Jeder junge Mann hatte sein Stammcafé, und alle wiesen sie subtile Unterschiede auf. Viktor frequentierte das Griensteidl im Palais Herberstein nahe der Hofburg, einen Treffpunkt junger Schriftsteller, des Jung-Wien des Dichters Hugo von Hofmannsthal und des Dramatikers Arthur Schnitzler. Der Dichter Peter Altenberg ließ sich die Post an seinen Tisch bringen. Es gab Berge von Zeitungen und das vollständige Meyers Konversationslexikon; damit konnte man Streitigkeiten anfachen oder schlichten oder Zeitungsartikel mit Fakten unterfüttern. Ganze Tage konnte man hier verbringen, unter dem Deckengewölbe bei einer einzigen Schale Kaffee sitzen, schreiben oder auch nicht, die Morgenzeitungen lesen und auf die Nachmittagsausgaben warten. Theodor Herzl, der Pariser Korrespondent der *Neuen Freien Presse* mit Wohnung in der Rue de Monceau, pflegte hier zu schreiben und über seine absurde Idee eines Judenstaats zu diskutieren. Angeblich beteiligten sich sogar die Ober an den Gesprächen an den großen runden Tischen. Es war, wie Karl Kraus es ausdrückte, eine »Versuchsstation für den Weltuntergang«.

In einem Kaffeehaus konnte man sich eine Attitüde melancholischer Absonderung zulegen. Viele von Viktors Freunden pflegten diese Attitüde, Söhne anderer wohlhabender jüdischer Bankiers und Unternehmer, auch sie gehörten zu jener Generation, die in den Marmorpalästen an der Ringstraße aufgewachsen war. Ihre Väter hatten Städte und Eisenbahnen finanziert, hatten ein Vermögen gemacht, waren mit ihren Familien quer über Kontinente umgezogen. Es war so schwer, es mit diesen Gründern aufzunehmen, was konnte man schon tun außer reden?

Diese Söhne machten sich alle ähnliche Sorgen um ihre Zukunft, um ihr vorbestimmtes Leben, das in von der Dynastie vorgegebenen Bahnen ablaufen sollte, über die Erwartungen der Familie, die sie vorwärtstrieben. Es bedeutete ein Leben unter den goldverzierten Plafonds ihrer Elternhäuser, Hochzeit mit der Tochter eines Finanzmagnaten, endlose Bälle, Jahre voller Geschäfte, die sich vor ihnen abrollten. Es bedeutete Ringstraßenstil, Pomp, übersteigertes Selbstgefühl, ein Dasein als Parvenü. Es bedeutete nach dem Essen Billard im Billardzimmer mit den Freunden des Vaters, ein Leben eingeschlossen in Marmor, unter dem wachsamen Blick der Putten.

Diese jungen Männer galten entweder als Wiener oder als Juden. Es besagte nichts, wenn sie in der Stadt geboren waren; Juden hatten einen unfairen Vorteil gegenüber einheimischen Wienern, die den semitischen Zuzüglern die Freiheit geschenkt hatten. Wie der englische Schriftsteller Henry Wickham Steed meinte, war das »Freiheit für den klugen, geistreichen, rastlosen Juden, eine gesellschaftliche und politische Welt auszunützen, die vollkommen untüchtig war, sich gegen ihn zu wappnen oder mit ihm in Konkurrenz zu treten. Frisch vom Talmud und der Synagoge und daher gerüstet, mit dem Gesetz zu jonglieren, in Intrigen gewitzigt, drang der Semit aus Galizien oder Ungarn ein und obsiegte. Unbekannt und deswegen ungehemmt von der öffentlichen Meinung, ohne ›Anteil am Land‹ und deshalb rücksichtslos, suchte er nur seinen unersättlichen Hunger nach Reichtum und Macht zu stillen ...«

Die Unersättlichkeit der Juden war ein geläufiges Thema. Sie würden einfach ihre Grenzen nicht kennen, hieß es. Antisemitismus gehörte zum Alltagsleben. Das Timbre des Wiener Antisemitismus unterschied sich allerdings von der Pariser Variante. An beiden Orten existierte er teils offen, teils versteckt, doch in Wien konnte einem schon einmal der Hut auf der Ringstraße vom Kopf geschlagen werden, wenn man jüdisch aussah (Schnitzlers Ehrenberg in »Der Weg ins Freie«, Freuds Vater in »Die Traumdeutung«), konnte man, wenn man ein Fenster im Zug öffnete, als dreckiger Jude beschimpft (Freud), bei der Sitzung eines Wohltätigkeitsvereins geschnitten werden (Emilie Ephrussi), konnten Vorlesungen an der Universität durch Zwischenrufe »Juden hinaus« unterbrochen werden, bis alle jüdischen Studenten ihre Sachen zusammenrafften und gingen.

Beschimpfungen waren auch allgemeinerer Art. Man konnte sich die letzten Auslassungen der Wiener Version des Parisers Édouard Drumont, Georg von Schönerer, zu Gemüte führen oder seine aggressiven Anhänger bei Kundgebungen am Ring unter dem Fenster brüllen hören. Schönerer wurde berühmt als Gründer des Deutschnationalen Reformvereins; er wetterte gegen den »Vampyr der Aussaugung ... der ebenso an die Hütte des ungarischen und polnischen Bauern klopft wie an das schmalfenstrige Haus des deutschen Landwirtes und Gewerbsmannes«. Im Reichsrat verkündete er, wenn auch seine Bewegung einstweilen keinen Erfolg habe, »werden doch gewiß aus unseren Gebeinen dereinst Rächer erstehen« und »zum Schrecken der semitischen Unterdrücker und ihrer Helfershelfer unsere Grundsätze durchsetzen«. »Auge um Auge, Zahn um Zahn.« Vergeltung des durch die – erfolgreichen, wohlhabenden – Juden angetanen Unrechts, das fand besonders bei Handwerkern und Studenten Anklang.

Die Wiener Universität galt als besondere Brutstätte von Nationalismus und Antisemitismus; die Burschenschaften waren hier bahnbrechend mit ihrem Gelöbnis, die Juden von der Universität zu vertreiben. Das ist einer der Gründe, warum viele jüdische Studenten es für notwendig hielten, besonders gewandte und tollkühne Fechter zu werden. Daraufhin führten die alarmierten Burschenschaften das »Waidhofener Prinzip« ein, das bedeutete, dass man sich mit Juden nicht duellieren konnte, da diese keine Ehre besäßen und deshalb auch nicht so tun könnten, als ob: »Juden sind bar jeder Ehre; ihnen ist daher auf keine Waffe Satisfaktion zu geben.« Zusammenschlagen konnte man sie natürlich.

Karl Lueger, Gründer der Christlichsozialen Partei, mit seiner Liebenswürdigkeit und seiner Wiener Mundart, und seine Anhänger mit den weißen Nelken im Knopfloch schienen weit gefährlicher. Sein Antisemitismus wirkte raffinierter, weniger offen hetzerisch. Lueger stellte sich als einen Antisemiten mehr aus Notwendigkeit denn aus Überzeugung hin: »Wölfe, Panther, Leoparden und Tiger sind Menschen gegenüber diesen Raubtieren in Menschengestalt ... Wir wollen nicht, dass das alte christliche österreichische Kaiserreich durch ein neues Judenreich verdrängt wird. Es ist nicht Hass gegen den Einzelnen, gegen den armen, kleinen Juden. Nein, meine Herren, wir hassen nur das unterdrückerische Großkapital, das in den Händen der Juden ist.« Die »Bankjuden« – die Rothschilds und Ephrussi – hieß es in die Schranken weisen.

Lueger wurde äußerst populär und schließlich 1897 zum Bürgermeister ernannt; er bemerkte dabei mit einiger Befriedigung, »der Antisemitismus ist ein sehr gutes Agitationsmittel, um in der Politik hinaufzukommen«. Lueger arrangierte sich später mit den Juden, die er bei seinem Aufstieg zur Macht angegriffen hatte, und bemerkte süffisant: »Wer ein Jud ist, bestimme ich.« Doch die Juden hegten nach wie vor Befürchtungen: »Passt es zum guten Namen und den Interessen, dass Wien die einzige Großstadt der Welt ist, die von einem antisemitischen Hetzer verwaltet wird?« Obwohl keine antijüdischen Gesetze erlassen wurden, hatten die zwanzig Jahre von Luegers Rhetorik ihren Preis: Das Vorurteil war nun legitimiert.

1899, in dem Jahr, in dem die Netsuke nach Wien kamen, konnte ein Abgeordneter im Reichsrat in einer Rede Schussprämien für die Tötung von Juden fordern. In Wien reagierten die assimilierten Juden auf die ungeheuerlichsten Aussprüche mit der Meinung, es sei wahrscheinlich besser, sich nicht zu sehr darüber aufzuregen.

Es sieht so aus, als würde ich einen weiteren Winter damit verbringen, über Antisemitismus nachzulesen.

Es war der Kaiser, der sich als Bollwerk gegen diese Agitation erwies. »Ich dulde keine Judenhetze in Meinem Reiche«, sagte er. »Ich bin von der Treue und Loyalität der Israeliten vollkommen überzeugt und die Israeliten können immerdar auf Meinen Schutz rechnen.« Adolf Jellinek, der berühmteste jüdische Prediger von damals, erklärte, die Juden seien »durch und durch dynastisch, kaiserlich, österreichisch, der österreichische Doppeladler ist für sie ein Symbol der Erlösung, die österreichischen Farben schmücken die Fahne ihrer Freiheit«.

Die jungen Juden in ihren Kaffeehäusern sahen das etwas anders. Sie lebten in Österreich, Teil eines dynastischen Kaiserreichs, mit einer erstickenden Bürokratie, wo jede Entscheidung auf die lange Bank geschoben wurde, wo jeder nach der Punze k.u.k., kaiserlich und königlich, trachtete. Man konnte nicht durch Wien gehen, ohne dem Doppeladler oder den Bildern von Kaiser Franz Joseph mit seinem Schnurr- und Backenbart, seiner ordenbehängten Brust und seinem großväterlichen Blick zu begegnen, der einem aus dem Fenster des Ladens, wo man seine Zigarren kaufte, folgte oder über dem Tisch des Zahlkellners im Restaurant. War man jung, reich und Jude, konnte man keinen Schritt tun, ohne von einem Mitglied der eigenen weitläufigen Sippe observiert zu werden. Was immer man tat, konnte in einem Witzblatt zum Thema werden. Wien war voller Klatschbasen, Karikaturisten – und Cousins.

An den marmornen Kaffeehaustischen diskutierten diese ernsthaften jungen Männer viel über das Wesen ihrer Zeit. Hofmannsthal, Sohn eines jüdischen Financiers, meinte, es sei »Vieldeutigkeit und Unbestimmtheit«. Sie »kann nur auf Gleitendem ausruhen und ist sich bewußt, daß es Gleitendes ist, wo andere Generationen an das Feste glaubten«. Das Wesen der Zeit war der Wandel, etwas, das man im Teilstück, im Fragment, im Melancholisch-Lyrischen, nicht in den grandiosen, schweren, opernhaften Akkorden der Gründerzeit und der Ringstraße ansprechen konnte. »Sicherheit«, sagte Schnitzler, gutsituierter Sohn eines jüdischen Professors der Hals-Nasen-Ohrenkunde, »ist nirgendwo.«

Melancholie passt zum endlosen Herbst von Schuberts »Abschied«. Liebestod war eine Antwort. Selbstmord war eine schreckliche Normalität unter Viktors Bekannten. Schnitzlers Tochter, Hofmannsthals Sohn, drei von Ludwig Wittgensteins Brüdern, Gustav Mahlers Bruder, sie alle nahmen sich das Leben. Der Tod war eine Möglichkeit, sich vom Alltäglichen abzugrenzen, vom Snobismus, den Intrigen, dem Klatsch, ins »Gleitende« zu entschweben. In »Der Weg ins Freie« erwägt Schnitzler Gründe, sich umzubringen: »wegen Grace, wegen Schulden, aus Lebensüberdruß, oder ausschließlich aus Affektation«. Als am 30. Januar 1889 Kronprinz Rudolf Selbstmord beging, nachdem er seine junge Geliebte Mary Vetsera ermordet hatte, erhielt der Suizid seine imperiale Imprimatur.

Selbstverständlich würde keines der vernünftigen Ephrussi-Kinder so weit gehen. Melancholie hatte ihren Platz: das Kaffeehaus. Sie nachhause mitzubringen, das ging nicht.

Man brachte dafür anderes mit.

Am 25. Juni 1889 trat Viktors Schwester, die attraktiv-hässliche Anna mit dem langen Gesicht, zum Katholizismus über, um Paul Herz von Hertenried heiraten zu können. Aus einer langen Liste guter Partien hatte sie einen Bankier und Baron ausgewählt, der aus der richtigen Art Familie kam, auch wenn er Christ war. In der Familie von Hertenried – so meine Großmutter anerkennend – wurde stets Französisch gesprochen. Konversionen waren ziemlich alltäglich. Ich verbringe einen Tag damit, im Archiv der Kultusgemeinde nahe der Synagoge in der Seitenstettengasse die Aufzeichnungen des Rabbinats durchzusehen, in denen die Namen aller in Wien geborenen, verheirateten und bestatteten Juden verzeichnet sind. Ich bin auf der Suche nach Anna, als eine Archivarin sich umwendet. »Ich erinnere mich an diese Hochzeit«, sagt sie. »1889. Sie hat eine sehr kräftige, selbstbewusste Unterschrift. Die hat sich fast durch das Papier durchgedrückt.«

Das glaube ich gern. Anna scheint Ärger gemacht zu haben, wo sie auch war. Auf dem Stammbaum, den meine Großmutter in den 1970ern für meinen Vater anfertigte, sind Bleistiftanmerkungen eingetragen. Anna hat zwei Kinder, schreibt sie, eine schöne Tochter, verheiratet, die mit ihrem Liebhaber in den Osten flieht, und einen Sohn, »unverheiratet, Nichtstuer«. Und weiter: »Anna, Hexe«.

Elf Tage nach der Hochzeit Annas mit ihrem Bankier brennt Stefan, der mutmaßliche Erbe – für ein Leben in der Bank dressiert, mit phantastisch hochgezwirbeltem Schnurrbart –, mit Estiha durch, der russischen Mätresse seines Vaters. Estiha sprach nur Russisch, so steht es auf dem Stammbaum mit den Anmerkungen, und »gebrochen Deutsch«.

Stefan wurde auf der Stelle enterbt. Er erhielt keinen Unterhalt, durfte in keinem Familienbesitz wohnen, mit keinem Familienmitglied in Verbindung treten. Ein echt alttestamentarischer Bann, wenn auch mit dem ausgesprochen wienerischen Hautgoût, dass er die Geliebte seines Vaters heiratete. Eine Sünde übertraf die andere: Abtrünnigkeit die Verletzung der Kindespflicht. Dazu die linguistische Inkompetenz der Mätresse. Ich weiß nicht genau, wie ich das dechiffrieren soll: Wirft das ein schlechtes Licht auf den Vater, den Sohn oder auf beide?

Von allen Ressourcen abgeschnitten, ging das Paar nach Odessa, wo die beiden noch Freunde und einen Namen hatten. Dann weiter nach Nizza. Dann, während das Geld allmählich zu Ende ging, in zunehmend weniger vornehme Badeorte an der Côte d'Azur. 1893 berichtet eine Zeitung aus Odessa, Baron Stefan von Ephrussi sei in die evangelisch-lutherische Kirche aufgenommen worden. 1897 arbeitet er als Kassier in einer russischen Außenhandelsbank. 1898 kommt ein Brief aus einem schäbigen Pariser Hotel im zehnten Arrondissement.

*Der junge Gelehrte: Viktor mit
zweiundzwanzig Jahren, 1882*

Sie haben keine Kinder, keine Erben, die Ignaz' Pläne komplizieren könnten. Flüchtig denke ich, ob Stefan wohl noch seinen prächtigen Schnurrbart hatte, als er mit Estiha durch diese immer dürftigeren Hotels zog und auf ein Telegramm aus Wien wartete.

Und Viktors Welt war zu Ende, wie ein zugeknalltes Buch.

Vormittage im Kaffeehaus oder nicht, Viktor war nun plötzlich für ein riesiges und komplexes internationales Unternehmen verantwortlich. Er sollte sich mit Aktien und Warenladungen nach St. Petersburg, Odessa, Paris, Frankfurt beschäftigen. Wertvolle Zeit war auf den anderen Jungen verschwendet worden. Viktor musste rasch lernen, was man von ihm erwartete. Und das war bloß der Anfang. Er musste auch heiraten und Kinder in die Welt setzen: Vor allem musste er einen Sohn zeugen. Die Träume von einem Grundlagenwerk zur Geschichte von Byzanz waren ausgeträumt. Nun war er der Erbe.

Ich denke, es muss um diese Zeit gewesen sein, dass Viktor seinen nervösen Tic entwickelte: Er nahm den Kneifer ab und strich sich mit der Hand über das Gesicht, von der Stirn zum Kinn, eine Reflexbewegung. Er ordnete seine Gedanken oder strich sein öffentliches Gesicht zurecht. Oder vielleicht verbarg er sein privates Gesicht hinter seiner Hand.

Viktor wartete, bis sie siebzehn war, und hielt dann um die Hand von Baronesse Emmy Schey von Koromla an, die er seit ihrer Kindheit kannte. Ihre Eltern, Baron Paul Schey von Koromla und die in England geborene Evelina Landauer, waren Freunde der Familie und Geschäftspartner des Vaters, sie wohnten ebenfalls an der Ringstraße. Viktor und Evelina waren enge Freunde und gleich alt. Sie liebten beide die Poesie, tanzten auf Bällen miteinander, gingen in Kövecses, der slowakischen Besitzung der Scheys, gemeinsam auf die Jagd.

Viktor und Emmy heirateten am 7. März 1899 in der Synagoge. Er war neununddreißig und verliebt, sie achtzehn und ebenfalls verliebt. Viktor war in Emmy verliebt, sie hingegen in einen Künstler und Lebemann, der keine Absicht hatte zu heiraten, schon gar nicht dieses junge, dekorative Geschöpf. In Viktor war sie nicht verliebt.

Unter den passenden Geschenken aus ganz Europa, die nach dem Hochzeitsfrühstück in der Bibliothek zur Schau gestellt wurden, waren eine berühmte Perlenkette von einer Großmutter, der Louis-XVI-Sekretär von den Cousins Jules und Fanny, die zwei Schiffe im Sturm von Cousin Ignaz, von Onkel Maurice und Tante Beatrice eine italienische Madonna mit Kind nach Bellini in einem schweren vergoldeten Rahmen und ein großer Diamant von jemandem, dessen Namen man nicht mehr kennt. Und von Cousin Charles die Vitrine mit den Netsuke auf den grünen samtüberzogenen Borden.

Am 3. Juni, zehn Wochen nach der Hochzeit, starb Ignaz. Es geschah plötzlich, ohne vorangehendes Kränkeln. Laut meiner Großmutter starb er im Palais Ephrussi; Emilie hielt seine Hand, seine Geliebte die andere. Es muss eine weitere Geliebte gewesen sein, fällt mir auf, eine, die weder die Frau seines Sohnes noch eine seiner Schwägerinnen war.

Ich besitze ein Foto von Ignaz auf dem Totenbett, der Mund wirkt immer noch fest und entschlossen. Er wurde im Familienmausoleum der Ephrussi beigesetzt. Es ist ein kleiner dorischer Tempel, den er mit charakteristischer Voraussicht im jüdischen Teil des Zentralfriedhofs für die Ephrussi-Sippe hatte errichten lassen; sein Vater, der Patriarch Joachim, war dorthin umgebettet worden. Sehr biblisch, denke ich, mit seinem Vater zusammen begraben zu sein und Platz für die Söhne vorzusehen. In seinem Testament bestimmte er Legate für siebzehn seiner Bediensteten, vom Kammerdiener Sigmund Donnebaum (1380 Kronen) und dem Butler Josef (720 Kronen) bis zum Portier Alois (480 Kronen) und den Hausmädchen Adelheid und Emma (140 Kronen). Er bat Viktor, aus seiner Sammlung ein Bild für seinen Neffen Charles auszusuchen; hier entdecke ich plötzlich eine Zärtlichkeit, eine Erinnerung des Onkels an den belesenen jungen Neffen und seine Notizbücher vierzig Jahre zuvor. Was Viktor wohl unter all den schwer vergoldeten Rahmen gefunden haben mag?

Und so erbte Viktor mit seiner frisch angetrauten jungen Frau das Bankhaus Ephrussi, Verpflichtungen, die Wien mit Odessa, St. Petersburg, London und Paris verknüpften. Zu dieser Erbschaft gehörten das Palais Ephrussi, diverse Gebäude in Wien, eine riesige Kunstsammlung, ein goldenes Tafelservice mit dem eingravierten doppelten E und die Verantwortung für die siebzehn Bediensteten, die im Palais arbeiteten.

Viktor zeigte Emmy ihre neue Wohnung im Nobelstock. Ihr Kommentar war kurz und bündig: »Es schaut aus wie das Foyer in der Oper.« Das Paar entschied, sich im zweiten Stock einzurichten, dort gab es weniger Deckenmalereien, weniger Marmor um die Türen. Ignaz' Räume waren für die gelegentlichen Feste vorgesehen.

Die frisch verheirateten Eheleute, meine Urgroßeltern, haben einen Logensitz an der Ringstraße, einen Logensitz mit Blick auf das neue Jahrhundert. Und die Netsuke – mein schlafender Mönch, über seine Bettlerschale gebeugt, der Hirsch, der sich am Ohr kratzt – haben ein neues Heim.

## 15.

## »Eine große rechteckige Schachtel, wie Kinder sie zeichnen«

Die Vitrine muss irgendwo aufgestellt werden. Das Paar hat sich dafür entschieden, den Nobelstock als Erinnerungsort an Ignaz zu belassen; Viktors Mutter Emilie hat sich Gott sei Dank entschlossen, in ihr Grandhotel in Vichy zurückzukehren, wo sie kuren und ihre Zofen schikanieren kann. So haben sie eine ganze Etage im Palais für sich. Sie ist natürlich bereits mit Bildern und Möbelstücken angeräumt, und dann sind da noch die Bediensteten – darunter Emmys neues Mädchen, eine Wienerin namens Anna –, doch es ist ihre.

Nach ausgedehnten Flitterwochen in Venedig müssen sie einige Entscheidungen treffen. Sollen diese Elfenbeinsachen in den Salon? Viktors Arbeitszimmer ist nicht groß genug. Oder in die Bibliothek? Da legt er Einspruch ein. In die Ecke des Speisezimmers neben die Boulle-Buffets? Jeder Platz wirft seine eigenen Probleme auf. Das ist keine Wohnung im »reinsten Empire« wie Charles' ausbalanciertes Ensemble von Objekten und Bildern in Paris. Es ist eine Anhäufung aller möglichen Sachen, die wohlhabende Leute in vier Jahrzehnten zusammengekauft haben.

Für Viktor bringt der große Glasschrank voller schöner Dinge zudem eine besondere Schwierigkeit mit sich, denn er kommt aus Paris, und er möchte nicht, dass er ihn tagtäglich an ein Anderswo, ein anderes Leben erinnert. Die Sache ist die: Viktor und Emmy sind nicht ganz sicher, wie sie Charles' Geschenk sehen sollen. Sie sind wunderbar, diese kleinen Schnitzereien, witzig und vertrackt, und offensichtlich war der Lieblingscousin Charles überaus großzügig. Aber die Uhr in Malachit und Gold und die beiden Globen von den Cousins in Berlin und die Madonna, für die findet man sofort einen Platz – im Salon, in der Bibliothek, im Esszimmer –, für die große Vitrine aber nicht. Sie ist einfach zu merkwürdig und kompliziert, und sie ist auch schlicht ein wenig groß.

Die achtzehnjährige Emmy, aufregend schön und phantastisch angezogen, weiß, was sie will. Wenn es darum geht, was mit den Hochzeitsgeschenken zu geschehen habe, verlässt sich Viktor ganz auf sie. Sie ist sehr schlank, hat hellbraunes Haar und schöne graue Augen. Sie besitzt eine Art inneres Leuchten, hält sich – eine seltene Gabe – wie eine Frau, die sich ihrer selbst sicher ist. Emmy bewegt sich sehr anmutig, hat eine gute Figur und trägt Kleider, die ihre schmale Taille zur Geltung bringen.

Als schöne junge Baronesse kennt Emmy sich in allen gesellschaftlichen Gepflogenheiten aus. Sie ist an zwei Orten aufgewachsen, in der Stadt und auf dem Land, und weiß sich an beiden zu bewegen. Ihre Wiener Kindheit hat sie im Palais der Scheys verbracht, einem pompös-strengen klassizistischen Gebilde, zehn Minuten Fußweg von ihrem neuen Heim mit Viktor, von dort sieht man auf den Ring, auf die Statue eines mürrisch dreinblickenden Goethe und auf die Oper. Sie hat einen reizenden jüngeren Bruder namens Philipp, allgemein als Pips bekannt, und zwei kleine Schwestern, Eva und Gerty, noch im Kinderzimmer.

Bis zu ihrem dreizehnten Lebensjahr hatte Emmy eine sanfte und fügsame englische Gouvernante, der vor allem daran gelegen war, im Schulzimmer Frieden zu halten. Und dann kam nichts mehr. Ihre Bildung ist deshalb voller weißer Flecken. Es gibt große Bereiche, von denen sie so gut wie keine Ahnung hat – Geschichte zum Beispiel –, und sie pflegt auf eine gewisse Art zu lachen, wenn solche Themen angeschlagen werden. In Sprachen hingegen ist sie gut. Sie spricht reizend Englisch und Französisch, mit ihren Eltern wechselt sie von einer Sprache in die andere. Sie weiß viele Kinderreime auswendig und kann lange Passagen aus »The Hunting of the Snark« und »Jabberwocky« hersagen. Und Deutsch kann sie natürlich auch.

Seit sie acht war, hatte sie wochentags an jedem Nachmittag Tanzunterricht, sie ist nun eine wunderbare Tänzerin, bei allen Bällen eine bevorzugte Partnerin für die schmachtenden jungen Männer, nicht zuletzt wegen der mit einer bunten Seidenschärpe umwundenen schmalen Taille. Emmy kann so gut Eis laufen, wie sie tanzt. Und sie hat gelernt, ein interessiertes Lächeln aufzusetzen, wenn die Freunde ihrer Eltern sich beim späten Abendessen über Oper und Theater unterhalten; in diesem Haus wird nicht übers Geschäft gesprochen. Es wimmelt von Cousins in ihrem Leben. Manche, wie der junge Schriftsteller Schnitzler, sind ziemlich avantgardistisch.

Emmy weiß, wie man angeregt zuhört, spürt, wann sie eine Frage stellen, lachen oder sich mit einer Neigung des Kopfes einem anderen Gast zuwenden und dem Fragesteller ihren Nacken zeigen soll. Sie hat viele Verehrer, einige haben ihre jähen Ausbrüche zu spüren bekommen. An Temperament fehlt es ihr nicht.

Für dieses Wiener Leben muss sie wissen, wie man sich kleidet. Ihre Mutter Evelina, nur achtzehn Jahre älter, verfügt ebenfalls über einen untadeligen Geschmack und trägt nur Weiß. Weiß das ganze Jahr über: von den Hüten zu den Schuhen, die sie im staubigen Sommer dreimal pro Tag wechselt. Kleider sind eine Passion, die Emmys Eltern wohlwollend zur Kenntnis nehmen, unter anderem, weil sie eine Begabung dafür hat. Begabung ist ein zu schwacher Ausdruck. Die Art, wie sie manches an ihrer Kleidung ändert, um sich von den anderen Mädchen abzuheben, hat etwas Leidenschaftliches, etwas von einer Berufung.

In Emmys Jugend verkleidete man sich gern. Ich fand ein Album mit Fotos einer Wochenendgesellschaft, bei der die Mädchen als Figuren aus den Gemälden Alter Meister auftraten. Emmy ist Tizians Isabella d'Este in Samt und Pelz, andere Cousinen stellen hübsche Dienstmädchen von Chardin und Pieter de Hooch dar. Ich nehme Emmys gesellschaftliche Vorrangstellung zur Kenntnis. Ein anderes Foto zeigt den hübschen jungen Hofmannsthal und die halbwüchsige Emmy als Venezianer der Renaissancezeit bei einem Maskenball anlässlich einer Hochzeit. Es gab auch ein Fest, bei dem sie als Makart-Figuren erschienen, eine wunderbare Gelegenheit, breitkrempige Federhüte zu tragen.

Vor und nach ihrer Heirat spielte sich Emmys anderes Leben in der Slowakei ab, im Landhaus der Schey in Kövecses, zwei Zugstunden von Wien entfernt. Kövecses war ein sehr großes, sehr schlichtes Haus aus dem 18. Jahrhundert (»eine große rechteckige Schachtel, wie Kinder sie zeichnen«, so meine Großmutter) in einer flachen Gegend mit Feldern, durchzogen von Weidengürteln, Birkenwäldchen und Bächen. Ein großer Fluss, die Waag, bildete eine der Begrenzungen des Landguts. Eine Gegend, wo man in der Ferne Gewitter vorüberziehen sah und sie nicht einmal hörte. Es gab einen Badeteich, Umkleidekabinen mit Holzgitterwerk im maurischen Stil, zahlreiche Stallungen und viele Hunde. Emmys Mutter Evelina züchtete Gordon Setter; die erste Hündin kam in einer Lattenkiste im Orient-Express, der große Zug hielt in der winzigen Haltestelle am Landgut. Für die Jagd auf Hasen und Fasane waren die Deutschen Vorstehhunde ihres Vaters bestimmt. Ihre Mutter jagte gerne; wenn eine Niederkunft nahte, begleiteten sie nicht nur der Wildhüter, sondern auch die Hebamme auf die Fasanenjagd.

In Kövecses reitet Emmy. Sie geht auf Rotwildjagd, schießt und unternimmt Wanderungen mit den Hunden. Ich bemühe mich, die zwei Teile ihres Lebens zusammenzufügen, und bin ein wenig verdutzt. Mein Bild vom jüdischen Leben im Wien der Jahrhundertwende ist glattpoliert, es hat vor allem mit Freud zu tun, mit Vignetten von geschliffener intellektueller Konversation in Kaffeehäusern. Ich bin ziemlich angetan von meinem Motiv »Wien als Schmelztiegel des 20. Jahrhunderts«, so wie viele Kuratoren und Wissenschaftler es sind. Während ich den Wiener Teil meiner Geschichte schreibe, höre ich Mahler, ich lese Schnitzler und Loos und fühle mich selbst sehr jüdisch.

Zu meinem Bild dieser Epoche gehören sicherlich keine Juden, die auf die Pirsch gehen oder über die Vorzüge diverser Jagdhunde für die unterschiedlichen Wildarten diskutieren. Ich weiß nicht recht weiter, als mein Vater mich anruft, er habe noch etwas gefunden, das ich auf meinen wachsenden Fotostapel legen kann. Ich merke, dass er recht zufrieden ist mit sich und seinem eigenen Vagabundieren für dieses Projekt. Er kommt zum Mittagessen zu mir ins Atelier und holt aus einem Supermarktbeutel ein kleines weißes Buch. Ich weiß nicht genau, was das ist, meint er, aber es sollte in deinem »Archiv« sein.

Das Buch ist in sehr weiches weißes Wildleder gebunden, vergilbt und am Rücken verschlissen. Der Umschlag trägt die Daten 1878 und 1903. Ein gelbes Seidenband ist darumgeschlungen, wir knüpfen es auf. Innen finden sich auf separaten Kartons zwölf schöne Tuschezeichnungen von Familienmitgliedern, jede von einem silbernen Streifen und einem jeweils unterschiedlichen, fein gestalteten Rahmen mit secessionistischem Muster umgeben, dazu kryptische Vierzeiler auf Deutsch, Latein oder Englisch, Verse aus Gedichten oder Zeilen aus einem Lied. Wir finden heraus, dass es ein Geschenk von Emmy und ihrem Bruder Pips zu Baron Pauls und Evelinas Silberhochzeit sein muss. Weißes Velours für ihre Mutter, die immer solchen Wert auf Weiß legte: Hüte, Kleider, Perlen und weiße Wildlederstiefelchen.

Eine der Tuschezeichnungen zur Silberhochzeit zeigt Pips in Uniform, der am Klavier Schubert spielt: Er hat die Erziehung erhalten, die Emmy nie genoss, er hatte richtige Hauslehrer. Viele seiner Freunde stammen aus Künstlerkreisen und vom Theater, er ist zuhause in etlichen Hauptstädten und ebenso untadelig gekleidet wie seine Schwester. Großonkel Iggie erinnerte sich, in seiner Kindheit einmal in einem Hotel in Biarritz, wo sie alle den Sommer verbrachten, einen Blick in Pips' Ankleidezimmer geworfen zu haben. Die Tür des Kleiderschranks stand offen, an der Stange hingen acht gleiche Anzüge, alle weiß: eine Epiphanie, eine Himmelsvision.

Pips taucht als Protagonist in einem vielgelesenen Roman des deutsch-jüdischen Romanciers Jakob Wassermann auf, eine Art mitteleuropäische Version von John Buchans Richard Hannay in »The Thirty-Nine Steps«. Der ästhetische Held ist Kumpan von Erzherzogen und überlistet Anarchisten. Er ist beschlagen in Inkunabeln und Renaissance-Kunst, rettet seltene Juwelen und ist beliebt bei jedermann. Das Buch trieft vor Vernarrtheit.

Eine weitere Tuschezeichnung im Album zeigt Emmy beim Tanz auf einem Ball, den Oberkörper zurückgebogen, während ein schlanker junger Mann sie auf dem Tanzboden herumwirbelt. Ein Verwandter, nehme ich an, der geschmeidige Tänzer ist ganz sicher nicht Viktor. Eine Zeichnung zeigt Paul Schey, beinahe verdeckt von der *Neuen*

*Pips am Klavier.*
*Ein Bild aus Joseph Maria Olbrichs*
*secessionistischem Album, 1903*

*Freien Presse,* auf seiner Stuhllehne sitzt eine in sich gekehrte Eule.
Evelina beim Eislaufen. Zwei Beine in gestreiften Badehosen tauchen
in den Badeteich in Kövecses. Auf jeder Karte sind auch Likör- oder
Wein- oder Schnapsfläschchen und einige Notenzeilen zu sehen.

Die Karten stammen von Joseph Maria Olbrich. Er stand als Künstler im Zentrum der fortschrittlichen Secession und entwarf das Gebäude der Künstlervereinigung in Wien mit seinem Eulenfries und
der Kuppel aus vergoldeten Lorbeerblättern, ein stilles, elegantes Re-
fugium mit Wänden, die er als »weiß und glänzend, heilig und keusch«
beschrieb. Da wir uns in Wien befinden, wo alles scharf beäugt wird,

gab es auch ätzende Kommentare. Das Grab des Mahdi, nannten es spitze Zungen. Krematorium. Die filigrane Kuppel wurde zum »Krauthappel«, zum Kohlkopf. Ich sehe mir Olbrichs Album genau an, aber es ist ein nicht mehr aufzulösendes Akrostichon, es gibt keinen Schlüssel für das Rätsel. Warum der Schnaps, warum jenes Musikstück? Es ist sehr wienerisch, ein urbaner Blick auf ihr Landleben in Kövecses. Ein Fenster in Emmys Welt, auf eine ganze warme Welt voll innerfamiliärer Späße.

Wieso hast du nicht gewusst, dass du das hast?, frage ich meinen Vater. Was steckt denn noch in dem Koffer unter deinem Bett?

# 16.

# Liberty Hall

Ich bin zuversichtlich, dass es über Emmy von Ephrussis Eheleben in Wien weniger zu rätseln geben wird. Das ist Stadtleben mit einer ganz anderen Art Familie und mit einem eigenen, unveränderlichen Rhythmus, nur zehn Minuten zu Fuß vom Zuhause ihrer Kindheit in jenem anderen Palais.

Der neue Rhythmus begann bald nach der Rückkehr aus den Flitterwochen, als Emmy erkannte, dass sie schwanger war. Elisabeth, meine Großmutter, kam neun Monate nach der Hochzeit auf die Welt. Viktors Mutter Emilie – auf meinem Porträt wirkt sie verbindlich und unerschütterlich mit ihren Perlen – starb bald danach mit vierundsechzig Jahren in Vichy. Sie wurde dort begraben statt in Ignaz' großem Mausoleum, und ich möchte wissen, ob sie diese letzte Trennung geplant hatte.

Nach Elisabeth folgt die drei Jahre später geborene Gisela; Ignaz – Klein Iggie – ist der dritte. Die Namen dieser Wiener Kinder vorausblickender jüdischer Eltern wurden mit Bedacht gewählt. Elisabeth ist nach der verstorbenen verehrten Kaiserin benannt, Gisela nach Erzherzogin Gisela, der Tochter des Kaisers. Beim Sohn Iggie ist es einfach: Ignaz Leon erhält seinen Namen nach seinem verstorbenen Großvater und nach seinem reichen, kinderlosen Pariser Onkel, dem Duellanten, dazu nach seinem verstorbenen Großonkel Leon. Die Pariser haben nur Töchter; Gott sei Dank gibt es endlich einen Sohn für die Ephrussi. Und das Palais ist groß genug, um Kinder- und Schulzimmer außer Hörweite zu haben.

Das Palais kennt seinen täglichen Trott, für die Bedienten manchmal schneller, manchmal langsamer. Es gibt viel die Gänge entlangzutragen. Endloses Herbeischleppen von heißem Wasser ins Ankleidezimmer, Kohlen ins Arbeitszimmer, Frühstück ins Frühstückszimmer, die Morgenzeitung ins Arbeitszimmer, gedeckte Schüsseln, Wäsche, Telegramme, dreimal täglich Post, Botschaften, Kerzenhalter für das Abendessen, die Abendzeitung in Viktors Ankleidezimmer.

Auch Anna, Emmys Zofe, hat ihren Tagesablauf. Er beginnt, wenn sie um halb acht in einer Silberkanne das warme Wasser und ein Tablett mit englischem Tee in Emmys Schlafzimmer bringt. Er endet erst spätabends, wenn sie Emmys Haar gebürstet und ihr ein Glas Wasser und einen Teller Kohlekekse gebracht hat.

Im Hof des Palais steht ein Fiaker mit einem livrierten Kutscher den ganzen Tag bereit. Es gibt zwei schwarze Kutschpferde, Rinalda und Arabella. Eine zweite Kutsche ist dazu da, die Kinder in den Prater oder nach Schönbrunn zu fahren. Die Kutscher warten. Der Portier Alois steht neben dem riesigen Tor zur Ringstraße, bereit, die Flügel zu öffnen.

Wien, das bedeutet Abendgesellschaften. Endlos wird über die Tischordnung debattiert. Jeden Nachmittag decken der Butler und ein Diener mit einem Zentimetermaß den Tisch. Kann man ohne Bedenken Enten aus Paris bestellen, wenn sie am Tag zuvor in Kisten mit dem Orient-Express angeliefert werden? Floristen kommen; bei einem Diner stehen da Reihen kleiner Orangenbäumchen, die ausgehöhlten Orangen mit Parfait gefüllt. Die Kinder dürfen durch ein Guckloch zusehen, wenn die Gäste eintreffen.

An manchen Tagen empfängt man Nachmittagsbesuche; die Teetafel ist gedeckt, auf einem großen Silbertablett dampft ein silberner Samowar: daneben Teekanne, Milchkännchen und Zuckerdose, Tabletts mit Sandwiches und glasierten Kuchen von Demel, dem Hofzuckerbäcker am Kohlmarkt nahe der Hofburg. Die Damen haben ihre Pelze im Vorraum abgelegt, die Offiziere ihre Kappen und Degen, die Herren halten ihre Zylinder und Handschuhe und legen sie neben ihren Stühlen auf den Boden.

Auch das Jahr hat seinen geregelten Ablauf.

Der Januar bietet die Gelegenheit, mit Viktor dem winterlichen Wien zu entfliehen, nach Nizza oder Monte Carlo. Die Kinder bleiben daheim. Viktor und Emmy besuchen Viktors Onkel Maurice und Tante

Beatrice in der neuen rosafarbenen Villa Ile-de-France in Cap Ferrat – heute die Villa Ephrussi-Rothschild. Sie bewundern die Sammlungen französischer Bilder, französische Empiremöbel, französisches Porzellan. Bestaunen die Fortschritte im Garten; nach dem Vorbild der Alhambra hat man einen Teil des Hügels abgetragen und einen Kanal gegraben. Die zwanzig Gärtner sind alle in Weiß gekleidet.

April, das ist Paris mit Viktor. Die Kinder bleiben daheim. Sie wohnen *chez Fanny* im Hôtel Ephrussi an der Place d'Iéna, Emmy geht einkaufen, Viktor verbringt seine Tage im Büro von Ephrussi et Cie. Doch Paris ist nicht mehr dasselbe.

Charles Ephrussi, der hochgeschätzte Besitzer der *Gazette*, Ritter der Ehrenlegion, Unterstützer der Künstler, Freund der Dichter, Sammler der Netsuke, Viktors Lieblingscousin, ist am 30. September 1905 mit fünfundfünfzig Jahren gestorben.

Die Anzeige in den Zeitungen ersuchte Personen ohne Einladung, nicht zum Begräbnis zu kommen. Die Sargträger – seine Brüder, Theodore Reinach, der Marquis de Cheveniers – weinten. Zahlreiche Nachrufe erschienen, man sprach von seiner »délicatesse naturelle«, seiner Geradlinigkeit und seinem Anstandsgefühl. Die *Gazette* veröffentlichte einen schwarz gerahmten Nachruf: »Mit Bestürzung und tiefer Trauer haben alle, die ihn kannten, Ende September von der plötzlichen Erkrankung und dem Tod des liebenswürdigen und guten, des so klugen Mannes erfahren, der Charles Ephrussi war. In der Pariser Gesellschaft, besonders in der Welt der Künste und Wissenschaften, hatte er zahlreiche Freundschaften mit Menschen geschlossen, die wie von selbst dem Zauber und der Gewandtheit seines Umgangs, der Erhabenheit seines Geistes und der Zartheit seines Herzens erlagen. Jeder, der mit ihm zu tun hatte, war hingerissen von seinen bestrickenden Manieren und seiner Freundlichkeit, bezaubert von seiner scharfsinnigen und lehrreichen Unterhaltung, seinem großzügigen und enthusiastischen Wesen und vor allem von jener unendlichen Güte, die der hervorstechendste Zug seines Charakters war und ihn sich allem, was er liebte, mit solcher Selbstverleugnung hingeben ließ.«

Proust schreibt einen Kondolenzbrief an den Verfasser des Nachrufs. Wenn man seinen Nekrolog in der *Gazette* lese, würden all jene, die Monsieur Ephrussi nicht kannten, ihn lieben, und jene, die ihn kannten, von Erinnerungen an ihn erfüllt sein. Charles hat Emmy testamentarisch ein goldenes Halsband vermacht, Louise eine Perlenkette und sein Vermögen seiner Nichte Fanny Reinach, die mit dem Hellenisten verheiratet ist.

Ein Schock ist es, dass Charles' Bruder Ignaz Ephrussi, der mondäne Duellant und Liebhaber der Frauen, mit sechzig ebenfalls an einer Herzkrankheit gestorben ist. Man erinnert sich an den gewandten Reiter, der früh am Morgen auf dem »à la russe« aufgezäumten Grauschimmel im Bois de Boulogne unterwegs war. Großzügig und korrekt hat er den drei Ephrussi-Kindern Elisabeth, Gisela und Iggie jeweils 30000 Francs hinterlassen, sogar Emmys jüngere Schwestern Gerty und Eva erhalten etwas. Die Brüder sind beide im Familiengrab am Montmartre beigesetzt, neben ihren seit langem verstorbenen Eltern und der geliebten Schwester.

Bald nach dem Besuch in Paris – das nun, da Charles und Ignaz es nicht mehr mit Leben erfüllen, viel öder wirkt – kommt der Sommer. Er beginnt im Juli bei den Gutmanns, jüdischen Financiers und Philanthropen, den engsten Freunden von Viktor und Emmy. Sie haben fünf Kinder, und so sind Elisabeth, Gisela und Iggie für etliche Wochen auf ihren Landsitz Schloss Jaidhof etwa achtzig Kilometer von Wien eingeladen. Viktor bleibt in Wien.

August, das ist die Schweiz im Chalet Ephrussi, mit den Pariser Cousins Jules und Fanny. Die Kinder und Viktor kommen mit. Wenig zu tun. Man versucht die Kinder ruhig zu halten. Lässt sich von Paris erzählen. Fährt mit dem Boot auf den Vierwaldstättersee, vom Bootshaus mit der kaiserlich-russischen Flagge aus, einer der Diener rudert. Fährt zum Concours Hippique in Luzern, um das Springreiten zu sehen, Jules chauffiert, nachher Eis bei Hugeni.

September und Oktober mit Kindern und Eltern, Pips und vielen Cousins in Kövecses. Viktor kommt hin und wieder auf ein paar Tage. Schwimmen, spazierengehen, reiten, schießen.

In Kövecses hat sich eine kuriose Schar zusammengefunden, um

Emmys Schwestern Gerty und Eva zu erziehen, zwölf und fünfzehn Jahre jünger als sie. Dazu gehören eine französische Zofe, die ihnen einen ordentlichen Pariser Akzent beibringen soll, ein ältlicher Hauslehrer, der sie Lesen, Schreiben und Rechnen lehrt, eine Gouvernante aus Triest für Deutsch und Italienisch und schließlich ein gescheiterter Konzertpianist, Herr Minotti, bei dem die Mädchen in Musik und Schach unterrichtet werden. Emmy gibt ihnen Englischdiktate und liest mit ihnen Shakespeare. Dann ist da noch der ältere Wiener Schuster, der die weißen Wildlederstiefelchen anfertigt, auf die Evelina so großen Wert legt. Als er erkrankt, darf er sich auf dem Gut erholen, er bekommt ein hübsches, sonniges Zimmer und bleibt für den Rest seines Lebens, er kümmert sich um ihre Fußbekleidung und um die Hunde.

Patrick Leigh Fermor hielt sich während seiner Fußwanderung quer durch Europa in den dreißiger Jahren in Kövecses auf; seiner Beschreibung nach atmete es immer noch die Atmosphäre eines englischen Pfarrhauses, mit Stapeln von Büchern in allen möglichen Sprachen, die Tische voller eigenartiger Sachen aus Hirschhorn und Silber. Hier sei »Liberty Hall«, hier könne jeder tun, was ihm gefalle, sagte Pips, der ihn in seinem perfekten Englisch in die Bibliothek bat. Kövecses atmete die Selbstgenügsamkeit, die entsteht, wenn sich in einem großen Haus viele Kinder tummeln. Im blauen Ordner meines Vaters liegt das vergilbte Manuskript eines Stücks namens »Der Großherzog«, das die Cousins und Cousinen in einem Sommer vor dem Ersten Weltkrieg im Salon aufführten. Kleinkinder unter zwei Jahren und Hunde waren nicht zugelassen.

Jeden Abend nach dem Abendessen spielt Herr Minotti am Klavier. Die Kinder unterhalten sich mit »Kims Spiel«. Verschiedene Dinge – eine Kartenschachtel, ein Kneifer, eine Muschel, einmal, wie spannend, Pips' Revolver – werden auf ein Tablett gelegt und dreißig Sekunden lang gezeigt. Dann wird ein Tuch darübergelegt, und man muss aufschreiben, welche Dinge man behalten hat. Ärgerlich, dass Elisabeth jedes Mal gewinnt.

Pips lädt seine kosmopolitischen Freunde zu Besuchen ein.

Dezember ist Wien und Weihnachten. Obwohl sie Juden sind, begehen sie das Fest mit vielen Geschenken.

Emmys Leben scheint gemeißelt, nicht unbedingt in Stein, aber in Bernstein. Es wirkt konserviert, als würde es aus einer Reihe von Anekdoten bestehen, preziösen Genregeschichten, denen zu entgehen ich mir versprach, als ich vor einem Jahr begann. Die Netsuke scheinen sehr weit weg, während ich das Palais umrunde.

Ich bleibe noch ein wenig länger in der Pension Baronesse in Wien. Meine Brille hat man mir liebenswürdigerweise reparieren lassen, aber die Welt scheint immer noch leicht verquer. Ich werde meine Befürchtungen nicht los. Mein Onkel in London hat für mich Informationen gesucht und eine Schilderung von zwölf Seiten ausfindig gemacht, die meine Großmutter Elisabeth über ihr Aufwachsen im Palais geschrieben hat, ich habe sie mitgebracht, um sie am Ort zu lesen. Es ist ein sonniger Morgen und atemberaubend kalt; ich nehme sie mit ins Café Central. Durch die Spitzbogenfenster fällt Licht, eine Figur des Dichters Peter Altenberg sitzt hier, die Speisekarte in der Hand, alles ist sehr aufgeräumt und picobello. Das war Viktors zweites Kaffeehaus, denke ich, bevor alles aus den Fugen geriet.

Das Kaffeehaus, diese Straße, Wien selbst ist ein Themenpark: ein Set für einen Film über das Fin de Siècle, glitzernder Secessionsstil. Fiaker mit Kutschern in Pelerinenmänteln rollen gemächlich durch die Gegend, die Kellner tragen altmodische Schnurrbärte. Überall Strauß, seine Klänge quellen aus jedem Schokoladengeschäft. Ich erwarte, dass Mahler zur Tür hereinkommt oder Klimt sich mit jemandem in die Haare gerät. Mir fällt ein schrecklicher Film ein, den ich Jahre zuvor an der Uni sah. Er spielte in Paris, andauernd schlenderte Picasso vorüber, Gertrude Stein und James Joyce unterhielten sich beim Pernod über die Moderne. Das ist das Problem, das ich hier habe, wird mir klar, während ein Klischee nach dem anderen auf mich einstürmt. Mein Wien ist zum Wien anderer Leute ausgedünnt.

Ich habe die siebzehn Romane und Novellen von Joseph Roth gelesen, dem österreichisch-jüdischen Romancier; einige spielen in Wien in den letzten Jahren des Habsburgerreichs. Im Bankhaus Efrussi –

Roth schreibt es nach der russischen Manier – deponiert Trotta im »Radetzkymarsch« sein Vermögen. Ignaz Ephrussi selbst wird in »Das Spinnennetz« als reicher Juwelier porträtiert: »hager und groß, immer schwarz gekleidet, in einer hohen, schwarzen Weste, deren Ausschnitt nur ein Stückchen schwarzer, mit einer haselnußgroßen Perle geschmückten Kragenbinde frei ließ«. Seine Frau, die schöne Frau Efrussi, ist »eine Dame, jüdisch, aber eine Dame«. »Alle hatten es leicht«, sagt Theodor, der junge, verbitterte, nichtjüdische Held des Romans, der als Hauslehrer bei der Familie angestellt ist, »am leichtesten die Glasers und Efrussis … Bilder in Goldrahmen hingen im Vestibül, und ein Diener in grün-goldener Livree empfing und verneigte sich.«

Die Realität gleitet mir immer wieder aus den Händen. Die Lebensläufe meiner Familie in Wien sind durch Bücher gebrochen, ebenso wie derjenige von Charles in Prousts Paris. Die Abneigung gegen die Ephrussi kehrt in Romanen immer wieder.

Ich verliere den Halt. Mir wird klar, dass ich nicht weiß, was es bedeutet, zu einer assimilierten, akulturierten jüdischen Familie zu gehören. Ich verstehe es einfach nicht. Ich weiß, was sie nicht getan haben: Sie gingen nie in die Synagoge, aber die Geburten und Hochzeiten wurden im Rabbinat verzeichnet. Ich weiß, dass sie ihre Beiträge zur Israelitischen Kultusgemeinde entrichteten und jüdischen Wohltätigkeitsvereinen Geld spendeten. Ich habe Joachims und Ignaz' Mausoleum im jüdischen Teil des Zentralfriedhofs besucht, das zerbrochene Schmiedeeisengitter störte mich, und ich überlegte, ob ich es reparieren lassen sollte. Der Zionismus scheint für sie wenig Anziehungskraft besessen zu haben. Ich erinnere mich an die rüde Bemerkung Herzls vom Spekulanten Ephrussi, als er um Spenden bat und abgewiesen wurde. Ob es reine Verlegenheit war angesichts des inbrünstig Jüdischen dieser Unternehmung und sie keine Aufmerksamkeit auf sich ziehen wollten? Oder war es ein Symptom ihres Vertrauens in ihre neue Heimat hier in der Zionstraße oder in der Rue de Monceau? Sie sahen einfach nicht ein, wozu andere ein zweites Zion brauchten.

Bedeutet Assimilation, dass sie es nie mit nacktem Vorurteil zu tun bekamen? Bedeutet es zu verstehen, wo die Grenzen des eigenen Gesellschaftskreises gezogen sind und dass man sie einfach nicht überschreitet? Es gab einen Jockey-Club in Wien, so wie in Paris, und Viktor war Mitglied, Juden durften aber keine Funktionen ausüben. Hat ihm das etwas ausgemacht? Es bestand Einvernehmen darüber, dass verheiratete nichtjüdische Frauen niemals jüdische Wohnungen aufsuchten, nie eine Visitenkarte abgaben, nie an einem der endlosen Nachmittage Besuche abstatteten. Wien bedeutete, dass nur nichtjüdische Junggesellen, Graf Mensdorff, Graf Lubienski, der junge Fürst Montenuovo, Karten abgaben und dann eingeladen wurden. Waren sie einmal verheiratet, kamen sie nicht mehr, egal wie gut die Diners waren oder wie hübsch die Gastgeberin. Machte das etwas aus? So spinnwebdünne Fädchen von Zurückweisung.

Den letzten Vormittag dieses Aufenthalts verbringe ich im Archiv der Kultusgemeinde in der Nähe der Synagoge in der Seitenstettengasse. Ein Polizist steht in der Nähe. Bei den letzten Wahlen hat eine Rechtsaußenpartei beinahe ein Drittel der abgegebenen Stimmen erhalten, keiner weiß, ob die Synagoge nicht zur Zielscheibe werden wird. Es hat so viele Drohungen gegeben, dass ich einen komplizierten Sicherheitscheck passieren muss. Als ich endlich drinnen bin, sehe ich zu, wie der Archivar die Foliomappen herauszieht, einen gestreiften Band nach dem anderen, und sie auf das Lesepult legt. Jede Geburt, jede Hochzeit, jeder Todesfall, jeder Übertritt: Das ganze jüdische Wien ist hier getreulich verzeichnet.

1899 hat Wien eigene jüdische Waisenhäuser und Krankenhäuser, Schulen und Büchereien, Zeitungen und Zeitschriften. Es gibt zweiundzwanzig Synagogen. Und, so wird mir klar, ich weiß über das alles nichts: Die Familie Ephrussi ist so perfekt assimiliert, dass sie im Gewebe der Stadt verschwunden ist.

# 17

# Das süße Mädel

Elisabeths Erinnerungsschrift wirkt wie ein Tonikum: zwölf unsentimentale Seiten, die sie in den 1970er Jahren für ihre Söhne verfasst hat. »Das Haus, in dem ich geboren wurde, stand und steht noch immer, äußerlich unverändert, an der Ecke des Rings ...« Sie erzählt Einzelheiten über den Tagesablauf im Haus, sie nennt die Namen der Pferde, und sie führt mich durch die Räume im Palais. Jetzt werde ich endlich herausfinden, denke ich, wo Emmy die Netsuke versteckt hat.

Wenn Emmy aus dem Kinderzimmer tritt, sich nach rechts wendet und den Gang entlanggeht, kommt sie an die Seite des Hofes, wo sich die Küche und die Spülküche, die Speisekammer und das Silberzimmer befinden – dort brennt den ganzen Tag das Licht; dann das Zimmer des Butlers und das Dienerzimmer. Am Ende des Flurs sind die Zimmer der Hausmädchen, deren Fenster nur auf den Innenhof gehen; gelbliches Licht sickert durch das Glasdach, aber keine Frischluft. Das Zimmer ihrer Zofe Anna ist irgendwo da hinten.

Wendet Emmy sich nach links, kommt sie in ihren Salon. Die Wände sind mit blassgrüner Seide bespannt, die Teppiche von einem sehr blassen Gelb. Die Möbel sind Louis XV, Stühle und Fauteuils mit Intarsien, Bronzebeschlägen und dicken gestreiften Seidenkissen. Da und dort stehen Tischchen, jedes mit seiner Garnitur Nippes, und ein größerer Tisch, auf dem Emmy die komplizierte Prozedur der Teezubereitung vornehmen kann. Auch einen Flügel gibt es, keiner spielt darauf, dazu einen Kabinettschrank mit Falttüren im Stil der italienischen Renaissance, innen bemalt und mit sehr kleinen Schubladen, an denen die Kinder nicht herumfingern sollen, sie tun es aber trotzdem. Wenn Elisabeth zwischen die vergoldeten, spiralig gedrehten Säulchen beiderseits eines Bogens fasst und nach oben drückt, kommt mit leisem Ächzen ein winziges Geheimfach zum Vorschein.

Es ist licht in diesen Räumen, zitternde Reflexionen, Geglitzer von Silber und Porzellan, poliertem Obstbaumholz, Schatten von den Lindenbäumen. Im Frühjahr werden jede Woche von Kövecses Blumen geschickt. Eine perfekte Umgebung, um die Vitrine mit Cousin Charles' Netsuke aufzustellen – aber hier ist sie nicht.

Geht man vom Salon aus weiter, kommt man in die Bibliothek, den größten Raum in diesem Stockwerk des Palais. Sie ist in Schwarz und Rot gehalten, wie Ignaz' Suite im Stockwerk darunter, mit einem schwarz-roten türkischen Teppich und langen Ebenholzregalen an den Wänden, breiten tabakfarbenen Lehnsesseln und Sofas. Ein großer Messingleuchter hängt über einem Ebenholztisch mit Elfenbeinintarsien, flankiert von zwei Globen. Es ist Viktors Zimmer, an den Wänden steht Buch an Buch, Tausende, griechische und römische Geschichte, deutsche Literatur, seine Gedichtbände, seine Lexika. Einige Bücherschränke haben ein feines goldenes Gitter und sind versperrt, den Schlüssel trägt er an seiner Uhrkette. Immer noch keine Vitrine.

Weiter geht es von der Bibliothek ins Speisezimmer, die Wände behängt mit Gobelins mit Jagdmotiven, die Ignaz in Paris gekauft hat, die Fenster blicken auf den Innenhof, doch die Vorhänge sind zugezogen, so dass hier ständiges Dämmerlicht herrscht. Das muss der Esstisch sein, wo das Goldservice aufgedeckt wird, jeder Teller, jede Schüssel mit den Getreideähren und dem doppelten Ephrussi-E in die Mitte geklatscht, das Boot mit geblähten Segeln gleitet über ein goldenes Meer.

Das goldene Service muss Ignaz' Idee gewesen sein. Seine Möbel sind allgegenwärtig. Renaissanceschränke, geschnitzte Barocktruhen, ein riesiger Boulle-Tisch, den man nur im Ballsaal unten aufstellen kann. Auch seine Bilder sind überall. Massenhaft Alte Meister, eine Heilige Familie, eine florentinische Madonna. Holländische Bilder aus dem 17. Jahrhundert, einige davon von recht guten Malern: Wouvermans, Cuyp, etwas nach Frans Hals. Dazu Unmengen von Bildern zum Thema »Junge Frau«, einige von Hans Makart; auswechselbare junge Damen in auswechselbaren Gewandungen in irgendwelchen Räumen, umgeben von »Samt, Teppichen, Genie, Pantherfellen, Bibelots, Pfauenwedeln, Truhen und Lauten« (so ein spöttischer Musil). All das in schweren Gold- oder schwarzen Rahmen. Keine Pariser Vitrine voller Netsuke unter diesen Bildern, in diesen spektakulären theatralischen Kulissen, diesem Schatzhaus.

Alles hier, jedes schwülstige Bild, jeder pompöse Schrank, scheint erstarrt im Licht, das vom glasüberdachten Innenhof hereinsickert. Musil verstand eine solche Atmosphäre. In großen alten Häusern herrscht ein Durcheinander, dort stehen scheußliche neue Möbel nonchalant neben wunderschönen alten Erbstücken. In den Palais der ostentativ Neureichen ist alles zu ausgewogen, wo »ein kaum merkliches Auseinandergestelltsein der Möbel oder die beherrschende Stellung eines Bildes an einer Wand, das zart deutliche Echo einer großen Verklungenheit bewahrten«.

Ich denke an Charles mit seinen Kostbarkeiten und weiß, dass es seine Leidenschaft für sie war, die sie in Bewegung hielt. Charles konnte der Welt der Dinge nicht widerstehen: Er musste sie berühren, sie studieren, kaufen, immer wieder neu anordnen. Dass er die Vitrine mit den Netsuke Viktor und Emmy schenkte, schuf in seinem Salon Platz für Neues. Er hielt seine Räume im Fluss.

Das Palais Ephrussi ist das genaue Gegenteil. Unter dem grauen Glasdach wirkt das ganze Haus wie eine Vitrine, aus der man nicht entkommen kann.

An jedem Ende der langen Enfilade befinden sich Viktors und Emmys Privaträume. In Viktors Ankleidezimmer stehen seine Schränke, Kommoden, ein hoher Spiegel. Dazu eine lebensgroße Büste seines Hauslehrers Herr Wessel: »Den hatte er sehr geliebt. Herr Wessel war ein Preuße, ein großer Bewunderer von Bismarck und allem Deutschen.« Der andere große Gegenstand im Raum, über den man kein Wort verliert, ist ein riesiges – und äußerst unschickliches – italienisches Gemälde der Leda mit dem Schwan. In ihrer Erinnerung schreibt Elisabeth, sie habe es »oft angestarrt – es war riesig – jedes Mal wenn ich hineinging und meinem Vater zusah, wie er sich fürs abendliche Ausgehen ankleidete, mit steifem Hemd und Smoking, und ich konnte nie verstehen, was daran so anstößig sein sollte«. Viktor hat schon erklärt, hier sei kein Platz für Nippsachen.

Emmys Ankleideraum befindet sich am anderen Ende des Korridors, ein Eckzimmer, dessen Fenster über den Ring zur Votivkirche und auf die Schottengasse blicken. Dort steht der schöne Louis-XVI-Schreibtisch mit den sanft geschwungenen, in vergoldeten Hufen endenden Beinen und den Goldbronzebeschlägen, den das Paar von Jules und Fanny geschenkt bekommen hat; die Schubladen sind mit weichem Leder ausgeschlagen, darin hebt Emmy ihr Schreibpapier und ihre mit Bändern gebündelten Briefe auf. Und sie hat einen übermannshohen dreiteiligen Spiegel, damit sie sich beim Ankleiden von allen Seiten betrachten kann. Der nimmt den größten Teil des Raumes ein. Dazu eine Frisierkommode und ein Waschtisch mit silbergefasster Glasschüssel und ein dazupassender gläserner Krug mit Silberdeckel.

Und hier finden wir schließlich den schwarzen Lackkabinettschrank – Iggies Erinnerung nach »so hoch wie ein großer Mann« – mit den mit grünem Samt ausgekleideten Borden. Emmy hat die Vitrine mit der verspiegelten Rückseite und den 264 Netsuke von Vetter Charles in ihr Ankleidezimmer gestellt. Hier also ist mein gefleckter Wolf gelandet.

Das ergibt wirklich Sinn und gleichzeitig überhaupt nicht. Wer kommt schon in ein Ankleidezimmer? Das ist kein öffentlicher Raum und sicherlich kein Salon. Falls die Schildkröten aus Buchsbaum und die Khakifrucht und die gesprungene kleine Elfenbeinfigur des badenden Mädchens hier auf den grünen Samtborden aufbewahrt werden, bedeutet das, dass man sie bei Emmys Nachmittagsempfängen nicht erklären muss. Viktor braucht sie gar nicht zu erwähnen. Stand die Vitrine vielleicht hier, weil man sich für sie genierte?

Oder war die Entscheidung absichtlich getroffen worden, die Netsuke der öffentlichen Begutachtung zu entziehen, weg von all dem Makart-Pomp? Hatte man sie in einen Raum gegeben, der ganz Emmy gehörte, weil sie von ihnen fasziniert war? Sollten sie vor der Leichenhand des Ringstraßenstils bewahrt werden? Auf diesem Ephrussi-Paradeplatz voller goldstrotzender Möbel und Goldbronze gab es nicht viel, das man um sich haben wollte. Die Netsuke sind intime Objekte für einen intimen Raum. Wollte Emmy etwas, das einfach – und buch-

*Emmy und der Erzherzog, Wien, 1906*

stäblich – mit ihrem Schwiegervater Ignaz nie in Berührung gekommen war? Ein kleines bisschen Pariser Glamour?

Das war ihr Zimmer. Sie verbrachte viel Zeit darin. Sie zog sich dreimal am Tag um, manchmal öfter. Einen Hut aufzusetzen, wenn sie zum Rennen ging, die vielen Löckchen einzeln an der Unterseide der breiten Krempe festzunadeln nahm vierzig Minuten in Anspruch. Das bestickte lange Ballkleid, dazu das Husarenjäckchen mit den komplizierten Verschnürungen, brauchte ewig. Man zog sich um zu Gesellschaften, zum Einkaufen, zum Abendessen, zu Besuchen, zum Ausritt im Prater, zum Ball. Jede Stunde in diesem Ankleidezimmer war eine Anpassung von Korsett, Kleid, Handschuhen und Hut an den Tag, man legte das eine Selbst ab und schnürte sich in ein anderes ein. In manche Kleider muss sie hineingenäht werden, Anna kniet ihr zu Füßen und holt Faden, Nadel, Fingerhut aus der Schürzentasche. Emmy besitzt auch Pelze, ein Saum ist mit Nerz verbrämt, auf einem Foto trägt sie einen Polarfuchs um den Hals, auf einem anderen eine zwei Meter lange Bärenfellstola über das Kleid geworfen. Eine Stunde kann vergehen, während Anna diverse Handschuhe herbeiholt.

Emmy kleidet sich zum Ausgehen an. Es ist Winter 1906 in einer Wiener Straße, sie unterhält sich mit einem Erzherzog. Beide lächeln, während sie ihm ein paar Primeln überreicht. Sie trägt ein Kostüm mit Nadelstreifen: ein ausgestellter Rock mit einem breiten, quergestreiften Saum, ein enganliegendes Zuavenjäckchen. Das ist ein Ausgehkostüm. Das Ankleiden für den Weg durch die Herrengasse erforderte eineinhalb Stunden: Höschen mit angeschnittenen Beinen, Unterhemd aus feinem Batist oder Crêpe de Chine, ein Korsett, das die Taille zusammenschnürt, Strümpfe, Strumpfhalter, Knöpfelstiefel, Rock mit Hakenverschluss am Schlitz, dann entweder eine Bluse oder eine Chemisette – damit die Ärmel sich nicht schoppen – mit Stehkragen und Spitzenjabot, dann die hinten geschlossene Jacke, die kleine Börse – ein Ridikül – an einer Kette, Schmuck, ein Pelzhut mit einer gestreiften Taftschleife, die das Muster des Kostüms wieder aufnimmt, weiße Handschuhe, Blumen. Und kein Parfüm; sie benutzt keines.

Die Vitrine im Ankleidezimmer steht Wache bei einem zweimal jährlich, im Frühjahr und im Herbst, stattfindenden Ritual: dem Ritual, eine neue Garderobe für die kommende Saison auszusuchen. Damen gingen nicht zum Schneider, um die neuen Modelle zu inspizieren; die Modelle wurden zu ihnen gebracht. Der Chef eines Salons fuhr nach Paris und suchte Kleider aus, die dann sorgfältig verpackt in riesigen Schachteln geliefert wurden, begleitet von einem älteren, weißhaarigen Mann, Herrn Schuster. Seine Schachteln türmten sich im Gang, er saß daneben; Anna trug eine nach der anderen in Emmys Ankleidezimmer. Wenn Emmy angezogen war, rief man Herrn Schuster hinein, damit er seine Meinung kundtat. »Natürlich äußerte er sich immer zustimmend, aber wenn er bemerkte, dass Mama eines so besonders gefiel, dass sie es noch einmal anprobieren wollte, wurde er ganz überschwenglich und meinte, das Kleid schreie förmlich nach der Baronin.« Die Kinder warteten auf diesen Moment und rannten dann panisch-hysterisch den Gang entlang ins Kinderzimmer.

*Emmy à la Marie Antoinette*
*im Salon des Palais Ephrussi, 1900*

Es gibt ein im Salon aufgenommenes Bild von Emmy kurz nach der Hochzeit mit Viktor. Sie muss bereits mit Elisabeth schwanger sein, man merkt aber noch nichts. Sie ist à la Marie Antoinette gekleidet, in einem kurzen Samtspenzer über einem langen weißen Rock, ein Spiel zwischen Strenge und Nonchalance. Ihre Löckchen entsprechen dem, was im Frühjahr 1900 *à la mode* ist: »Die Frisur ist weniger steif als früher; Stirnfransen sind verboten. Das Haar wird zuerst in große

Wellen gelegt, dann zurückgekämmt und in einen nicht allzu hohen Knoten geschlungen ... Einige Locken dürfen in die Stirn fallen und sich auf natürliche Weise kringeln«, schreibt ein Journalist. Emmy hat einen schwarzen Federhut aufgesetzt. Die eine Hand ruht auf einer französischen Kommode mit Marmordeckel, die andere hält einen Spazierstock. Sie muss eben aus dem Ankleidezimmer gekommen und auf dem Weg zu einem Ball sein. Sie sieht mich selbstbewusst an, ihr ist klar, wie phantastisch sie aussieht.

Emmy hat ihre Verehrer – viele Verehrer laut meinem Großonkel Iggie –, und das Ankleiden für andere macht ebenso viel Freude wie das Ausziehen. Seit Beginn ihrer Ehe hat sie auch Liebhaber.

Das ist in Wien nichts Ungewöhnliches. Es ist ein wenig anders als in Paris. Wien ist die Stadt der Chambres séparées in den Restaurants, dort wird gegessen und verführt, wie in Schnitzlers »Reigen«: »Ein Cabinet particulier im Riedhof. Behagliche, mäßige Eleganz. Der Gasofen brennt ... Auf dem Tisch sind die Reste einer Mahlzeit zu sehen; Obersschaumbaisers, Obst, Käse. In den Weingläsern ein ungarischer weißer Wein. Der GATTE raucht eine Havannazigarre, er lehnt in der Ecke des Diwans. DAS SÜSSE MÄDEL sitzt neben ihm auf dem Sessel und löffelt aus einem Baiser den Obersschaum heraus, den sie mit Behagen schlürft ...« Im Wien der Jahrhundertwende gibt es den Kult des süßen Mädels, Mädchen aus dem Volk, die für Liebeleien mit jungen Männern aus gutem Hause leben. Endlos wird geflirtet. Strauss' »Der Rosenkavalier« mit dem Libretto Hofmannsthals – in dem wechselnde Kostüme, wechselnde Liebhaber und wechselnde Hüte die Unterhaltung am Laufen halten – ist 1911 neu und sehr populär. Schnitzler hat Probleme, seinem Tagebuch vertraut er an, wie oft er Geschlechtsverkehr hatte, um den Anforderungen seiner zwei Geliebten gerecht zu werden.

Sex ist allgegenwärtig in Wien. Auf den Trottoirs wimmelt es von Prostituierten, sie inserieren auf den hinteren Seiten der *Neuen Freien Presse*. Jedermann und alle Bedürfnisse werden befriedigt. Karl Kraus zitiert sie in seiner Zeitschrift *Die Fackel*: »Reisegenosse gesucht, jung, nett, Christ, unabhängig. Briefe unter ›Conträr 69‹, postlagernd Habsburgergasse.« Freud debattiert über Sex. In Otto Weiningers »Geschlecht und Charakter«, dem Kultbuch von 1903, werden Frauen als von Natur aus amoralisch und führungsbedürftig dargestellt. Der Sex ist golden in Klimts »Judith«, »Danae«, »Der Kuss«, gefährlich in den taumelnden Körpern Schieles.

In Wien eine moderne Frau, auf der Höhe der Zeit zu sein, bedeutet, dass das häusliche Leben einen gewissen Spielraum zulässt. Einige von Emmys Tanten und Cousinen sind Vernunftehen eingegangen, zum Beispiel ihre Tante Anny. Jeder weiß, dass Hans Graf Wilczek der wirkliche Vater von Emmys Cousins ist, den Zwillingen Herbert und Witold Schey von Koromla. Graf Wilczek sieht gut aus und ist äußerst glamourös: ein Entdecker, Financier einer Arktis-Expedition und enger Freund des verstorbenen Kronprinzen Rudolf; Inseln sind nach ihm benannt.

Ich habe meine Rückkehr nach London aufgeschoben; endlich bin ich Ignaz' Testament auf der Spur, und jetzt möchte ich sehen, wie er sein Vermögen aufgeteilt hat. Die Heraldisch-Genealogische Gesellschaft Adler ist am Mittwoch nach sechs Uhr abends für Mitglieder und deren Gäste zugänglich. Ihre Räume liegen hinter einem großen Vorzimmer im zweiten Stock eines Hauses unweit von Freuds Wohnung. Gebückt gehe ich durch eine niedrige Tür und komme in einen langen Gang, an dem Porträts der Wiener Bürgermeister hängen. Links stehen Bücherschränke mit Ablageboxen für Todesfälle und Nachrufe, rechts ist der Adel, aufgelistet in den Bänden des Debrett und des Almanach de Gotha. Alles andere ist geradeaus. Schließlich sehe ich Leute, die an ihren Projekten arbeiten, Aktenordner herumtragen, Hauptbücher kopieren. Ich weiß nicht, wie es bei genealogischen Gesellschaften anderswo zugeht, aber hier erschallt manchmal unerwartet lautes Gelächter, Forscher rufen auf den Gang hinaus und bitten jemanden um Hilfe beim Entziffern unleserlicher Handschriften.

Sehr vorsichtig frage ich nach den Freundschaften meiner Urgroßmutter Emmy von Ephrussi, geborene Schey von Koromla, um 1900. Kollegenscherze fliegen hin und her. Emmys Liaisons aus der Zeit vor hundert Jahren sind kein Geheimnis, man kennt alle ihre ehemaligen Geliebten: Jemand erwähnt einen Kavallerieoffizier, ein anderer einen ungarischen Wüstling, einen Fürsten. War es die Ephrussi, die in zwei verschiedenen Wohnungen gleich aussehende Kleider aufbewahrte, damit sie den Tag entweder bei ihrem Ehemann oder ihrem Liebhaber beginnen konnte? Der Klatsch ist immer noch so lebendig, die Wiener scheinen überhaupt kein Geheimnis zu kennen. Ich fühle mich auf schmerzhafte Weise englisch.

Ich denke an Viktor, Sohn eines sexuell unersättlichen Mannes, Bruder eines weiteren, ich sehe, wie er an seinem Bibliothekstisch mit einem silbernen Papiermesser ein braunes Paket mit Büchern von seinem Händler in Berlin aufschlitzt. Ich sehe, wie er in seine Westentasche greift, um die dünnen Streichhölzer herauszuholen, mit denen er seine Zigarren anzündet. Ich sehe das Aufstauen und Abebben der Energien im Haus, wie Wasser, das in einen Teich hinein- und wieder abrinnt. Was ich nicht sehe, das ist Viktor in Emmys Ankleidezimmer, wie er in die Vitrine blickt, sie aufsperrt und ein Netsuke herausnimmt. Ich weiß nicht einmal, ob er der Mann ist, neben Emmy zu sitzen und sich mit ihr zu unterhalten, während sie sich ankleidet und Anna sich um sie zu schaffen macht. Ich weiß nicht, worüber sie sich eigentlich unterhalten. Cicero? Hüte?

Ich sehe, wie er sich mit der Hand übers Gesicht streicht, um sich neu einzustellen, bevor er am Morgen in sein Büro geht. Viktor tritt hinaus auf den Ring, wendet sich nach rechts, geht zuerst in die Schottengasse, dann nach links und schon ist er am Ziel. Seit neuestem hat er seinen Kammerdiener Franz dabei. Franz sitzt an einem Schreibtisch im Vorzimmer, so dass Viktor drinnen ungestört lesen kann. Gott sei Dank gibt es die Buchhalter, die all die Zahlenreihen ordentlich in Tabellenform bringen, während sich Viktor in seiner schönen schrägen Handschrift Notizen zu historischen Themen macht. Ein jüdischer Mann in mittleren Jahren, der in seine schöne junge Frau verliebt ist.

Über Viktor gibt es bei Adler keinen Klatsch zu erzählen.

Ich denke an die achtzehnjährige Emmy, mit ihrer Vitrine voller Elfenbeinsachen, neu installiert in dem großen Haus mit dem Glasdach an der Ecke des Rings, und erinnere mich an Walter Benjamins Beschreibung eines Interieurs des 19. Jahrhunderts: »Es begriff die Wohnung als Futteral des Menschen und bettete ihn mit all seinem Zubehör so tief in sie ein, daß man ans Innere eines Zirkelkastens denken könnte, wo das Instrument mit allen Ersatzteilen in tiefe, meistens violette Sammethöhlen gebettet, daliegt.«

# 18

# Es war einmal

Die Kinder im Palais Ephrussi haben Kinderschwestern und Nannys. Die Kinderschwestern sind Wienerinnen und nett, die Nannys sind Engländerinnen. Weil sie Engländerinnen sind, gibt es englisches Frühstück, immer mit Porridge und Toast. Zu Mittag ein großes Mittagessen mit Nachtisch, dann den Nachmittagstee mit Brot, Butter, Marmelade und kleinen Kuchen, danach das Abendessen mit Milch und Kompott, damit sie regelmäßig »können«.

An besonderen Tagen sollen die Kinder dabei sein, wenn Emmy Besucher empfängt. Elisabeth und Gisela tragen gestärkte Musselinkleidchen mit Schärpen, der arme Iggie, etwas dicklich, muss einen Anzug à la Kleiner Lord Fauntleroy aus schwarzem Samt mit einem Kragen aus irischer Spitze anziehen. Gisela mit den großen blauen Augen ist der besondere Liebling der Damen, die zu Besuch kommen, Charles' kleine Renoir-Zigeunerin beim Besuch im Chalet Ephrussi, so hübsch, dass die taktlose Emmy ihr Porträt in roter Kreide anfertigen lässt; Baron Albert Rothschild, ein Amateurfotograf, bittet, sie in sein Atelier zu schicken, damit er sie ablichten kann. Die Kinder werden mit den Nannys einmal am Tag mit der Kutsche in den Prater zum Spazierengehen gefahren, dort staubt es weniger als an der Ringstraße. Auch ein Lakai ist dabei, in einem beigen Überzieher und Zylinder mit der Ephrussi-Kokarde geht er hinter ihnen.

Zu zwei bestimmten Zeiten sehen die Kinder ihre Mutter: wenn sie sich zum Abendessen umkleidet und am Sonntagvormittag. Um halb elf brechen die Nanny und die Gouvernante zum Gottesdienst in der anglikanischen Kirche auf, und Mama sucht das Kinderzimmer auf. In ihrem kurzen Erinnerungstext beschreibt es Elisabeth so: »Diese zwei himmlischen Sonntagvormittagsstunden … Sie hatte sich an diesem Morgen mit der Toilette beeilt und war sehr einfach gekleidet, im

*Gisela und Elisabeth, 1906*

schwarzen Rock, bodenlang natürlich, und einer grünen Hemdbluse mit steifem weißem Kragen und weißen Manschetten, die Haare elegant hochgetürmt. Sie war wunderhübsch, und sie roch göttlich …«

Gemeinsam holten sie dann die schweren Bilderbücher mit den kastanienbraunen Umschlägen herbei: Edmund Dulacs »Sommernachtstraum«, »Die schlafende Schöne« und, das Beste von allen, »Die Schöne und das Tier« mit den gruseligen Bildern. Alle Jahre zu Weihnachten gab es ein neues Märchenbuch von Andrew Lang, das die englische Großmutter der Kinder aus London bestellte: grau, violett, feuerrot, braun, orange, oliv und rosa. Ein Buch konnte für ein Jahr reichen. Jedes Kind suchte sich seine Lieblingsgeschichte aus: »Der weiße Wolf«, »Die Königin der Blumeninseln«, »Der Knabe, der sich endlich fürchtete«, »Was beim Blumenpflücken geschah«, »Der hinkende Fuchs«, »Der Straßenmusikant«.

Liest man sie vor, dauern die Geschichten aus den Märchenbüchern weniger als eine halbe Stunde. Jede Geschichte beginnt mit »Es war einmal«. In manchen kommt eine Hütte am Waldrand vor, wie in den Birken- und Kiefernwäldern in Kövecses. In anderen erscheint ein weißer Wolf, wie derjenige, den der Wildhüter unweit vom Haus erschossen und an einem Herbstmorgen den Kindern und ihren Cousins im Hof bei den Ställen gezeigt hat. Oder der bronzene Wolfskopf am Portal des Palais Schey, dessen Schnauze sie jedes Mal reiben, wenn sie vorübergehen.

Es gibt seltsame Begegnungen in diesen Geschichten, Begegnungen mit dem Vogelzauberer, der auf Hut und Armen eine Schar Finken sitzen hat – wie der, den man, umringt von Kindern, an der Ringstraße vor dem Eingang zum Volksgarten stehen sieht. Oder mit Hausierern. Wie der Schnorrer mit dem Korb voller Knöpfe und Bleistifte und den Ansichtskarten, die von seinem schwarzen Mantel hängen; er steht beim Tor zum Franzensring, und sie sollen höflich zu ihm sein, hat der Vater gesagt.

Viele Geschichten handeln davon, wie eine Prinzessin ihr schönes Kleid und das Diadem anlegt, um auf den Ball zu gehen, wie Mama. In vielen gibt es ein Zauberschloss mit einem Ballsaal, wie der Saal in der unteren Etage, der zu Weihnachten im Kerzenlicht erstrahlt. Und alle Geschichten hören mit »Ende« auf, mit einem Kuss von Mama, und dann gibt es eine ganze Woche lang keine Geschichten mehr. Emmy war eine wunderbare Geschichtenerzählerin, sagte Iggie.

Die zweite Gelegenheit, bei der die Kinder sie regelmäßig zu Gesicht bekommen, ist, wenn sie sich zum Ausgehen umzieht und sie ins Ankleidezimmer dürfen.

Emmy legt die Tageskleidung ab, in der sie Gäste empfangen oder Besuche abgestattet hat, und das Kleid für das Abendessen zuhause an, für die Oper oder, am schönsten, für einen Ball. Die Kleider werden auf die Chaiselongue gebreitet, und dann beginnt eine lange Debatte mit der fachkundigen Anna, welches man tragen soll. Die Augen meines Großonkels leuchteten auf, wenn er ihre Animiertheit beschrieb. Viktor an seinem Ende des Ganges hat seinen Ovid und Tacitus – und seine Leda; am anderen kann Emmy die Kleider beschreiben, die ihre Mutter Saison für Saison getragen hat: wie die Längen sich änderten, was Schwere und Fall eines Kleides für die Bewegung ausmachen, die Unterschiede zwischen einem Musselin-, Gaze- oder Tüllschal, den man abends um die Schultern trägt. Sie kennt die Pariser Mode und was in Wien *à la mode* und was wann angebracht ist. Besonders beschlagen ist sie bei Hüten: ein Samthut mit einem breiten Band für die Audienz beim Kaiser, eine Pelztoque mit Straußenfeder zu einem mit schwarzem Pelz verbrämten Etuikleid; der passende Hut für die Wohltätigkeitsveranstaltung der jüdischen Damen in einem kleinen Ballsaal ist etwas sehr Ausladendes mit einer Hortensie an der Krempe. Aus Kövecses schickt Emmy ihrer Mutter eine Ansichtskarte von sich selbst mit einem dunklen Makart-Hut: »Tascha hat heute einen Bock geschossen. Wie geht es Deiner Verkühlung? Gefallen Dir meine neuesten affektierten Bilder?«

Beim Ankleiden bürstet Anna Emmy das Haar, schnürt das Korsett, schließt unzählige Häkchen und Ösen, holt diverse Handschuhe, Schals und Hüte herbei, während Emmy den Schmuck aussucht und vor dem hohen dreiteiligen Spiegel steht.

Und jetzt dürfen die Kinder auch mit den Netsuke spielen. Der Schlüssel zum schwarzen Lackschrank wird umgedreht, die Tür geht auf.

# 19.

# Altstadttypen

Die Kinder im Ankleidezimmer wählen ihre Lieblingsschnitzerei und spielen auf dem blassgelben Teppich damit. Gisela mag die japanische Tänzerin, die, in einem Tanzschritt innehaltend, den Fächer gegen das Brokatgewand drückt. Iggie mag den Wolf, ein dichtes dunkles Gliedergewirr mit leichten Einkerbungen an den Flanken, glühende Augen, Zähnefletschen. Und er mag das mit einem Strick zusammengebundene Bündel Kienspäne und den Bettler, der über seiner Bettlerschale eingeschlafen ist, so dass man nur den kahlen Kopf sieht. Es gibt auch einen getrockneten Fisch, ganz Schuppen und eingesunkene Augen, eine Ratte trippelt besitzergreifend darüber, die Augen eingelegter Jett. Und der alte Spinner mit dem knochigen Rücken und den Glotzaugen, er nagt an einem Fisch, einen Tintenfisch in der anderen Hand. Elisabeth wiederum mag die Masken mit ihren fernen Erinnerungen an Gesichter.

Du kannst die Schnitzereien aus Elfenbein und Holz auflegen, alle vierzehn Ratten in einer langen Reihe, die drei Tiger, die Bettler dort, die Kinder, die Masken, die Muscheln, die Früchte.

Du kannst sie der Farbe nach sortieren, von der dunkelbraunen Mispel bis zum schimmernden elfenbeinfarbenen Hirsch. Oder der Größe nach. Das Kleinste ist die einzelne Ratte mit den eingelegten schwarzen Augen, die an ihrem Schwanz nagt, kaum größer als die magentafarbene Marke, die zum sechzigjährigen Regierungsjubiläum des Kaisers herausgekommen ist.

Oder du wirfst sie durcheinander, so dass die Schwester das Mädchen im Brokatgewand nicht mehr finden kann. Oder du kannst die Hündin mit den Hündchen zusammen mit dem Tiger in einen Pferch sperren, und sie muss entkommen – was ihr auch gelingt. Oder du kannst das mit der Frau suchen, die sich im hölzernen Badezuber wäscht, und das spannende, das wie eine Muschelschale aussieht, bis man es aufmacht und den Mann und die Frau entdeckt, die gar nichts anhaben. Oder du kannst den Bruder mit dem erschrecken, wo der Junge von der Schlangenhexe unter der Glocke gefangen gehalten wird, und ihre schwarzen Haare sind rundherum und immer rundherum gewickelt.

Und du erzählst deiner Mutter Geschichten über die Schnitzereien, und sie sucht eine aus und erzählt auch eine Geschichte darüber. Sie nimmt das Netsuke vom Kind mit der Maske. Sie kann gut erzählen. Es sind so viele, dass du sie nie wirklich zählen kannst, nie weißt, ob du sie alle gesehen hast. Und das ist der Punkt bei diesen Spielsachen in ihrem verspiegelten Schrank, die sich ins Unendliche verlieren. Es ist eine ganze Welt, ein ganzer Raum zum Spielen, bis die Zeit kommt, sie wieder zurückzulegen, bis Mama angekleidet ist und Fächer und Stola ausgesucht hat, und dann gibt sie dir einen Gutenachtkuss, und du musst jetzt sofort die Netsuke aufräumen.

Sie wandern zurück in die Vitrine, der Samurai mit dem halb aus der Scheide gezogenen Schwert, wie der Wachmann am Tor, der kleine Schlüssel wird im Schloss umgedreht. Anna ordnet die Pelzstola um Emmys Hals neu und zupft die Ärmel zurecht. Das Kindermädchen holt dich ins Kinderzimmer.

Während die Netsuke in diesem Wiener Zimmer als Spielsachen dienen, nimmt man sie anderswo sehr ernst. In ganz Europa werden sie gesammelt. Die ersten Sammlungen, die von den Pionieren zusammengetragen wurden, werden für beträchtliche Summen im Hôtel Drouot versteigert. Der Kunsthändler Siegfried Bing, mit seiner Galerie Maison de l'Art Nouveau eine Kapazität in Paris, bringt die Netsuke in die denkbar besten Hände. Er ist der Experte, er verfasst Vorworte für die Auktionskataloge der Sammlungen der verstorbenen Philippe Burty (140 Netsuke), Edmond de Goncourt (140 Netsuke) und M. Garie (200 Netsuke).

Die erste deutsche Geschichte der Netsuke, illustriert und mit Anweisungen, wie man die Objekte pflegt, sogar wie man sie präsentiert, erscheint 1905 in Leipzig. Das Beste sei es, sie gar nicht auszustellen, sie unter Schloss und Riegel zu verwahren und nur gelegentlich herauszuholen. Allerdings, so der Autor wehmütig, man müsse Freunde haben, die solche Interessen teilten, die einige Stunden der Kunst widmen könnten. In Europa sei das nicht möglich. Wenn man also schon Netsuke erwerbe, um sie zu betrachten, solle man einen flachen Glaskasten haben, in den man zwei Reihen Netsuke legen könne, den Hintergrund sollten ein Spiegel oder grüner Plüsch bilden. Unwissentlich erfüllt die Vitrine in dem Ankleidezimmer mit Blick auf die Ringstraße viele der Anforderungen von Herrn Albert Brockhaus in seinem umfassenden und grundlegenden Buch.

Es sei anzuraten, schreibt er, »sie in Glasschränken mit Glasborten [sic], jedenfalls aber staubfrei aufzubewahren. Der Staub füllt die feinen Vertiefungen aus, vergröbert die Erhöhungen, tötet die Glanzlichter und raubt die unendliche Zierlichkeit der eigenartigen Schnitzerei. Stehen die Netsuke aber mit anderen Kuriositäten und Bibelots auf Kaminsimsen und anderen zugänglichen Stellen, so sind sie der Gefahr ausgesetzt, von dem unachtsamen Dienstpersonal zerbrochen, auch wohl mit weg gekehrt oder von einem Damenbesuch in einer Kleiderfalte davongetragen zu werden. Eines meiner Netsuke hat eines Abends eine solche Reise unbemerkt durch viele Strassen mitgemacht, bis es entdeckt und von der liebenswürdigen Entführerin zurückgesandt wurde!«

Nirgendwo könnten sich die Netsuke sicherer fühlen als hier. Unachtsame Domestiken halten sich nicht lange in Emmys Palais: Verschüttet ein Mädchen Milch aus dem Kännchen aufs Tablett, fährt sie es an. Ein zerbrochener Harlekin im Salon bedeutet Entlassung. In ihrem Ankleidezimmer staubt zwar eines der Stubenmädchen die Möbel ab, doch nur Anna darf die Vitrine für die Kinder öffnen, bevor sie die Kleider ihrer Herrin für den Abend zurechtlegt.

Die Netsuke sind nicht mehr Teil des Salonlebens, gehören nicht mehr zum Spiel geschliffener Unterhaltung. Niemand wird sich über die Qualität der Schnitzerei äußern oder die Blässe der Patina. Sie haben jede Verbindung zu Japan verloren, ihren Japonismus, sie sind jeder Kritik entzogen. Sie sind echte Spielsachen geworden, wirkliche Nippes: Wenn ein Kind sie in die Hand nimmt, wirken sie nicht so klein. Im Ankleidezimmer gehören sie zur Intimität von Emmys Leben. Hier ist der Raum, wo sie sich mit Annas Hilfe auskleidet, wo sie sich für die nächste Begegnung mit Viktor, einer Freundin, einem Liebhaber anzieht. Hier gibt es eine eigene Art Schwelle.

Je länger Emmy mit den Netsuke lebt und ihre Kinder damit spielen sieht, desto mehr wird ihr klar, dass sie ein zu intimes Geschenk sind, um sie öffentlich herzuzeigen. Ihre engste Freundin, Marianne Gutmann, besitzt ein paar Netsuke – elf, um genau zu sein –, doch die sind in ihrem Landhaus. Sie haben sich gemeinsam darüber amüsiert. Aber wie soll man die schiere Menge dieser unkonventionellen und außergewöhnlichen ausländischen Schnitzereien bloß den Damen der Israelitischen Kultusgemeinde, der IKG, erklären? Sie tragen ein schmales dunkles Bändchen an der Kleidung; sie helfen galizischen Mädchen aus den Schtetln, eine ehrliche Arbeit zu finden. Das wäre unmöglich.

Es ist wieder April, ich bin ins Palais zurückgekehrt. Aus dem Fenster von Emmys Ankleidezimmer schaue ich durch die kahlen Lindenzweige Richtung Votivkirche und Währinger Straße; bei der fünften Kreuzung geht es rechts zu Doktor Freuds Haus in der Berggasse 19, wo er sich über Emmys verstorbene Großtante Anna von Lieben Notizen machte, Fallname Cäcilie M., eine Frau mit einer »hysterischen Abwehr«, schweren Gesichtsneuralgien und Gedächtnisverlust, die man zu ihm geschickt hatte, weil »keiner wusste, was mit ihr anfangen«. Fünf Jahre lang war sie bei ihm in Behandlung, sie redete so viel, dass er sie überzeugen musste, es aufzuschreiben: In den »Studien über Hysterie« nannte er sie seine »Lehrmeisterin«.

Er schreibt, hinter sich Schrank um Schrank voller Antiquitäten. Rosenholz und Mahagoni und Biedermeiervitrinen mit hölzernen und gläsernen Borden, mit etruskischen Spiegeln und ägyptischen Skarabäen und Mumienporträts und römischen Totenmasken, umnebelt von Zigarrenrauch. An diesem Punkt wird mir klar, dass ich allmählich obsessiv werde, was diesen meinen besonderen Forschungsgegenstand betrifft: die Vitrinen des Fin de Siècle. Auf Freuds Schreibtisch liegt ein Netsuke in der Form eines *shishi*, eines Löwen.

Mein Zeitmanagement funktioniert beinahe nicht mehr. Eine Woche habe ich damit verbracht, Adolf Loos zu lesen, wie er sich über japanischen Stil als »das Aufgeben der Symmetrie« äußert, wie er Dinge und Menschen »entkörperlicht«: »Die Japaner stellen Blumen dar, aber es sind gepreßte Blumen.« Ich sehe, dass er die Secessionsausstellung 1900 gestaltet hat, wo eine riesige Sammlung japanischer Artefakte gezeigt wurde. In Wien, denke ich, ist Japan unausweichlich.

Dann entschied ich, ich müsse mir den polemischen Karl Kraus einmal im Detail ansehen. In einem Antiquariat kaufte ich ein Heft der *Fackel*, um mir die besondere Farbe des Umschlags zu Gemüte zu führen. Es war rot, passend für eine zornige Satirezeitschrift mit einem solchen Namen. Aber ob nicht das Rot in den neunzig Jahren verblasst war?

Nach wie vor hoffe ich, die Netsuke würden sich als Schlüssel zum gesamten Wiener Geistesleben herausstellen. Ich habe Angst, ein Mr. Casaubon zu werden und mein Leben mit Listen und Anmerkungen zu verbringen. Ich weiß, dass die Wiener Intelligenzia verwirrende Objekte liebt und dass das intensive Betrachten eines Gegenstandes ein besonderes Vergnügen bietet. Während die Kinder jeden Abend die Vitrine öffnen, während Emmy sich ankleidet, brütet Loos über der Gestaltung eines Salzstreuers, Freud über einem Versprecher, wütet Kraus über eine Annonce in einer Zeitung, eine Phrase im Leitartikel der *Neuen Freien Presse*. Aber es ist nicht zu leugnen, Emmy liest keinen Adolf Loos, sie schafft es, weder Klimt zu mögen (»ein Bär mit den Manieren eines Bären«) noch Mahler (»Krach«), und sie kauft überhaupt nichts von der Wiener Werkstätte (»Ramsch«). »Sie nahm uns nie in eine Ausstellung mit«, heißt es im Erinnerungstext meiner Großmutter.

Ich weiß, dass in den 1910er Jahren kleine Objekte, Fragmente, en vogue sind, und Emmy ist sehr wienerisch. Was denkt sie über die Netsuke? Sie hat sie nicht gesammelt, sie wird keine weiteren hinzufügen. Es gibt natürlich auch andere Sachen in Emmys Welt, die man aufnehmen und woanders hinlegen kann. Es gibt die Nippes im Salon, die Tassen und Untertassen aus Meißner Porzellan, russisches Silber und Malachit auf dem Kaminsims. Amateurzeugs für die Ephrussi,

Hintergrundgeräusch für die Putti, die wie plumpe Fasane über ihren Köpfen schweben, nicht wie bei Tante Beatrice Ephrussi-Rothschild, die bei Fabergé Uhren für ihre Villa in Cap Ferrat bestellt. Emmy liebt allerdings Geschichten, und die Netsuke sind heitere kleine Elfenbeingeschichten. Sie ist dreißig; erst zwanzig Jahre ist es her, seit sie unweit von hier an der Ringstraße in einem Kinderzimmer aufgewachsen ist und ihre Mutter ihr selber Märchen vorlas. Heute liest sie die Beiträge unter dem Strich in der *Neuen Freien Presse*, das tägliche Feuilleton.

Über dem Strich stehen die politischen Nachrichten, Nachrichten aus Budapest, die letzten Aussprüche von Bürgermeister Karl Lueger, dem Herrgott von Wien. Unter dem Strich steht das Feuilleton. Jeden Tag findet sich hier ein reizend formulierter, wohltönender Essay. Er kann von der Oper oder Operette handeln oder von einem bestimmten Gebäude, das eben abgerissen wird. Es könnte auch eine schalkhafte Erinnerung an volkstümliche Figuren des alten Wien sein. Die Frau Sopherl, die Standlerin vom Naschmarkt, Herr Adabei, der über alles Bescheid weiß, Statisten in einer Potemkinschen Stadt. Jeden Tag erscheint so etwas, mild und narzisstisch, ein fein gedrechselter Satz schlingt sich um den anderen, süß wie Bäckereien von Demel. Herzl, einer der Ersten dieses Genres, sagte vom Feuilletonisten, er sei in Gefahr,»als Narziß sich in den eigenen Geist zu verlieben und dadurch jeden Maßstab für sich und andere zu verlieren«; man kann dabei zusehen. Sie sind so perfekt, eine kurze humoristische Phrase, ein wegwerfender, flüchtiger Blick auf Wien; in den Worten Walter Benjamins: »... es galt, das Gift der Sensation der Erfahrung gleichsam intravenös einzuspritzen; das heißt der geläufigen Erfahrung den Erlebnischarakter abzumerken. Der Feuilletonist macht sich das zunutze. Er verfremdet dem Großstädter die Stadt.« In Wien gibt der Feuilletonist die Stadt sich selbst zurück, als vollkommene, empfindungsgesättigte Fiktion.

Ich sehe die Netsuke als einen Teil dieses Wien. Viele von ihnen sind für sich schon japanische Feuilletons. Sie bilden jene Art japanischer Charaktere ab, die von Besuchern Japans in lyrischen Klageliedern besungen werden. Lafcadio Hearn, ein amerikanisch-griechischer Journalist, schreibt in »Glimpses of Unfamiliar Japan« (»Lotos. Blicke in das unbekannte Japan«), »Gleanings in Buddha-Fields« (»Buddha. Neue Geschichten und Studien aus Japan«) und in »Shadowings« darüber, jeder kurze Blick oder zusammenfassende Essay eine poetische Beschwörung: »Die Schreie der Wanderhändler heben an – ›Daikoyai! kabuya-kabu!‹ –, jene der Verkäufer von daikon und anderen exotischen Gemüsen. ›Moyaya-moya!‹ – der klagende Ruf der Frauen, die dünne Kienspäne für das Anzünden der Kohlefeuer feilbieten.«

In der Vitrine in Emmys Ankleidezimmer liegen der Fassbinder, gerahmt vom Bogen seines halbfertigen Fasses; die Straßenringkämpfer aus dunklem Kastanienholz in einer schweißigen, taumelnden Umarmung; der betrunkene alte Mönch im schlampigen Gewand; das Dienstmädchen, das den Boden aufreibt; der Rattenfänger mit offenem Korb. Wenn man sie herausnimmt und in der Hand hält, sind die Netsuke Typen aus dem alten Edo, ganz wie die Altwiener Figuren, die jeden Tag unter dem Strich in der *Neuen Freien Presse* auf die Wiener Bühne treten.

Wie sie da so in Emmys Ankleidezimmer auf ihren grünen Borden liegen, tun diese täglichen Feuilletons, was Wien gerne tut: Sie erzählen Geschichten über sich selbst.

Mag die schöne Frau in dem absurden rosa Palais auch launisch sein, manchmal schaut sie doch aus ihrem Fenster auf die Schottengasse und erzählt dann ihren Kindern eine Geschichte über den alten Kutscher in seinem armseligen Fiaker, über die Blumenverkäuferin, den Studenten. Die Netsuke sind nun Teil einer Kindheit, sie gehören zur Dingwelt der Kinder. Diese Welt besteht aus Sachen, die sie anfassen, und solchen, die sie nicht anfassen können. Manche Dinge können sie gelegentlich anfassen, andere jeden Tag. Manche Sachen gehören ihnen für immer, andere gehören ihnen, werden aber dann an Schwester oder Bruder weitergegeben.

Die Kinder dürfen nicht ins Silberzimmer gehen, wo die Lakaien das Silber putzen, und auch nicht ins Speisezimmer, wenn ein Diner stattfinden soll. Sie dürfen das Glas ihres Vaters im silbernen Halter nicht berühren, aus dem er seinen schwarzen russischen Tee trinkt; es hat dem Großvater gehört. Viele Sachen im Palais haben Großvater gehört, das Glas aber ist etwas Besonderes. Vaters Bücher liegen auf dem Bibliothekstisch, nachdem sie in den braunen, verschnürten Paketen aus Frankfurt und London und Paris eingelangt sind. Die Kinder dürfen auch das scharfe silberne Papiermesser nicht anfassen, das hier liegt. Später bekommen sie dann die Briefmarken von den Paketen für ihr Album.

Es gibt Dinge in dieser Welt, die die Kinder hören, das Gehör der Erwachsenen aber ist taub für solche Schwingungen. Sie hören die grün-goldene Uhr im Salon (Nixen sind darauf) jede schläfrige Sekunde ticken, während sie bei den Besuchen der Großtanten in gestärkter Steifheit dasitzen. Sie können das Scharren der Kutschpferde im Hof hören, das bedeutet, dass sie endlich in den Park fahren. Auf das Glasdach über dem Innenhof trommelt der Regen, das bedeutet, dass sie nicht fahren.

Es gibt Dinge, die die Kinder riechen und die zu ihrem Bereich gehören: der Rauch der Zigarren ihres Vaters in der Bibliothek, ihre Mutter, der Duft der Schnitzel, der zugedeckten Schüsseln, die am Kinderzimmer vorüber zum Mittagstisch getragen werden. Der Geruch hinter den kratzigen Wandteppichen im Esszimmer, wenn sie sich dahinter verstecken. Und der Duft heißer Schokolade nach dem Eislaufen. Emmy bereitet manchmal welche für sie zu. Die Schokolade wird auf einem Porzellanteller hereingebracht, dann dürfen sie sie in kronengroße Stücke brechen, und diese dunklen Stückchen werden dann von Emmy in einem kleinen Silbertöpfchen über einer purpurroten Flamme geschmolzen. Wenn die Schokolade grau anläuft, gießt sie warme Milch darüber und rührt Zucker hinein.

Es gibt Dinge, die sie mit absoluter Deutlichkeit sehen – die Deutlichkeit von Objekten unter einem Okular. Und es gibt Dinge, die verwischt sind: die Gänge, die sie entlanglaufen, Gänge, die unendlich weit zu reichen scheinen, oder das goldene Aufblitzen eines Gemäldes nach dem anderen, eines Marmortisches nach dem anderen. Achtzehn Türen sind es, wenn man den Gang rund um den Innenhof herumrennt.

Die Netsuke sind aus der Welt eines Gustave Moreau in Paris in die Welt der Dulac-Kinderbücher in Wien übersiedelt. Sie erzeugen ihren eigenen Widerhall, sie gehören nun zum Geschichtenerzählen am Sonntagvormittag, sind Teil von Tausendundeiner Nacht, den Reisen Sindbads des Seefahrers und vom »Rubáiyát« des Omar Khayyám. Sie sind in ihre Vitrine gesperrt, hinter der Tür des Ankleidezimmers, am Gang, oben nach der hohen Treppe herauf vom Innenhof, hinter dem doppelflügeligen Eichentor, wo der Portier wartet, im Märchenschloss eines Palais an einer Straße aus Tausendundeiner Nacht.

# 20

# Heil Wien! Heil Berlin!

Das Jahrhundert ist vierzehn Jahre alt, wie Elisabeth, ein ernstes junges Mädchen, das nun schon mit den Erwachsenen am Abendessen teilnehmen darf. Zu Gast sind »angesehene Männer, hohe Beamte, Professoren und hohe Offiziere«; sie hört den politischen Gesprächen zu, soll aber selber nichts sagen, wenn man sich nicht an sie wendet. Jeden Morgen spaziert sie mit ihrem Vater zur Bank. In ihrem Schlafzimmer stellt sie ihre eigene Bibliothek zusammen: Jedes neue Buch wird in Bleistift mit einem säuberlichen EE und einer Nummer bezeichnet.

Gisela ist eine hübsche Zehnjährige, die sich gerne schön anzieht. Iggie ist neun, etwas pummelig und geniert sich deswegen; in Mathematik ist er nicht besonders, aber Zeichnen liebt er über alles.

Der Sommer kommt, die Kinder fahren mit Emmy nach Kövecses. Sie hat ein neues Kostüm bestellt, schwarz, mit einer plissierten Bluse, sie wird damit auf Contra, ihrem Lieblingsbraunen, reiten.

Am Sonntag, dem 28. Juni 1914, wird Erzherzog Franz Ferdinand, Thronfolger des Habsburgerreichs, in Sarajevo von einem jungen serbischen Nationalisten ermordet. Am Donnerstag kommentiert die *Neue Freie Presse,* die politischen Konsequenzen dieser Handlung würden stark übertrieben dargestellt.

Am folgenden Samstag schickt Elisabeth eine Postkarte nach Wien: »4. Juli 1914. Liebster Papa, vielen Dank, dass Du Dich um die Professoren für das nächste Semester gekümmert hast. Heute war es vormittags sehr warm, wir konnten im See schwimmen gehen, aber jetzt ist es kälter, vielleicht wird es regnen. Ich bin mit Gerty und Eva und Witold nach Posztan gefahren, aber es hat mir nicht sehr gefallen. Toni hat neun Hündchen geworfen, eines ist gestorben, wir müssen sie mit der Flasche füttern. Gisela gefallen ihre neuen Kleider. Tausend Küsse. Deine Elisabeth«

Am Sonntag dem 5. Juli verspricht der deutsche Kaiser den Beistand Deutschlands im Krieg Österreichs gegen Serbien; Gisela und Iggie schreiben eine Postkarte vom Fluss in Kövecses: »Liebster Papa, meine Kleider passen sehr gut. Wir gehen jeden Tag schwimmen, weil es so heiß ist. Uns geht's gut. Viele Grüße und Küsse von Gisela und Iggie.«

Am Montag dem 6. Juli ist es kühl in Kövecses, und sie gehen nicht schwimmen. »Heute habe ich eine Blume gemalt. Viele Grüße und tausend Küsse von Gisela.«

Am Samstag dem 18. Juli kehren Mutter und Kinder aus Kövecses nach Wien zurück. Am Montag dem 20. Juli berichtet der britische Botschafter Sir Maurice de Bunsen nach Whitehall, der russische Botschafter in Wien sei zu einem vierzehntägigen Urlaub abgereist. Am selben Tag fahren die Ephrussi in die Schweiz, zu ihrem »langen Monat«.

Immer noch flattert die kaiserlich-russische Flagge vom Dach des Bootshauses. Viktor, der sich Sorgen darüber macht, dass sein bald erwachsener Sohn eventuell Militärdienst in Russland ableisten wird müssen, hat den Zaren um Änderung seiner Staatsbürgerschaft ersucht. In diesem Jahr ist Viktor Untertan des vierundachtzigjährigen Franz Joseph geworden, Kaiser von Österreich, König von Ungarn und Böhmen, König der Lombardei und Venetien, von Dalmatien, Kroatien, Slawonien, Galizien, Lodomerien und Illyrien, Großherzog der Toskana, König von Jerusalem und Herzog von Auschwitz.

Am 28. Juli erklärt Österreich Serbien den Krieg. Am 29. Juli verkündet der Kaiser: »Ich vertraue auf Meine Völker, die sich in allen Stürmen stets in Einigkeit und Treue um Meinen Thron geschart haben und für die Ehre, Größe und Macht des Vaterlandes zu schwersten Opfern immer bereit waren.« Am 1. August erklärt Deutschland Russland den Krieg. Am 3. August erklärt Deutschland Frankreich den Krieg und marschiert am nächsten Tag im neutralen Belgien ein. Damit fällt das ganze Kartenhaus in sich zusammen, und Großbritannien erklärt Deutschland den Krieg. Am 6. August folgt die Kriegserklärung Österreichs an Russland.

Mobilmachungsbescheide in allen Sprachen der Monarchie wer-

*Der Badeteich in Kövecses*

den von Wien ausgeschickt. Züge werden requiriert. Jules und Fanny Ephrussis junge französische Lakaien, die so achtsam mit dem Porzellan umgehen und sie auf dem See herumrudern, werden einberufen. Die Ephrussi stecken im falschen Land fest.

Emmy reist nach Zürich und bittet den österreichischen Generalkonsul Theophil von Jäger – einer ihrer Liebhaber –, ihnen beim Zurückschaffen des Haushalts nach Wien behilflich zu sein. Zahlreiche Telegramme fliegen hin und her. Kindermädchen, Dienstmädchen und Koffer müssen auf Reisen geschickt werden. Die Eisenbahnen sind überfüllt, es gibt zu viel Gepäck, und der Fahrplan der unerschütterlichen k. k. Eisenbahnen, so verlässlich wie das spanische Hofzeremoniell, so pünktlich wie die Hoch- und Deutschmeister, die am Kinderzimmerfenster vorbeimarschieren, ist plötzlich nutzlos.

Die Lage hat grausame Auswirkungen. Die französischen, österreichischen und deutschen Cousins und Cousinen, russische Staatsbürger, englische Tanten, die gefürchtete Blutsverwandtschaft, all das Revierverhalten, der nomadenhafte Mangel an Vaterlandsliebe werden nun auf Länder aufgeteilt. Auf wie vielen Seiten zugleich kann eine

Familie stehen? Onkel Pips wird eingezogen, er sieht flott aus in seiner Uniform, er soll gegen seine französischen und englischen Cousins kämpfen.

In Wien herrscht große Begeisterung für den Krieg, der das Land von Apathie und Dumpfheit reinigen wird. Der britische Botschafter notiert, »das ganze Volk und die Presse verlangen ungeduldig nach einer sofortigen und gebührenden Bestrafung der verhassten serbischen Rasse«. Schriftsteller stimmen in den Chor der Begeisterung ein. Thomas Mann schreibt einen Essay »Gedanken im Kriege«, Rilke feiert in seinen »Fünf Gesängen« die Auferstehung des Kriegsgottes; Hofmannsthal veröffentlicht in der *Neuen Freien Presse* ein Kriegsgedicht. Schnitzler sieht das nicht so. Am 5. August schreibt er schlicht: »Der Weltkrieg. Der Weltruin.« Karl Kraus wünscht dem Kaiser einen »guten Weltuntergang«.

Wien war in Feierstimmung: Junge Männer flanierten zu zweit und dritt durch die Straßen, Blütenzweige an den Hüten, auf dem Weg zum Stellungsbüro; in den Parks spielten Militärkapellen auf. Die Wiener jüdische Gemeinde war frohen Mutes. Das monatliche Informationsblatt der Österreichisch-Israelitischen Union für Juli und August verkündete: »In dieser Stunde der Gefahr betrachten wir uns als vollwertige Staatsbürger ... Wir wollen dem Kaiser mit dem Blute unserer Kinder und mit all unserer Habe dafür danken, dass er uns die Freiheit geschenkt hat; wir wollen dem Staat beweisen, dass wir wahre Bürger sind, so gut wie jeder andere. Nach diesem Krieg mit all seinen Schrecken kann es keine antisemitische Agitation geben ... Wir werden volle Gleichheit fordern können.« Deutschland werde die Juden befreien.

Viktor dachte anders. Es war eine selbstmörderische Katastrophe. Er ließ Schutzbezüge über die Möbel im Palais breiten, schickte die Bedienten mit gekürztem Lohn heim und die Familie zu seinem Freund Gustav Springer nahe Schönbrunn, dann zu Verwandten in der Gegend von Bad Ischl; er selbst zog sich ins Hotel Sacher zurück, um den Krieg mit seinen Geschichtsbüchern zu überstehen. Es galt eine Bank zu leiten, schwierig, wenn man mit Frankreich (Ephrussi et Cie, Rue de l'Arcade, Paris), England (Ephrussi and Co., King Street, London) und Russland (Efrussi, Petrograd) im Krieg stand. »Dieses Reich muß untergehn«, sagt der Graf in Joseph Roths »Radetzkymarsch«. »Sobald unser Kaiser die Augen schließt, zerfallen wir in hundert Stücke. Der Balkan wird mächtiger sein als wir. Alle Völker werden ihre dreckigen, kleinen Staaten errichten, und sogar die Juden werden einen König in Palästina ausrufen. In Wien stinkt schon der Schweiß der Demokraten, ich kann's auf der Ringstraße nicht mehr aushalten … Im Burgtheater spielt man jüdische Saustücke, und jede Woche wird ein ungarischer Klosettfabrikant Baron. Ich sag' euch, meine Herren, wenn jetzt nicht geschossen wird, ist's aus. Wir werden's noch erleben!«

Viele Proklamationen werden in diesem Herbst in Wien verlautbart. Nun, da der Krieg so richtig begonnen hat, wendet sich der Kaiser an die Kinder seines Reichs. Die Zeitungen drucken einen »Brief Sr. Majestät unseres allergnädigsten Kaisers Franz Josef I. an die Kinder im Weltkriege«: Die Kinder seien die Edelsteine aller seiner Völker, der Segen ihrer Zukunft, tausendmal gespendet.

Nach sechs Wochen wird Viktor klar, dass der Krieg nicht aufhören wird, und er kehrt aus dem Hotel Sacher zurück. Schließlich holt man auch Emmy und die Kinder aus Bad Ischl. Die Schonbezüge werden von den Möbeln genommen. Auf der Straße vor dem Kinderzimmerfenster herrscht lebhaftes Treiben. Es gibt so viel Lärm durch demonstrierende Studenten – »wie hässlich das Singen in den Kaffeehäusern«, notiert Musil in seinem Tagebuch –, durch marschierende Soldaten und Militärkapellen, dass Emmy überlegt, die Kinderzimmer in einen ruhigeren Teil des Hauses zu verlegen. Das geschieht aber nicht. Das Haus ist nicht unbedingt für eine Familie geeignet, meint sie; wir sitzen hier alle wie in einem Glaskäfig, genauso gut könnten wir auf der Straße leben, so wie euer Vater sich darum kümmert.

Jede Woche skandieren die Studenten etwas Neues. Es beginnt mit »Serbien muss sterbien«, dann kommen die Russen dran: »Jeder Schuss a Russ!« Dann die Franzosen. Und es wird Woche für Woche derber. Emmy macht der Krieg zu schaffen, aber auch, welche Auswirkungen das Gebrüll auf die Kinder haben wird. Sie essen nun an einem kleinen Tisch im Musikzimmer, das auf die Schottengasse geht, dort ist es etwas ruhiger.

Iggie besucht das Schottengymnasium. Es ist eine sehr gute Schule, von den Benediktinern geführt, ganz in der Nähe, eine der zwei besten Wiener Schulen, so sagte er mir. Die Tafel an der Mauer, auf der etliche berühmte Schriftsteller verzeichnet sind, lässt das vermuten. Obwohl die Lehrer Mönche sind, gibt es viele jüdische Schüler. Die Schule legt besonderen Wert auf klassische Bildung, auch Mathematik, Algebra, Infinitesimalrechnung, Geschichte und Geographie werden unterrichtet, unwichtige Gegenstände für diese drei Kinder, die mit ihrer Mutter Englisch und Französisch und mit ihrem Vater Deutsch sprechen. Russisch sprechen sie nur ein wenig, Jiddisch gar nicht. Außer Haus sollen sie nur Deutsch sprechen. Bei Geschäften mit fremd klingenden Namen sind Männer mit Leitern gekommen und haben die Aufschriften überklebt.

Mädchen dürfen das Schottengymnasium nicht besuchen. Gisela wird zuhause, im Zimmer neben Emmys Ankleideraum, von ihrer Gouvernante unterrichtet. Elisabeth hat mit Viktor verhandelt und hat nun einen privaten Hauslehrer. Emmy ist dagegen. Sie ist so verärgert über dieses ungehörige, komplizierte Arrangement für ihre Tochter, dass Iggie sie im Salon schreien und dann etwas zerbrechen hört, vielleicht Porzellan. Elisabeth folgt aufs Haar dem Lehrplan, der für Jungen ihres Alters im Schottengymnasium gilt, sie darf nachmittags ins Schullabor gehen und mit einem Lehrer eine Privatstunde nehmen. Ihr ist klar, wenn sie auf die Universität will, muss sie die Abschlussprüfung dieser Schule bestehen. Seit sie zehn ist, weiß Elisabeth, dass sie aus diesem Zimmer, dem Schulzimmer mit dem gelben Teppich, in einen bestimmten Raum kommen muss, den Vorlesungssaal der Universität. Sie ist nur etwa hundert Meter entfernt, aber für ein Mädchen könnten es genauso gut tausend Kilometer sein. Es gibt mehr als neuntausend Studenten in diesem Jahr, nur 120 davon sind weiblich. Von Elisabeths Zimmer aus kann man nicht in den Vorlesungssaal blicken. Ich habe es versucht. Aber man kann dessen Fenster sehen, man kann sich die ansteigenden Sitzreihen vorstellen, den Professor, der sich vorne über sein Pult beugt. Er spricht zu dir. Wie im Traum bewegt sich deine Hand über die Mitschrift.

Iggie geht ungern ins Schottengymnasium. In drei Minuten kann man dorthin laufen, mit einer Schultasche am Rücken habe ich es allerdings nicht versucht. Es existiert ein Klassenfoto aus dem Jahr 1914, dritte Klasse: dreißig Jungen in grauen Flanellanzügen mit Krawatten oder in Matrosenanzügen, auf ihre Pulte gestützt. Zwei Fenster stehen zum fünf Stock hohen Innenhof hin offen. Ein Idiot schneidet Grimassen. Der Lehrer steht hinten, unerschütterlich in seinem Mönchshabit. Auf der Rückseite des Fotos haben sich alle unterschrieben, all die Georgs, Fritzs, Ottos, Maxs, Oskars und Ernsts. Iggie hat in einer schönen Schrägschrift unterzeichnet: Ignaz v. Ephrussi.

An der Rückwand ist eine Tafel, auf die geometrische Beweise gekritzelt sind. Heute haben sie gelernt, wie man die Oberfläche eines Kegels berechnet. Iggie kommt jeden Tag mit Hausaufgaben heim. Er findet das scheußlich. Er ist schlecht in Algebra und Infinitesimalrechnung und hasst Mathematik. Siebzig Jahre später konnte er mir alle Brüder aufzählen und was sie ihm vergeblich beizubringen versucht hatten.

Und er bringt Reime nachhause:
»Heil Wien! Heil Berlin!
In 14 Tagen in Petersburg drin!«

Es gibt auch schlimmere. Viktor goutiert sie gar nicht, er liebt St. Petersburg und ist in Russland geboren, obwohl er nun natürlich Österreicher ist und Wien liebt.

Für Iggie bedeutet der Krieg Soldatenspielen. Ihre Cousine Piz – Marie-Louise von Motesiczky – erweist sich als besonders guter Soldat. Im Palais gibt es eine Dienertreppe hinter einer versteckten Tür, eine breite Schneckenspirale mit 136 Stufen, die bis zum Dach führt; öffnet man dort die Tür, steht man plötzlich über den Karyatiden und Akanthusblättern und kann über ganz Wien schauen. Wendet man sich langsam im Uhrzeigersinn, sieht man zuerst die Universität, dann die Votivkirche, dann den Stephansdom, die Kuppeln und Türme von

Oper, Burgtheater und Rathaus und wieder die Universität. Wer sich wohl traut, auf die Brüstung zu klettern und durch das Glasdach in den Innenhof zu spähen? Oder man kann die winzigen dahinhuschenden Bürger und ihre Damen auf dem Franzensring oder in der Schottengasse abknallen. Dafür nimmt man Kirschkerne, eine Rolle aus steifem Papier und bläst fest hindurch. Direkt unter ihnen ist ein Kaffeehaus mit einer breiten Markise, ein besonders lockendes Ziel. Die Ober in ihren schwarzen Schürzen sehen hoch und schimpfen, dann muss man sich ducken.

Und man kann auf das Dach des Palais Lieben nebenan steigen, dort wohnen noch mehr Verwandte.

Oder sie spielen Spion und gehen die Treppe hinunter in das Kellergewölbe, dort ist ein Gang, der führt unter Wien hindurch bis Schönbrunn. Oder bis zum Parlament. Oder in die anderen Gänge, von denen sie gehört haben, ein Labyrinth, in das man durch die Litfaßsäulen an der Ringstraße einsteigen kann. Dort sollen sich die Kanalstrotter aufhalten, flüchtige, schattenhafte Existenzen, sie leben von den Münzen, die aus den Hosentaschen durch die Kanalgitter fallen.

Der Haushalt und die Familie tragen das ihre zum Krieg bei. 1915 dient Onkel Pips als kaiserlicher Verbindungsoffizier beim deutschen Oberkommando in Berlin; ihm ist es zu verdanken, dass Rilke einen Schreibtischposten fern der Front erhält. Papa ist vierundfünfzig und dienstbefreit. Die Diener im Palais sind verschwunden, außer dem Butler Josef, er ist zu alt für die Einberufung. Eine kleine Schar Dienstmädchen hat man behalten, dazu die Köchin und Anna, die jetzt fünfzehn Jahre bei der Familie ist, anscheinend jedermanns Bedürfnisse errät und eine Begabung dafür hat, die Gemüter zu beruhigen. Sie weiß alles. Es gibt keine Geheimnisse vor der Zofe, wenn man nach dem Mittagessen heimkommt und das Tageskleid wechseln muss.

In diesen Tagen ist das Haus viel stiller. Viktor hat früher Freunde der Dienerschaft, die gerade nicht in Stellung waren, eingeladen, an den Sonntagen zum Mittagessen zu kommen, es gab gekochtes und gebratenes Fleisch. Das geschieht nicht mehr; im Dienerzimmer herrscht Leere. Es gibt keine Stallknechte und Kutscher mehr, keine Kutschpferde; wenn man in den Prater will, nimmt man einen der Fiaker vom Stand in der Schottengasse oder fährt sogar mit der Straßenbahn. Es finden keine Gesellschaften mehr statt. In Wirklichkeit heißt das, dass einfach viel weniger Gesellschaften gegeben werden und dass sie anders ablaufen. Man kann sich nicht im Ballkleid sehen lassen, aber immerhin noch zum Abendessen oder in die Oper ausgehen. In ihrer Erinnerung schreibt Elisabeth: »Mama lud nur zum Tee und spielte Bridge.« Bei Demel werden nach wie vor Kuchen verkauft, aber bei den Einladungen sollte man nicht zu viele anbieten.

Emmy zieht sich nach wie vor jeden Abend um, man darf sich nicht gehenlassen. Herr Schuster kann seinen jährlichen Besuch in Paris leider nicht mehr absolvieren, um Kleider für die Baronin einzukaufen, aber Anna kennt sie ja so gut und ist äußerst geschickt darin, die Garderobe instand zu halten und nach eifrigem Studium der neuesten Journale die Kleider umzuarbeiten. Auf einer Fotografie Emmys aus diesem Frühling trägt sie ein langes schwarzes Kleid und eine Art schwarzes Pillbox-Hütchen aus Bärenfell – einen Kolpak – mit einer weißen Reiherfeder und eine Perlenschnur bis zur Taille, und stünde auf der Rückseite kein Datum, man wüsste nicht, dass Wien im Krieg war. Ich überlege, ob es ein Kleid aus der letzten Saison war und wie ich das bloß herausfinden könnte.

Wie immer kommen am Abend Gisela und Iggie ins Ankleidezimmer und unterhalten sich mit Emmy. Sie dürfen selbst die Vitrine aufsperren. Man spielt nicht mehr auf dem Teppich mit den Netsuke, wenn man ein zehnjähriges Mädchen, ein achtjähriger Bub ist, das ist ja ziemlich kindisch, aber man langt immer noch tief in den Glasschrank hinein und sucht das Bündel Kienspäne und die Hündchen, wenn es ein schlechter Tag war und Bruder Georg einen angebrüllt hat.

Viele, viele Menschen sind auf der Straße. Es sind Juden – 100 000 Flüchtlinge allein aus Galizien –, die in schrecklichen Massenausweisungen von der russischen Armee vertrieben wurden. Manche wohnen in Baracken, wo es die nötigsten Einrichtungen gibt, aber die reichen für Familien nicht aus. Viele schlagen sich in die Leopoldstadt durch und leben unter schlimmen Bedingungen. Andere betteln. Es sind keine Hausierer mit einem kargen Angebot an Ansichtskarten und Bändern, diese hier haben gar nichts zu verkaufen. Die Israelitische Kultusgemeinde organisiert Hilfsaktionen.

Die assimilierten Juden machen sich Sorgen wegen dieser Neuankömmlinge; ihr Benehmen gilt als ziemlich vulgär, ihre Sprache, ihre Kleidung und Gebräuche passen nicht zur Bildung der Wiener. Man fürchtet, sie könnten die Assimilation gefährden. »Es ist furchtbar schwer, ein Ostjude zu sein; es gibt kein schwereres Los als das eines fremden Ostjuden in Wien«, schreibt Joseph Roth. »Niemand nimmt sich ihrer an. Ihre Vettern und Glaubensgenossen, die im ersten Bezirk in den Redaktionen sitzen, sind ›schon‹ Wiener und wollen nicht mit Ostjuden verwandt sein oder gar verwechselt werden.« Vielleicht, denke ich, ist das die Angst der jüngst Angekommenen vor den eben erst Eingetroffenen. Sie sind noch im Übergangsstadium.

Die Straßen haben sich verändert. Die Ringstraße ist zum Flanieren da. Sie ist gedacht für zufällige Begegnungen, einen gelegentlichen Kaffee vor dem Café Landtmann, für das Begrüßen von Freunden, für erhoffte Treffen auf dem Korso. Sie ist ein gemächlich dahinfließender Menschenstrom.

Aber Wien scheint jetzt zwei Gangarten zu haben. Die eine ist das Tempo der marschierenden Soldaten, der Kinder, die neben ihnen herlaufen, die andere ist der Stillstand. Es fällt auf, dass sich die Leute vor den Geschäften um Lebensmittel, um Zigaretten, um Nachrichten anstellen. Jeder redet vom Anstellen. Die Polizei vermerkt, wenn sich wegen verschiedener Waren Schlangen bilden. Im Herbst 1914 sind es Mehl und Brot, im Frühjahr 1915 Milch und Kartoffeln. Im Herbst 1915 ist es Öl. Im März 1916 ist es Kaffee, im Monat darauf Zucker. Im nächsten Monat Eier. Im Juli 1916 ist es Seife. Und dann ist es alles. Die Stadt ist sklerotisch.

Auch der Umlauf der Dinge in der Stadt hat sich geändert. Es gibt Geschichten vom Horten, reiche Männer sollen in ihren Zimmern bis zur Decke gestapelt Kisten voller Lebensmittel verstecken. Gewisse »Kaffeehaustypen«, so geht das Gerücht, sollen profitieren. Gut geht es nur denen, die Nahrungsmittel zur Verfügung haben, diesen »Typen« eben oder den Bauern. Um Lebensmittel zu ergattern, trennt man sich von immer mehr Besitztümern. Gegenstände werden aus dem Haushalt genommen und in Währung verwandelt. Man erzählt von Bauern, die den Frack eines Wiener Bürgers tragen, von Bäuerinnen in Seidenroben. Bauernhäuser sind voller Klaviere, Porzellan, Nippsachen und Orientteppiche. Klavierlehrer, so heißt es, würden aus Wien aufs Land zu ihren neuen Schülern ziehen.

Die Parks haben sich verändert. Es gibt weniger Parkwächter, weniger Straßenkehrer. Der Mann zum Beispiel, der im Park auf der anderen Seite des Rings morgens zuerst die Wege sprengt, ist nicht mehr da. Die Wege waren immer staubig, jetzt ist es noch schlimmer.

Elisabeth ist fast sechzehn. Wenn Viktor die Bücher für seine Bibliothek binden lässt, darf sie jetzt ihre Bücher in Maroquin mit marmorierten Deckeln binden lassen. Es ist ein Übergangsritual, ein Zeichen, dass ihre Lektüre Bedeutung besitzt. Zugleich kann sie ihre Bücher von denen ihres Vaters unterscheiden – diese kommen in meine Bibliothek, jene in deine – und als eine Einheit kennzeichnen. Wenn er aus Berlin auf Besuch kommt, trägt ihr Onkel Pips auf, Briefe seines Freundes, des Theaterdirektors Max Reinhardt, abzuschreiben.

Gisela ist elf und erhält im Frühstückszimmer Zeichenstunden. Sie ist sehr begabt. Iggie ist neun und darf nicht hinein. Er kennt die Uniformen der kaiserlichen Regimenter (hellblaue Hosen bei der Infanterie, blutroter Fes für die hellblauen Bosniaken) und hält die Farben ihrer Röcke in seinem mit einem purpurnen Seidenband zugebundenen kleinen ledernen Notizbuch fest. Im Ankleidezimmer, der Schrank mit den Netsuke steht vergessen da, nennt Emmy ihn ihren Garderobeberater.

Er beginnt Kleider zu zeichnen. Heimlich.

Iggie schreibt eine Geschichte in ein Oktavheft mit einem Boot auf dem Umschlag. Es ist Februar 1916.

»Fisherman Jack. Eine Geschichte von I. L. E.

Widmung. Der liebsten Mama ist dieses kleine Bändchen in Liebe gewidmet.

Vorwort. Diese Geschichte ist sicher überhaupt nicht perfekt, aber eine Sache ist, glaube ich, gut gelungen: Ich habe die Personen in dem Buch deutlich beschrieben.

Kap. 1. Jakob und sein Leben. Jakob war in seinem kurzen Leben nicht immer Fischer gewesen, zumindest nicht bis zum Tod seines Vaters ...«

Im März verfasst die IKG einen offenen Brief an die Wiener Juden: »Jüdische Mitbürger! In Erfüllung ihrer offenkundigen Pflicht haben unsere Väter, Brüder und Söhne ihr Blut und ihr Leben als tapfere Soldaten in unserer glorreichen Armee geopfert. Mit einem ähnlichen Pflichtbewusstsein haben die Daheimgebliebenen ihr Eigentum freudig auf dem Altar des geliebten Vaterlandes geopfert. So sollte der Ruf des Staates nun wieder ein patriotisches Echo in uns allen wachrufen!« Die Wiener Juden tragen weitere 500 000 Kronen zu den Kriegsanleihen bei.

Überall gibt es Gerüchte. Karl Kraus: »Was sagen Sie zu den Gerüchten? Ich bin besorgt. In Wien sind Gerüchte verbreitet, daß in Österreich Gerüchte verbreitet sind. Sie gehen sogar von Mund zu Mund, aber niemand kann einem sagen –«

Im April spielen Soldaten auf Urlaub, Überlebende der Schlacht von Uscieczko, auf der Bühne eines Wiener Theaters die Ereignisse der Schlacht nach. Kraus, erbost über diese Reduzierung realer Geschehnisse auf ein Spektakel, lässt eine grimmige Attacke auf die zunehmende Theatralisierung des Krieges los. Das Problem ist: »die Sphären fließen ineinander«.

Die Grenzen verschwimmen im Wien der Kriegszeit.

Das bedeutet, dass es für die Kinder viel zu sehen gibt. Ihr Balkon ist ein wunderbarer Aussichtspunkt.

Am 11. Mai geht Elisabeth in die Oper, um mit ihrer Cousine Wagners »Meistersinger« zu hören. »Heilige deutsche Kunst«, schreibt sie in das kleine grüne Buch, in dem sie alle Konzert- und Theaterbesuche notiert. Patriotisch unterstreicht sie das Wort »deutsche«.

Im Juli nimmt Viktor die Kinder zur Kriegsausstellung im Prater mit. Sie soll die Kriegsanstrengungen im Hinterland bündeln: Die

| Titel des dramatischen oder musikalischen Werkes | Autor oder Komponist | Wo aufgeführt | Wann gesehen oder gehört | | Bemerkungen |
|---|---|---|---|---|---|
| Onkel Bernhard | L. Fulda u. A. Kottow | Neue Wiener Bühne | 21/I. | 1916 | Mama, Papa |
| Nathan der Weise | Lessing | Volkstheater | 24/I | 1916 | Herr, Frau, Madeleine und Georg von Kuh |
| König Richard der Dritte | Shakespeare | Burg | 1/II | 1916 | Daisy, Arthur, René, Leo |
| Der Verschwender | Raimund | Burg | 16/II | 1916 | Irmgard u. Professor Taigner, Gisela, Adolf |
| Maria Stuart | Schiller | Burg | 18/II. | 1916 | Mama, Adolf, Madeleine u. Georg v. Kuh |
| Vortrag Küllner | Goethe-Schiller-Rilke | Mittl. Konzert Saal | 20/III | 1916 | Anna (großartig über Rilke!) |
| Doktor Klaus | Adolf L'Arronge | Burg | 13/IV | 1916 | Mama, Papa |
| Vortrag Wie wir aus im Kriege verändern | Friedrich Naumann u. Adolf | Gr. Konst. K. Saal | 28/IV | 1916 | Dr. Taigner. (Im Dentschen liegt man, wenn man Löffel ist.) |
| Vortrag Küllner | Goethe-Schiller-Lessing | Gr. Mus. Vereins-S. | 2/V | 1916 | Gisela |
| Die Meistersinger | Wagner | Oper | 11/V | 1916 | Herr, Frau, Madeleine u. Georg v. Kuh. (Selige deutsche Kunst) |
| König Lear (Küllner) | Shakespeare | Burg | 8/VI | 1916 | Mama, Papa, Gertrud Stummer. (So tot, ungut den Jammer zu beschreiben) |
| Coppelia | Léon Delibes | | | | |

Elisabeths Eintragungen über ihre Theater- und
Opernbesuche, 1916

Moral soll gehoben und Geld aufgetrieben werden. Am interessantesten ist eine Hundeschau, bei der Armeehunde, Dobermänner, ihre Kunststücke vorführen. In den vielen Ausstellungsräumen sehen die Kinder erbeutete Artillerie. Ein realistisches Bergpanorama zeigt eine Schlachtenszene, so dass sie sich die jungen Männer vorstellen können, die an der Grenze mit den Italienern im Gefecht liegen. Soldaten, die ihre Gliedmaßen verloren haben, Tubaspieler mit Beinprothesen geben ein Konzert. Beim Ausgang ist ein Zigarettenzimmer, wo man Tabak für die Soldaten spenden kann.

Es gibt auch zum ersten Mal einen täuschend echt nachgebauten Schützengraben zu sehen. Er schildere, notiert Kraus mit beißender Ironie, das Leben im Schützengraben »mit treffendem Realismus«.

Am 8. August bekommt Elisabeth in Kövecses ein dunkelgrünes Buch mit Gedichten ihrer mütterlichen Großmutter Evelina geschenkt, erschienen 1907 in Wien. Die Widmung lautet: »Verklungen waren mir die alten Lieder / Da sie *dir* klingen – klingen sie mir wieder«. Viktor erledigt seine Pflichten in der Bank, eine unbedankte Aufgabe in Kriegszeiten, wo junge, fähige Männer meist an der Front stehen. Er ist großzügig und patriotisch in seiner finanziellen Unterstützung, zeichnet viele Kriegsanleihen. Dann kauft er noch mehr. Obwohl ihm Gutmann und andere Freunde im Wiener Club raten, sein Geld so wie sie in die Schweiz zu transferieren, kommt er diesem Ratschlag nicht nach. Das wäre unpatriotisch. Beim Abendessen fährt er sich mit der Hand übers Gesicht, von der Stirn zum Kinn, und sagt, jede Krise biete auch Gelegenheiten für den, der sie zu erkennen verstehe.

Wenn Viktor abends heimkommt, verbringt er mehr und mehr Zeit in seinem Arbeitszimmer. »Eine Bibliothek«, sagt er und zitiert Victor Hugo, »ist ein Glaubensakt.« Es treffen jetzt weniger Bücher für ihn ein: nichts mehr aus St. Petersburg, Paris, London, Florenz. Er ist enttäuscht von der Qualität eines Bandes, den ein neuer Händler aus Berlin geschickt hat. Wer weiß, was er da drinnen liest, während er seine Zigarren raucht? Manchmal wird ihm ein Tablett mit dem Abendessen hineingebracht. Die Dinge stehen nicht gut zwischen ihm und Emmy, und die Kinder hören öfter, dass sie laut wird.

Vor dem Krieg wurde jeden Sommer mit Leitern, Eimern und Scheuerlappen auf dem Dach über dem Innenhof herumgewerkelt. Da es keine Diener mehr gibt, ist das Glas zwei Jahre lang nicht gereinigt worden. Das einfallende Licht wirkt grauer als früher.

Die Grenzen verschwimmen. Für Kinder ist der Patriotismus unmissverständlich und verwirrend zugleich. Auf der Straße und in der Schule hört man von »britischem Neid, französischer Rachgier, russischer Raublust«. Monat für Monat schwinden die Reisemöglichkeiten, das Familiennetzwerk funktioniert nicht mehr. Briefe kommen, aber man kann die englischen und französischen Verwandten nicht treffen, kann nicht reisen wie früher.

Im Sommer kann die Familie das Chalet Ephrussi in Luzern nicht besuchen; also fährt man in den langen Sommerferien nach Kövecses. Das bedeutet, dass sie wenigstens ordentlich zu essen haben. Es gibt Hasenbraten, Wildpastete und Zwetschkenknödel mit Schlagobers. Im September findet eine Jagdpartie statt, bei der Verwandte, auf Urlaub vom Schießen an der Front, Fasane abknallen.

Am 26. Oktober wird Ministerpräsident Karl Graf Stürgkh im Restaurant Meissl & Schadn in der Kärntner Straße ermordet. Zwei Umstände erregen allgemeines Interesse. Erstens, sein Mörder ist der radikale Sozialist Fritz Adler, Sohn des Führers der Sozialdemokraten, Viktor Adler. Zweitens, er hatte Pilzsuppe, gekochtes Rindfleisch mit Wurzelgemüse und Nachspeise gegessen. Und dazu einen Gespritzten getrunken. Es gibt noch einen weiteren Punkt, der die Kinder sehr interessiert: In ebendiesem Restaurant haben sie im Sommer mit den Eltern Ischler Torte gegessen, einen Schokoladekuchen mit Mandel-Kirschfüllung.

Am 21. November 1916 stirbt Franz Joseph I.

Die Zeitungen erscheinen mit schwarzem Trauerrand: »Tod unseres Kaisers«, »Kaiser Franz Joseph tot!« In einigen sind Stiche des Herrschers mit seinem charakteristischen misstrauischen Blick zu sehen. In der *Neuen Freien Presse* erscheint kein Feuilleton. Die *Wiener Zeitung* hat die graphisch ansprechendste Lösung gefunden: eine Todesanzeige auf einer weißen Seite. Die Wochenzeitungen folgen diesem Beispiel, außer *Die Bombe*, sie bringt das Bild eines Mädchens, das im Bett von einem Mann überrascht wird.

Franz Joseph war sechsundachtzig und saß seit 1848 auf dem Thron. An einem winterlich kalten Tag zieht der riesige Trauerzug durch Wien. An den Straßen bilden Soldaten Spalier. Der Sarg steht auf einem von acht Pferden mit schwarzem Federkopfschmuck gezogenen Trauerwagen. Links und rechts marschieren bejahrte Erzherzöge, die Brust medaillengeschmückt, und die Vertreter der kaiserlichen Garden. Hinter ihnen gehen der junge neue Kaiser Karl und seine Frau Zita im bodenlangen Schleier, zwischen ihnen ihr vierjähriger Sohn Otto in Weiß mit schwarzer Schärpe. Das Requiem findet im Stephansdom statt, die Könige von Bulgarien, Bayern, Sachsen und Württemberg sind anwesend, fünfzig Erzherzöge und -herzoginnen, vierzig weitere Prinzen und Prinzessinnen. Der Trauerzug schlängelt sich bis zur Kapuzinerkirche am Neuen Markt unweit der Hofburg. Das Ziel ist die Kaisergruft, dort wird Franz Joseph zwischen seiner Frau Elisabeth und seinem lange verstorbenen Sohn, dem Selbstmörder Rudolf, beigesetzt.

Die Kinder dürfen mit den Eltern zu Meissl & Schadn an der Ecke der Kärntner Straße, dort, wo sie den köstlichen Kuchen gegessen haben, und können den Trauerzug von einem Fenster im ersten Stock aus betrachten. Es ist sehr kalt.

Viktor erinnert sich an den Makart-Festzug siebenunddreißig Jahre zuvor, mit den Schlapphüten und den Federn; er erinnert sich, wie sein Vater vor sechsundvierzig Jahren in den Adelsstand erhoben wurde. Eine Generation ist es her, seit Franz Joseph die Ringstraße, die Votivkirche, das Parlament, die Oper, das Rathaus, das Burgtheater eröffnet hat.

Die Kinder denken an all die anderen Prozessionen, denen der Kaiser beiwohnte, die zahllosen Male, die sie ihn in seiner Kutsche in Wien und in Bad Ischl gesehen haben. Sie erinnern sich, wie er mit Frau Schratt, seiner Freundin, ausgeritten ist, wie sie ihnen zugewinkt hat, eine sachte Geste mit der behandschuhten Rechten. Sie erinnern sich an den Familienscherz nach den Besuchen bei der grantigen Tante Anna von Hertenried, der Hexe. Wenn man glücklich ihr und ihrer Ausfragerei entronnen ist, muss man den stereotypen Spruch des Kaisers wiederholen: »Es war sehr schön, es hat mich sehr gefreut«, bevor jemand anderer ihn sagen kann.

Anfang Dezember findet im Ankleidezimmer ein wichtiger Termin statt. Elisabeth darf zum ersten Mal den Stil ihrer Kleidung bestimmen. Bis jetzt wurden ihr viele Kleider geschneidert, aber nun darf sie selbst eine Entscheidung treffen. Diesen Moment haben Emmy, Gisela und Iggie, die sich alle sehr für Mode interessieren, mit Spannung erwartet, ebenso Anna, die die Kleider in Ordnung hält. Im Ankleidezimmer liegt auf der Frisierkommode ein Buch mit Stoffproben; Elisabeth hat die Idee zu einem Kleid mit einem Spinnennetzmuster am Oberteil.

Iggie ist entsetzt. Siebzig Jahre später in Tokio erzählte er, wie damals Stille herrschte, als Elisabeth beschrieb, was sie wollte: »Sie hatte einfach überhaupt keinen Geschmack.«

Am 17. Januar 1917 ergeht ein neues Edikt, in dem angekündigt wird, dass die Namen verurteilter Kriegsgewinnler in Zeitungen und an Anschlagtafeln im jeweiligen Heimatbezirk veröffentlicht werden sollen. Man weiß von Bestrebungen, den Pranger wiedereinzuführen. Es gibt verschiedene Namen für Kriegsgewinnler, aber sie rinnen allmählich in einen zusammen: Hamsterer, Schieber, Ostjude, Galizier, Jude.

Im März verkündet Kaiser Karl die Einführung eines neuen schulfreien Tages am 21. November, zur Erinnerung an den Tod Franz Josephs und seine eigene Thronbesteigung.

Im April geht Emmy zu einem Empfang für ein Frauenkomitee in Schönbrunn, sie organisieren irgendetwas für die Witwen von Soldaten, die bei der Verteidigung der Monarchie gefallen sind. Mir ist nicht ganz klar, worum es sich dabei gehandelt hat. Aber es existiert eine prächtige Fotografie dieser Versammlung von hundert Frauen im Sonntagsstaat im Ballsaal, ein weitgespannter Bogen Hüte vor Rokokostuck und Spiegeln.

Im Mai findet in Wien eine Ausstellung von 180 000 Zinnsoldaten statt. Den Sommer über gibt sich die Stadt heldenhaft. Das ganze Jahr erscheinen die Zeitungen mit weißen Stellen, wo die Zensoren Informationen oder Kommentare zu beanstanden hatten.

Der Gang zwischen Emmys Ankleidezimmer, dem Raum mit den Netsuke, und Viktors Ankleidezimmer scheint immer länger zu werden. Manchmal erscheint Emmy um ein Uhr nicht am Esstisch, ein Mädchen räumt ihr Gedeck weg, während die anderen so tun, als bemerkten sie nichts. Manchmal wird es auch um acht Uhr abends weggenommen.

Die Lebensmittelversorgung ist ein zunehmendes Problem. Seit zwei Jahren bilden sich Schlangen um Brot, Milch und Kartoffeln, jetzt aber muss man auch um Kohl, Zwetschken und Bier anstehen. Die Hausfrauen werden ermahnt, erfinderisch zu sein. Kraus stellt sich eine tüchtige teutonische Ehefrau vor: »Heut waren wir in diesem Punkte gut versorgt. Es gab allerlei. Wir hatten da eine bekömmliche Brühe aus Hindenburg-Kakao-Sahne-Suppenwürfel ›Exzelsior‹, einen schmackhaften Falschen Hasen-Ersatz mit Wrucken-Ersatz, Kartoffelpuffer aus Paraffin …«

Die Münzen wechseln. Vor dem Krieg wurden Goldkronen oder Silberkronen geprägt; nach drei Kriegsjahren sind sie aus Kupfer. In diesem Sommer sind sie aus Eisen.

Kaiser Karl erhält in der jüdischen Presse begeisterten Zuspruch. Die Juden, heißt es in *Bloch's Wochenschrift,* seien nicht nur die treuesten Unterstützer seines Reiches, sondern die einzigen bedingungslosen Österreicher.

Den Sommer 1917 verbringt Elisabeth mit ihrer besten Freundin Fanny in Altaussee im Landhaus der Baronin Oppenheimer. Fanny Löwenstein hat ihre Kindheit in verschiedenen europäischen Ländern verbracht und spricht dieselben Fremdsprachen wie Elisabeth. Sie sind beide siebzehn und sehr poesiebegeistert: Ununterbrochen sind sie am Schreiben. Ganz aufgeregt sind sie, weil der Dichter Hugo von Hofmannsthal und der Komponist Richard Strauss ebenfalls eingeladen sind, so wie Hofmannsthals zwei Söhne. Unter den anderen Gästen ist der Historiker Joseph Redlich, der, so Elisabeth sechzig Jahre später, »uns sehr missfiel, weil er eine Niederlage Österreichs und Deutschlands voraussagte, während Fanny und ich immer noch an die offiziellen Verlautbarungen eines siegreichen Endes glaubten«.

Im Oktober behauptet die *Reichspost,* es existiere eine internationale Verschwörung gegen Österreich-Ungarn, und Lenin, Kerenski und Lord Northcliffe seien alle Juden. Präsident Woodrow Wilson handle ebenfalls »unter dem Einfluss« der Juden.

Am 21. November, dem Jahrestag von Franz Josephs Tod, haben alle Schulkinder frei.

Anfang 1918 wird die Lage bereits sehr schwierig. Emmy, laut Kraus in der *Fackel* »blendender Mittelpunkt eines vornehmen Gesellschaftskreises«, ist blendender denn je zuvor. Sie hat einen neuen Liebhaber, einen jungen Grafen, der in einem Kavallerieregiment dient. Er ist ein Sohn von Freunden der Familie, regelmäßig zu Gast in Kövecses, wohin er seine eigenen Pferde mitbringt. Er sieht außerordentlich gut aus und ist Emmy im Alter viel näher als Viktor.

Im Frühjahr erscheint ein Buch für die Schulkinder der Monarchie, »Unser Kaiserpaar«. Es beschreibt den neuen Kaiser, seine Frau und den Sohn beim Begräbnis Franz Josephs. »Hinter dem Sarge schritt, von Kaiser und Kaiserin geführt, ein anmutiges Kind mit blondem Ringelhaar, das kurz vorher Abschied genommen hatte vom toten Großonkel.«

Am 18. April besuchen Elisabeth und Emmy »Hamlet« im Burgtheater, der unwahrscheinlich gutaussehende Alexander Moissi spielt die Titelrolle. »Der größte Eindruck meines Lebens«, schreibt Elisabeth in ihr grünes Notizbuch. Emmy ist achtunddreißig und im zweiten Monat schwanger.

In diesem Frühling gibt es gute Nachrichten für die Familie. Emmys jüngere Schwestern verloben sich. Gerty, siebenundzwanzig, wird Tibor heiraten, einen ungarischen Aristokraten mit dem Familiennamen Thuróczy de Alsó-Körösteg et Turócz-Szent-Mihály. Eva, fünfundzwanzig, wird Jenö heiraten, der einen weniger imposanten Namen trägt: Baron Weiß von Weiß und Horstenstein.

Im Juni herrscht eine Streikwelle. Die Mehlration beträgt bloß noch fünfunddreißig Gramm pro Tag, eine Kaffeetasse voll. Zahlreiche Brottransporte werden von Frauen und Kindern belagert. Ab Juli gibt es keine Milch mehr. Nur noch stillende Mütter und chronisch Kranke erhalten welche, aber auch für sie ist es schwierig. Viele Wiener können nur überleben, weil sie auf den Feldern vor der Stadt nach Kartoffeln graben. In der Regierung debattiert man über Rucksäcke. Sollen Stadtbewohner sie tragen dürfen? Und falls ja, soll man sie an den Bahnstationen durchsuchen?

Im Hof gibt es Ratten. Keine Elfenbeinratten mit Bernsteinaugen.

Es finden auch immer mehr Demonstrationen gegen die Juden statt. Am 16. Juni tritt in Wien eine »Deutsche Volksversammlung« zusammen, die dem deutschen Kaiser Treue schwört und das Ziel einer alldeutschen Vereinigung bekräftigt. Ein Redner hat eine Lösung für die Probleme: Ein Pogrom soll die Wunden des Staates heilen.

Am 18. Juni ersucht ein hoher Polizeibeamter Viktor um Erlaubnis, im Hof des Palais, wo das Auto nutzlos herumsteht – Benzin ist keines zu haben –, Männer stationieren zu dürfen. Die Polizei kann auf diese Weise in Bereitschaft stehen, falls Unruhen drohen, aber außer Sichtweite bleiben. Viktor erteilt sein Einverständnis.

Die Desertionen nehmen um ein Vielfaches zu. Mehr Mitglieder der k. u. k. Armee ergeben sich, als kämpfen wollen; 2,2 Millionen Soldaten werden gefangen genommen, siebzehnmal mehr als britische Kriegsgefangene.

Am 28. Juni erhält Elisabeth ihr Jahreszeugnis vom Schottengymnasium. Sieben »Sehr gut« in Religion, Deutsch, Latein, Griechisch, Geographie und Geschichte, Philosophie, Physik, ein »Gut« in Mathematik. Am 2. Juli nimmt sie ihr Maturazeugnis entgegen, die Stempelmarke zeigt den Kopf des alten Kaisers. Das gedruckte Wort »er« ist durchgestrichen und durch ein mit blauer Tinte geschriebenes »sie« ersetzt worden. Es ist heiß. Emmy ist im fünften Monat, der Sommer liegt noch vor ihr. Ein Baby wird geliebt und gehegt werden, natürlich – aber was für Umstände!

August in Kövecses. Für die Gartenarbeit stehen nur zwei alte Männer zur Verfügung, die Rosen an der langen Veranda wirken vernachlässigt. Am 22. September hören Gisela, Elisabeth und Tante Gerty in der Oper»Fidelio«. Am 25. sehen sie »Hildebrand« im Burgtheater, und Elisabeth registriert einen Erzherzog im Publikum. Brasilien erklärt Österreich den Krieg. Am 18. Oktober übernehmen die Tschechen in Prag die Macht, setzen die Habsburger ab und erklären ihre Unabhängigkeit. Am 29. Oktober ersucht Österreich Italien um einen Waffenstillstand. Am 2. November um zehn Uhr abends heißt es, gewalttätige italienische Kriegsgefangene seien aus einem Internierungslager bei Wien ausgebrochen und in die Stadt eingedrungen. Um Viertel nach zehn werden die Nachrichten immer präziser: Es seien 10 000 oder 13 000, russische Kriegsgefangene hätten sich ihnen angeschlossen. In den Kaffeehäusern an der Ringstraße erscheinen Boten und fordern Offiziere auf, sich im Polizeihauptquartier zu melden. Viele tun das. Zwei Offiziere rufen den Besuchern zu, die eben die Oper verlassen, sie sollten heimgehen und ihre Türen verriegeln. Um elf Uhr berät sich der Polizeipräsident mit Militärs über die Verteidigung Wiens. Um Mitternacht verkündet der Innenminister, die Berichte seien stark übertrieben gewesen. Beim Morgengrauen gibt man zu, es habe sich nur um ein Gerücht gehandelt.

Am 3. November wird die österreichisch-ungarische Monarchie aufgelöst. Am nächsten Tag unterzeichnet Österreich einen Waffenstillstand mit den Alliierten. Elisabeth geht ins Burgtheater und sieht »Antigone« mit dem Cousin Fritz von Lieben. Am 9. November dankt Kaiser Wilhelm ab. Am 12. November flüchtet Kaiser Karl in die Schweiz, Österreich wird Republik. Vor dem Palais drängen sich den ganzen Tag die Massen, viele tragen rote Fahnen, sie strömen zum Parlament.

Am 19. November bringt Emmy einen Sohn zur Welt.

Er ist blond und blauäugig und erhält den Namen Rudolf Josef. Man kann sich kaum einen wehmütigeren Namen für einen Buben vorstellen, jetzt, wo die Habsburgermonarchie zusammenbricht.

Es ist alles sehr, sehr schwierig. Eine Grippewelle tobt, Milch ist nicht zu bekommen. Emmy ist krank: Seit Iggies Geburt sind zwölf Jahre vergangen, achtzehn seit der Geburt ihres ersten Kindes. Im Krieg schwanger zu sein ist nicht einfach. Viktor ist achtundfünfzig und konsterniert über seine neuerliche Vaterschaft. Neben der Überraschung über die Geburt des Kleinen und all den Schwierigkeiten – und die sind mannigfaltig – macht es Elisabeth sehr zu schaffen, dass die meisten denken, das Kind sei ihres. Immerhin ist sie achtzehn, ihre Mutter und Großmutter haben beide früh Kinder bekommen. Gerüchte gehen um. Die Ephrussi bewahren Haltung.

In dem kurzen Erinnerungstext schreibt sie über damals: »Ich kann mich an wenig Einzelheiten erinnern, nur an unsere große Angst und Furcht.«

Aber »inzwischen«, fügt sie in einer letzten, triumphierenden Zeile hinzu, »hatte ich an der Universität inskribiert«. Sie war entkommen. Sie hatte es von der einen Seite der Ringstraße auf die andere geschafft.

## 21.

# »Buchstäblich gleich Null«

1918 herrschte in Wien ein besonders kalter Winter; im weißen Porzellanofen in der Ecke des Salons brannte das einzige Feuer, das Tag und Nacht genährt werden konnte. Überall sonst – im Esszimmer, in der Bibliothek, den Schlafzimmern und im Ankleidezimmer mit den Netsuke – war es bitterkalt. Azetylenlampen verbreiteten einen widerlichen Gestank. In diesem Winter gingen die Wiener in den Wienerwald, um Brennholz zu sammeln. Rudolf war kaum vierzehn Tage alt, als die *Neue Freie Presse* berichtete, nur ein schwacher Schimmer Licht sei hinter manchen Fenstern zu sehen. Die Stadt liege im Dunkel. Das beinahe Undenkbare war eingetreten: Es gab keinen Kaffee, nur eine namenlose Mischung, die nach Fleischextrakt und Lakritze schmeckte. Tee, natürlich ohne Milch und Zitrone, sei ein wenig besser, wenn man sich an den ständigen Blechgeschmack gewöhnen könne. Viktor weigerte sich, ihn zu trinken.

Versuche ich mir das Familienleben in den Wochen nach der Niederlage vorzustellen, dann sehe ich Papierfetzen auf den Straßen treiben. Wien war immer so proper gewesen. Nun war es voller Plakate und Wandanschläge, Broschüren und Demonstrationen. Iggie erinnerte sich, wie er einmal die Papierumhüllung einer Eistüte auf den Kiesweg im Prater fallen gelassen hatte und daraufhin von der Nanny gerügt und von Männern mit Epauletten zusammengestaucht worden war. Jetzt kämpfte er sich auf dem Weg zur Schule durch den Abfall der bedrohlich zuckenden, lärmenden Stadt. An die Litfaßsäulen klebten die aufgebrachten Wiener neuerdings Briefe an die »christlichen Einwohner Wiens«, an die »Mitbürger«, an die »Brüder und Schwestern im Kampfe«. Und diese Papierschichten wurden dann wieder heruntergerissen und durch neue ersetzt. Wien war argwöhnisch und laut geworden.

Emmy und ihr Neugeborenes hatten in den ersten Wochen sehr zu kämpfen; sie und Rudolf wurden immer schwächer. Der englische Ökonom William Beveridge, der Wien sechs Wochen nach der Niederlage besuchte, schrieb:»Mütter unternehmen heldenhafte Anstrengungen und stillen ihre Kinder, um sie ein Jahr lang am Leben zu halten, aber das geht jetzt nur auf Kosten ihrer eigenen Gesundheit, und oft geschieht es vergeblich.« Man überlegte, Emmy und Rudolf aus der Stadt nach Kövecses zu bringen, auch Gisela und Iggie sollten dorthin, aber es war kein Benzin für das Auto zu bekommen und bei den Eisenbahnen herrschte Chaos. Also blieben sie im Palais, in den etwas ruhigeren Räumen abseits der Ringstraße.

Zu Kriegsbeginn hatte sich das Haus sehr exponiert angefühlt, ein vom öffentlichen Raum umschlossenes Privathaus. Nun schien der Frieden erschreckender als der Krieg: Es war unklar, wer wen bekämpfte, ob es eine Revolution geben würde oder nicht. Demobilisierte Soldaten und Kriegsgefangene kamen mit Berichten von der Revolution in Russland und von den Arbeiterprotesten in Berlin nach Wien zurück. Nachts wurde immer wieder wahllos geschossen. Die neue österreichische Flagge war rot-weiß-rot; zweimal durchgerissen, einmal zusammengenäht, und die jungen Hitzköpfe hatten eine rote Fahne.

Aus jedem Winkel der alten Monarchie kamen Beamte ohne Land nach Wien und erkannten dort, dass ganze kaiserliche Ministerien, an die sie ihre gewissenhaften Berichte übermittelt hatten, nicht mehr existierten. Auf den Straßen sah man viele»Zitterer« – Männer, die an Schützengrabenneurose litten und am ganzen Körper bebten, dazu Amputierte mit an die Brust gehefteten Auszeichnungen. Hauptmänner und Majore verkauften Holzspielsachen. Unterdessen fanden Bündel der monogrammbestickten kaiserlichen Wäsche ihren Weg in bürgerliche Haushalte; kaiserliche Sättel und Pferdegeschirre waren auf den Märkten zu haben, und angeblich waren Sicherheitswachebeamte in die Keller der Hofburg vorgedrungen und tranken sich nun durch die Weinkeller der Habsburger.

Wien mit seinen knapp zwei Millionen Einwohnern war aus der Metropole eines Reichs mit zweiundfünfzig Millionen zur Hauptstadt eines winzigen Landes mit sechs Millionen Menschen mutiert; es konnte den Umsturz einfach nicht verkraften. Man diskutierte, ob Österreich als unabhängiger Staat überhaupt lebensfähig sei. Lebensfähigkeit hatte nicht nur mit der Wirtschaft zu tun, es war auch eine psychologische Frage. Österreich schien mit seinem Verlust nicht umgehen zu können. Der harte »punische Friede«, den man mit dem Vertrag von Saint-Germain-en-Laye 1919 geschlossen hatte, bedeutete die Zerstückelung der Monarchie. Er sanktionierte die Unabhängigkeit Ungarns, der Tschechoslowakei, Polens und des SHS-Staates, des Staates der Slowenen, Kroaten und Serben. Istrien war verloren. Triest war verloren. Etliche dalmatinische Inseln waren abgeschnitten; aus Österreich-Ungarn wurde Österreich, ein achthundert Kilometer langes Land. Harte Reparationsbestimmungen waren erlassen worden. Die Armee wurde als 30 000 Mann starkes Freiwilligenheer wiedererrichtet. Wien, so ging der bittere Scherz, war der »Wasserkopf« eines eingeschrumpelten Körpers.

Vieles änderte sich, darunter Namen und Adressen. Der Zeitgeist schaffte alle Adelstitel ab – es gab kein »von« mehr, keine Ritter, Barone, Grafen, Fürsten, Herzöge. Jeder Postbeamte, jeder Eisenbahner hatte seinem Namen ein k. k. voranstellen können, damit war es jetzt vorbei. Aber da dies Österreich war, ein sehr titelverliebtes Land, wucherte eben eine Unzahl anderer Titel. Man konnte ein Habenichts sein, legte aber Wert darauf, als Dozent, Professor, Hofrat, Schulrat, Direktor angesprochen zu werden. Oder als Frau Dozent, Frau Professor.

Auch die Straßen hießen nun anders. Die Familie von Ephrussi wohnte nicht mehr am Franzensring 24, Wien I, benannt nach dem Habsburger Kaiser; die Familie Ephrussi wohnte am Ring des Zwölften November 24, benannt nach dem Tag der Befreiung von den Habsburger-Kaisern. Emmy beschwerte sich, dieses Umbenennen sei ziemlich französisch, sie würden noch in der Rue de la République landen.

Alles war möglich. Die Krone hatte so sehr an Wert verloren, dass es Spekulationen gab, die neue Regierung werde eventuell die kaiserlichen Kunstsammlungen verkaufen, um Lebensmittel für die hungernde Wiener Bevölkerung zu beschaffen. Schönbrunn, so hieß es, solle an ein fremdes Konsortium verkauft und in eine Spielhölle umgewandelt werden. Die Botanischen Gärten sollten umgepflügt werden und als Baugrund für Wohnhäuser dienen. Mit dem Zusammenbruch der Wirtschaft begannen »großmäulige Leute aus allen Teilen der Welt herbeizuströmen, um Banken, Fabriken, Schmuck, Teppiche, Kunstwerke oder Grundstücke zu kaufen, und die Juden waren dabei nicht die letzten. Ausländische Kredithaie, Schwindler und Fälscher strömten nach Wien und die Läuseplage kam mit ihnen.« Das ist der Hintergrund für den Film »Die freudlose Gasse«. Licht aus Autoscheinwerfern streicht über die Schlange, die sich nachts vor einem Fleischhauergeschäft gebildet hat. »Manche haben die ganze Nacht gewartet und werden dann mit leeren Händen weggeschickt.« Ein hakennasiger »internationaler Spekulant« plant, die Aktien einer Bergbaugesellschaft wertlos zu machen, während ein verwitweter Beamter (gab es ein bedauernswerteres wienerisches Stereotyp?) sich seine Pension auszahlen lässt, um Aktien zu kaufen, und alles verliert. Seine Tochter, gespielt von Greta Garbo, umschattete Augen, schwach vor Hunger, ist gezwungen, in einem Nachtclub zu arbeiten. Die Rettung kommt von einem hübschen Herrn vom Roten Kreuz, ein Gentleman und Lieferant von Konservendosen.

Der Antisemitismus gewann in diesen Jahren in Wien zunehmend an Boden. Bei lautstarken Demonstrationen wurde gegen die »Pest des Ostjudentums« gehetzt, doch Iggie erinnerte sich, dass sie darüber gelacht hatten, ebenso wie über die Massenaufmärsche der Jugendgruppen in ihren protzigen Uniformen und über die Österreicher in ihren Trachten, ihren Dirndln und Lederhosen. Es gab viele solcher Umzüge.

Besonders bedrohlich wirkten die Krawalle auf den Stufen der Universität zwischen den wiedererstandenen alldeutschen Burschenschaften und den jüdischen und sozialistischen Studenten. Iggie erinnerte sich an das zornbleiche Gesicht seines Vaters, wenn Gisela und er dabei erwischt wurden, wie sie diese blutigen Schlägereien vom Salonfenster aus beobachteten. »Sie dürfen nicht sehen, dass ihr zuschaut!«, brüllte er, der Mann, der nie die Stimme erhob.

Mit dem Kampfruf »Haltet die österreichischen Alpen judenrein!« wurden Juden aus dem Deutsch-österreichischen Alpenverein ausgeschlossen. Alpenvereinsmitglieder hatten Zutritt zu Hunderten Berghütten, wo sie übernachten und auf Spirituskochern Kaffee zubereiten konnten.

Wie viele ihrer Altersgenossen gingen Iggie und Gisela im Frühsommer in die Berge. Sie fuhren mit dem Zug nach Gmunden und zogen dann los, jeder mit einem Rucksack, einem Wanderstock und einem Schlafsack, Schokolade und ein bisschen Kaffee und Zucker, in braunes Papier eingeschlagen; Milch, harte Semmeln und eine Schnitte gelben Käse bekam man bei den Bauern. Es war aufregend, aus der Stadt fortzukommen. Einmal, erzählte mir Iggie, waren wir mit einer Freundin Giselas unterwegs und wurden hoch oben in den Bergen von der Dämmerung überrascht. Es war schon kalt, aber da war eine Hütte, um den Ofen saßen Studenten, es ging munter zu. Sie fragten nach unseren Ausweisen, und dann befahlen sie uns zu verschwinden, Juden würden die Bergluft verpesten.

Das machte nichts, sagte Iggie, etwas weiter unten haben wir eine Almhütte gefunden, aber unsere Freundin Franzi hatte einen Vereinsausweis und konnte in der Hütte bleiben. Wir haben nie darüber geredet.

Es war durchaus möglich, nicht über Antisemitismus zu sprechen; nichts davon zu hören, das ging nicht. Es gab keinen politischen Konsens darüber, was ein Politiker in Wien sagen durfte und was nicht. Der Romancier und Provokateur Hugo Bettauer machte die Probe aufs Exempel, als er 1922 »Die Stadt ohne Juden« herausbrachte, einen »Roman über den Tag nach morgen«. Darin erzählt er die Geschichte eines von Nachkriegsarmut und dem Aufstieg eines Demagogen – ein Lueger-Doppelgänger namens Dr. Karl Schwertfeger – geprägten Wien, der die Bevölkerung auf simple Weise eint: »Sehen wir dieses kleine Österreich von heute an. Wer hat die Presse und damit die öffentliche Meinung in der Hand? Der Jude! Wer hat seit dem unheilvollen Jahre 1914 Milliarden auf Milliarden gehäuft? Der Jude! Wer kontrolliert den ungeheuren Banknotenumlauf, sitzt an den leitenden Stellen in den Großbanken, wer steht an der Spitze fast sämtlicher Industrien? Der Jude! Wer besitzt unsere Theater? Der Jude!« Bundeskanzler Schwertfeger hat eine einfache Lösung: Österreich wird die Juden hinauswerfen. Alle, darunter auch die Kinder aus Mischehen, werden systematisch in Zügen abtransportiert. Will ein Jude heimlich in Wien bleiben, riskiert er die Todesstrafe.

»Um ein Uhr mittags verkündeten Sirenentöne, daß der letzte Zug mit Juden Wien verlassen, um sechs Uhr abends läuteten sämtliche Kirchenglocken zum Zeichen, daß in ganz Österreich kein Jude mehr weilte.«

Der Roman mit seinen schaurigen Beschreibungen vom schmerzlichen Auseinanderbrechen der Familien, von verzweifelten Szenen am Bahnhof, während plombierte Waggons die Juden wegschaffen, schildert den Abstieg Wiens zu einer trübseligen, hinterwäldlerischen Stadt, nachdem die Juden, das belebende Element, verschwunden sind. Theater, Zeitungen, Klatsch, Mode, Finanzleben liegen darnieder, bis Wien die Juden schließlich wieder zurückholt.

1925 wurde Bettauer von einem jungen Nationalsozialisten ermordet. Dessen Verteidiger beim Prozess war der Gründer der österreichischen Nationalsozialisten, was der Partei in der tief gespaltenen politischen Landschaft einiges Prestige verlieh. In diesem Sommer drangen achtzig junge Nazis in ein überfülltes Restaurant ein und brüllten: »Juden hinaus!«

Zur tristen Stimmung jener Jahre trugen die Auswirkungen der Inflation bei. Wenn man frühmorgens am Gebäude der Österreichisch-ungarischen Bank in der Bankgasse vorbeigehe, so hieß es, höre man die Druckerpressen rattern, die immer neues Geld druckten. Banknoten wurden ausgegeben, auf denen die Farbe noch feucht war. Manche Bankiers waren der Ansicht, man solle die Währung völlig umkrempeln und ganz von vorne beginnen. Die Rede ging vom Schilling.

»Ein ganzer Winter von Banknoten und Nullen schneit vom Himmel. Hunderttausende, Millionen, aber jede Flocke, jeder Tausender schmilzt dir in der Hand«, schrieb der Wiener Romancier Stefan Zweig in seinem Romanfragment »Rausch der Verwandlung« über das Jahr

1919. »Während man schläft, schmilzt das Geld, es fliegt fort, während man die zerrissenen, holzbestöckelten Schuhe wechselt, um ein zweites Mal zum Verkaufsstand zu rennen, ist es zerblättert; immer ist man unterwegs, doch immer schon zu spät. Das Leben wird Mathematik, Addieren, Multiplizieren, ein toller, wirbeliger Kreis von Ziffern und Zahlen, und dieser Quirl reißt die letzten Habseligkeiten in sein schwarzes, unersättliches Nichts ...«

Viktor schaute in sein ganz persönliches Nichts: Im Safe im Büro abseits der Schottengasse lagen Stapel von Ordnern mit Dokumenten, Anleihen und Aktienzertifikaten. Sie waren wertlos. Dem Bürger eines besiegten Staates waren seine Vermögenswerte in London und Paris, die über vierzig Jahre aufgebauten Konten, das Geschäftsgebäude in der einen Stadt, die Anteile von Ephrussi et Cie in der anderen nach den Strafbestimmungen der Alliierten konfisziert worden. Im bolschewistischen Flächenbrand war das russische Vermögen – das Gold in St. Petersburg, die Anteile an den Ölfeldern von Baku, den Eisenbahnen und Banken, der Besitz, den Viktor in Odessa noch hielt – in Rauch aufgegangen. Es war nicht nur ein spektakulärer Geldverlust; hier waren gleich mehrere Vermögen verschwunden.

Eine privatere Katastrophe: Am Höhepunkt des Krieges, 1915, war Jules Ephrussi, Charles' älterer Bruder, der Besitzer des Chalets, gestorben. Wegen der Feindseligkeiten hatte er sein gigantisches Vermögen, das seit langem Viktor versprochen war, französischen Verwandten hinterlassen. Keine Empiremöbel mehr. Kein Monet mit Weidenzweigen, die übers Flussufer hängen. »Arme Mama«, schrieb Elisabeth, »all die langen Schweizer Abende vergeblich.«

1914, vor dem Krieg, hatte Viktor ein Vermögen von fünfundzwanzig Millionen Kronen besessen, etliche Häuser in ganz Wien, das Palais Ephrussi, eine Sammlung Alter Meister und ein Jahreseinkommen von etlichen hunderttausend Kronen. Das entspricht heute grob geschätzt mehr als dreihundert Millionen Euro. Nun brachten sogar die zwei Etagen im Palais, die er für 50000 Kronen vermietete, kein zusätzliches Einkommen. Sein Entschluss, sein Geld in Österreich zu belassen, hatte sich als fatal herausgestellt. Der frischgebackene patriotische Österreicher hatte bis Ende 1917 massiv Kriegs-anleihen gezeichnet. Auch sie waren wertlos.

In Krisensitzungen am 6. und 8. März 1921 mit seinem alten Freund, dem Financier Rudolf Gutmann, gab Viktor den Ernst der Lage zu. Die Firma genieße, schrieb Gutmann am 4. April an einen deutschen Ban-kier, einen Herrn Schlieper, »in Wien und insbesondere auf der Börse den besten Ruf«. Das Bankhaus Ephrussi war immer noch lebensfä-hig, seine Stellung auf dem Balkan machte es zudem zu einem wich-tigen Geschäftspartner. Die Gutmanns übernahmen einen Teil der Bank und brachten fünfundzwanzig Millionen Kronen ein, die Berli-ner Bank (eine Vorläuferin der Deutschen Bank) fünfundsiebzig Mil-lionen. Viktor gehörte nun nur mehr die Hälfte der Familienbank.

In den Archiven der Deutschen Bank finden sich viele Aktenordner mit Dokumenten, ein penibles Hin und Her über Prozentsätze, Pro-tokolle der Besprechungen mit Viktor, Abkommen. Durch die Papp-deckel kann man immer noch die leisen Schwingungen von Viktors Stimme hören, im Diminuendo der Konsonanten seine Erschöpfung spüren. Das Geschäft sei »buchstäblich gleich Null«.

Dieses Gefühl von Verlust, von der Schuld, eine Erbschaft nicht be-wahrt zu haben, setzte Viktor sehr zu. Er war der Erbe: Es war sein Vermächtnis, und er hatte es verloren. Jeder Teil seines Lebens war stillgelegt – sein Leben in Odessa, St. Petersburg, Paris und London war zu Ende und nur Wien war geblieben, das Wasserkopf-Palais an der Ringstraße.

Emmy, die Kinder und der kleine Rudolf nagten nicht unbedingt am Hungertuch. Man musste nichts verkaufen, um sich Essen oder Heizmaterial leisten zu können. Aber was sie besaßen, das war nun alles in dem riesigen Haus. Die Netsuke lagen immer noch in ihrer Lackvitrine im Ankleidezimmer, wurden immer noch von Anna abge-staubt, wenn sie ins Zimmer kam, um die Blumen auf Emmys Anklei-detisch zu arrangieren. An den Wänden hingen noch die Gobelins, die holländischen Alten Meister. Die französischen Möbel wurden poliert, die Uhren aufgezogen, die Kerzendochte geschneuzt. Das Sèvres stand noch im Porzellanschrank neben dem Silberzimmer gestapelt, Service um Service auf leinenbedeckten Regalen. Das goldene Speiseservice mit dem doppelten E und dem stolzen kleinen Boot mit den geblähten Segeln war noch im Safe. Im Hof stand das Auto. Aber das Leben der Dinge im Palais war weniger mobil. Die Welt hatte einen Umsturz erlebt, und das führte zu einer Art Schwere in den Objekten, die das Leben prägten. Man musste die Sachen nun bewahren, sogar hegen, während sie vorher nur ein Hintergrund gewesen waren, ein vergoldeter, lackierter Schemen hinter einem regen Gesellschaftsleben. Das Ungezählte, Ungemessene wurde endlich sehr genau abgezählt.

Alles verlor an Substanz; die Dinge waren ehedem so viel besser, so viel vollständiger gewesen. Vielleicht zeigten sich damals die ersten Anzeichen von Nostalgie. Allmählich denke ich, Dinge zu besitzen und dann zu verlieren sei kein ganz exakter Gegensatz. Man behält eine silberne Schnupftabaksdose, ein Andenken daran, dass man vor einer Generation einmal als Sekundant in einem Duell zur Verfügung stand. Man behält das Armband, das einem ein Liebhaber schenkte. Viktor und Emmy behielten alles – all die Besitztümer, die Schubladen voller Sachen, die Wände voller Bilder –, doch das Gefühl einer Zukunft, in der vieles möglich war, hatten sie verloren. Das war ihre Beeinträchtigung.

Wien ist klebrig vor Nostalgie. Sie ist nun durch die schwere Eichentür ihres Hauses eingesickert.

## 22.

# Du musst dein Leben ändern

Elisabeths erstes Studiensemester verlief chaotisch. Die finanzielle Lage der Wiener Universität war so kritisch geworden, dass man an Österreich im Allgemeinen und die Stadt im Besonderen appellierte, zu helfen. Falls nicht sofort Hilfe komme, werde die Universität unweigerlich auf das Niveau einer kleinen Hochschule absinken, hieß es. Die Professoren arbeiteten für Hungerlöhne, die Bibliothek sei unbenützbar. Das Jahreseinkommen eines Professors, kommentierte ein Gastprofessor, reiche nicht, um einen Anzug und Unterwäsche für sich selbst und Kleider für Frau und Kind zu kaufen. Im Januar 1919 wurden Vorlesungen abgesagt, weil nicht genug Heizmaterial für die Vorlesungssäle zur Verfügung stand. Das Klima unter den Studenten wiederum wurde zunehmend hitziger. Trotzdem, auch wenn es pervers klingen mag: Es war eine phantastische Zeit, um zu studieren. In der österreichischen – oder Wiener – Schule der Nationalökonomie, in Theoretischer Physik und Philosophie, Jus, Geschichte und Kunstgeschichte stand außerordentliche wissenschaftliche Qualität neben erbitterter Rivalität.

Elisabeth hatte sich entschlossen, Philosophie, Rechtswissenschaften und Wirtschaft zu studieren. In gewisser Hinsicht war das eine sehr jüdische Wahl: In allen drei Fächern waren Juden stark vertreten. Ein Drittel des Lehrpersonals an der Juridischen Fakultät waren Juden. Ein Anwalt, ein Advokat in Wien, das war ein Intellektueller. Und das war sie, eine unscheinbare, grimmige, zielbewusste, achtzehnjährige Intellektuelle in weißer Crêpe-de-Chine-Bluse mit schwarzer Schleife. Es war eine Möglichkeit, einen Trennungsstrich zwischen sich und der emotionalen Sprunghaftigkeit ihrer Mutter zu ziehen. Und zum langsam wieder erwachenden häuslichen Leben im Palais, zum Kinderzimmer, dem kleinen Schreihals, ihrem Bruder, dem ganzen Getue.

Elisabeth hatte sich für ein Studium unter dem gefürchteten Ökonomen Ludwig von Mises entschieden, an der Universität »der Liberale« genannt. Der junge Wirtschaftswissenschaftler war dabei, sich einen Ruf zu erwerben; er hatte sich vorgenommen zu beweisen, dass ein sozialistischer Staat nicht funktionieren könne. Mochten sich auch Kommunisten auf den Wiener Straßen tummeln, Mises wollte die ökonomischen Argumente finden, sie zu widerlegen. In seinem Privatissimum trugen ausgewählte Studenten ihre Arbeiten vor. Am 26. November 1918, eine Woche nach Rudolfs Geburt, hielt Elisabeth ihr erstes Referat über »Carvers Zinstheorie«. Die Studenten von Mises erinnerten sich an die tiefschürfenden Untersuchungen in diesen Seminaren, aus denen eine berühmte Schule der freien Marktwirtschaft hervorging. Ich besitze Elisabeths Seminararbeiten über »Inflation und Geldknappheit« (15 Seiten kleine Kursivschrift), über »Kapital« (32) und über »John Henry Newman« (38 Seiten).

Elisabeths Leidenschaft aber gehörte der Poesie. Sie schickte ihre Gedichte an ihre Großmutter und an ihre Freundin Fanny Löwenstein-Scharffeneck, die damals in einer Galerie für moderne Kunst arbeitete, wo auch die Bilder Egon Schieles zum Verkauf standen.

Elisabeth und Fanny liebten die lyrische Poesie des Rainer Maria Rilke. Sie erfüllte sie ganz: Die jungen Frauen kannten die beiden Bände seiner »Neuen Gedichte« auswendig und warteten ungeduldig auf eine neue Veröffentlichung: Sein Schweigen schien unerträglich. Rilke war Rodins Sekretär in Paris gewesen; ihm zu Ehren waren die Mädchen nach dem Krieg mit Rilkes Buch über den Bildhauer ins Musée Rodin gepilgert. Elisabeth hielt ihre Begeisterung in hingekritzelten Ausrufezeichen in der Randspalte fest.

Rilke war der große radikale Dichter von damals. In seinen »Dinggedichten« verband er Direktheit des Ausdrucks mit intensiver Sinnlichkeit. »Das Ding ist bestimmt, das Kunst-Ding muss noch bestimmter sein, von allem Zufall fortgenommen, jeder Unklarheit entrückt …«, schrieb er. Seine Gedichte sind voller Epiphanien, jenen Augenblicken, in denen die Dinge Leben gewinnen – die erste Bewegung einer Tänzerin als Aufflammen eines Schwefelzündholzes. Oder von Momenten, in denen das Sommerwetter umschlägt, ein Stimmungswandel, als sähe man jemanden zum ersten Mal. Und sie künden von Gefahr; »jede Kunst ist das Ergebnis einer Gefahr, in der man war, einer bis zum Ende durchgestandenen Erfahrung, dort wo es nicht weiterging«. Das bedeutet es, ein Künstler zu sein, sagt er, und es stockt einem der Atem. Man schwebt am Rand des Lebens, wie ein Schwan, vor »seinem ängstlichen Sich-Niederlassen in die Wasser, die ihn sanft empfangen«.

»Du mußt dein Leben ändern«, schrieb Rilke in seinem Gedicht über den »Archaischen Torso Apollos«. Konnte es eine aufregendere Anweisung geben?

Erst nach Elisabeths Tod im Alter von zweiundneunzig Jahren realisierte ich, wie wichtig Rilke für sie gewesen war. Ich wusste, dass es einige Briefe gab, aber das war ein Gerücht, ein gedämpfter Trommelwirbel, der von ferner Herrlichkeit kündete. Als ich an einem Winternachmittag im Innenhof des Palais Ephrussi vor der Statue des Apollo mit seiner Leier stand und mir stockend Rilkes Gedicht in Erinnerung zu rufen versuchte, während der Marmor wie »Raubtierfelle« flimmerte, wusste ich, dass ich sie finden musste.

Elisabeth war Rilke von ihrem Onkel vorgestellt worden. Pips war Rilke behilflich gewesen, als der in Deutschland vom Kriegsausbruch überrascht worden war. Nun lud er ihn nach Kövecses ein: »Sollten Sie Ihren jetzigen Wohnsitz dauernd oder vorübergehend aufgeben wollen, dann bitte ich Sie allen Ernstes daran zu denken, daß dieses Haus hier jederzeit Ihnen offen steht und daß Sie uns Allen eine herzliche Freude bereiten, wenn Sie sich ›sans cérémonie‹ hier ansagten.« Pips bat, ob seine Lieblingsnichte Rilke einige Gedichte schicken dürfe. Im Sommer 1921 schrieb Elisabeth überaus aufgeregt an Rilke, legte »Michelangelo« bei, ein Versdrama, und fragte, ob sie es ihm widmen dürfe. Es folgte eine lange Pause bis zum Frühjahr – Rilke vollendete damals eben die »Duineser Elegien« –, dann aber schrieb er einen fünfseitigen Brief, und damit begann ein Briefwechsel zwischen der zwanzigjährigen Studentin in Wien und dem fünfzigjährigen Dichter in der Schweiz.

*Dr. Elisabeth Ephrussi,*
*Dichterin und Anwältin, 1922*

Zunächst kam eine Absage. Er wollte keine Widmung. Die beste Widmung sei es, das Gedicht zu veröffentlichen: »… ich würde gerne diese Pathenschaft bei Ihrem Erstling annehmen, wenn Sie, sie auszusprechen, eine Form fänden, die mich nicht namentlich anführt.« »Aber«, fährt der Brief fort, »ich wäre interessiert zu sehen, was Sie schreiben.« Sie schrieben einander in den nächsten fünf Jahren.

Zwölf sehr lange Briefe Rilkes, sechzig Seiten, untermischt mit handschriftlichen Abschriften seiner neuesten Gedichte und Übersetzungen, viele Bände seiner Verse mit herzlichen Widmungen.

Steht man in einer Bibliothek vor Rilkes Gesammelten Werken, meterweise Bände, sind die meisten davon Briefe, und davon wieder die meisten an »all-disappointed ladies«, um John Berrymans eindringliche Wendung zu gebrauchen. Elisabeth war eine junge, poetisch angehauchte Baronesse und deswegen unter seinen vielen Briefpartnerinnen nichts Ungewöhnliches. Aber Rilke war ein großartiger Briefschreiber, und besonders diese Briefe sind wunderbar, mahnend, lyrisch, witzig und teilnahmsvoll, ein Zeugnis für die von ihm so bezeichnete »Schreibfreundschaft«. Sie wurden nie ins Englische übersetzt und sind erst vor kurzem von einer Rilke-Spezialistin in England transkribiert worden. Ich schiebe meine Töpfereien auf die Seite und breite die Fotokopien der Briefe auf dem Tisch aus. Zwei glückliche Wochen verwende ich darauf, mit einer Germanistikstudentin mögliche Übersetzungen der geschmeidigen, rhythmischen Sätze zu erstellen.

Während er das Werk seines Freundes, des französischen Dichters Paul Valéry, übersetzt, schreibt Rilke über dessen »großes Schweigen«, die Jahre, in denen Valéry überhaupt nichts dichtete. Rilke legt die Übersetzung bei, die er eben fertiggestellt hat. Er schreibt über Paris und wie sehr ihn der Tod Prousts berührt habe, wie er sich an seine Jahre in Paris erinnerte, als er Rodins Sekretär war, vom Wunsch, zurückzukehren und noch einmal zu studieren. Ob Elisabeth Proust gelesen habe? Sie solle es tun.

Er ist sehr aufmerksam und geht auf Elisabeths Situation in Wien ein, den Kontrast zwischen ihren Studien an der Universität und ihrer Dichtung: »Wie dem auch sei, liebe Freundin, so wie die Dinge heute stehen, macht es mich für Ihre künstlerischen Leistungen, auf die ich so reinen Werth lege, nicht besorgt …Wenn ich auch gleich nicht begreife, welchen Weltweg Sie sich durch den juridischen Doctor-Grad später zu erschließen gedenken, so ist mir doch eben dieses völlig Kontrastierende Ihrer beider Bethätigungen recht; denn je andersartiger das Intellektuelle, Absichtliche, Willentliche seinem Wesen und seiner Übung nach ist, desto eher schützt es das Inspirative, unvorsehlich Aufkommende, das aus den Tiefen Begeisterte.«

Rilke liest ihre jüngsten Gedichte, »Abend im Januar«, »Römische Nacht« und »König Oedipus«: »schön alle drei, doch neige ich dazu, das Oedipus-Gedicht ... über die gefühlhaften Verse zu stellen«. In dem Gedicht schreibt sie, wie der König seine Stadt verlässt, um ins Exil zu gehen, die Hände über die Augen gelegt, in einen Umhang gehüllt;»Die andern kehrten heim in den Palast / und drinnen löschten alle Lichter aus.« Sie hat genug Zeit mit ihrem Vater und der »Aeneis« verbracht, dass der Begriff Exil starke Emotionen in ihr wachruft.

Wenn Elisabeth nach dem Ende ihres Studiums noch Zeit habe, könne sie Literatur studieren, doch Rilkes Ratschlag lautet,»einfach ins Blau der Hyazinthen zu sehen, ja, ich eile mich, liebe junge Freundin, dies vor allem Ihnen zu empfehlen. Und den Frühling!« Er erteilt ihr detaillierte Ratschläge zu ihren Gedichten und zu Übersetzungen; schließlich:»nicht der ermutigende Gärtner, nicht der pflegende, thut ihnen [den Künsten] noth, sondern der mit Schere und Spaten: der rügende!« Er berichtet, wie er sich fühlt, wenn er ein großes Werk vollendet hat. Man spüre, so schreibt er, eine gefährliche Beschwingtheit, als könne man entschweben.

In diesen Briefen wird er lyrisch:»Ich glaube, es kommt in Wien, wenn nicht der zerrige Wind dazwischenfährt, frühzeitig dazu, daß man den Frühling gewahrt, Städte haben da oft so heimliche Vorgefühle, eine Blässe des Lichts, eine unvermuthete Zartheit der Schatten, ein Glänzen in den Fenstern – ein wenig Verlegenheit dazu, Stadt zu sein ... dann, soweit ichs selber erfahren konnte, nur *Paris* und (in naiver Art) *Moskau* nehmen des Frühlings ganze Natur unmittelbar auf und herein, als ob sie Landschaft wären ...«

Und er schließt:»Leben Sie wohl für dieses Mal: die Wärme und Freundschaft Ihrer Mittheilung hat mir zu Herzen wohl gethan. Möge es Ihnen gut ergehen! Ihr R M Rilke.«

Man stelle sich vor, was es bedeutete, einen solchen Brief zu erhalten. Stelle sich vor, seine ausladende, leicht nach rechts geneigte Handschrift auf den Kuverts aus der Schweiz zu sehen, während die Post ins Frühstückszimmer des Palais gebracht wird, der Vater am einen Ende der Tafel schlägt die beigefarbenen Buchkataloge aus Berlin auf, am anderen Ende beschäftigt Mutter sich mit dem Feuilleton, Bruder und Schwester streiten sich mit gedämpfter Stimme. Stelle sich vor,

man schlitzt den Umschlag auf und sieht, dass einem Rilke eines seiner »Sonette an Orpheus« und die Abschrift eines Valéry-Gedichts geschickt hat. »Es ist mir ganz sonderbar – ein wenig befremdend und
doch ganz beglückend wie ein Märchen ... Ich kann noch nicht ganz
gut begreifen, daß er wirklich mir gehört«, antwortet Elisabeth diesen
Abend am Schreibtisch, den sie ans ringseitige Fenster geschoben hat.
Sie wollten sich treffen. »Und lassen Sie es dann keine ›kurze‹
Stunde sein, sondern eine rechte *durée* ohne ängstliche Zeit-Rech-
nung«, schrieb er, doch in Wien war es nicht möglich, und dann irrte
sich Elisabeth über den Termin einer Begegnung in Paris und musste
abreisen, bevor er ankam. Ich finde ihre Telegramme. Rilke im Hôtel
Lorius in Montreux, 11 H 15 an Mademoiselle Elisabeth Ephrussi, 3 Rue
Rabelais Paris (Réponse Payée), und ihre Antwort vierzig Minuten
später und seine am nächsten Vormittag.

Dann ist er krank und kann nicht reisen; es gibt eine Unterbre-
chung, während Rilke im Sanatorium ist, wo man eine Behandlung
versucht. Dann ein letzter Brief vierzehn Tage vor seinem Tod. Und
später ein Päckchen von Rilkes Witwe in der Schweiz mit Elisabeths
Briefen an ihn, der Briefwechsel wieder vereint in einem Umschlag,
sorgfältig beschriftet und verwahrt in einer Schublade und dann einer
anderen in Elisabeths langem Leben.

Als Geschenk »für meine liebe Nichte Elisabeth« ließ Onkel Pips
»Michelangelo« von einem Schriftkünstler in Berlin auf Pergament
abschreiben und illuminieren, wie ein mittelalterliches Messbuch,
dazu in grünes Steifleinen binden. Es ist ein fernes Echo einer frühen
Ausgabe von Rilkes »Stundenbuch«, wo jede Stanze mit einer karmin-
roten Initiale beginnt. Es ist eines der Bücher, an die mein Vater sich
erinnerte, er stöberte es auf und brachte es mir in mein Atelier. Es liegt
vor mir auf meinem Schreibtisch. Ich schlage es auf, da ist die Inschrift
von Rilke und dann ihr Gedicht. Es ist ziemlich gut, denke ich, dieses Gedicht über einen Bildhauer, der Dinge schafft. Es ist ganz Rilke.

Als sie achtzig war und ich ungefähr vierzehn, begann ich ihr meine
Schuljungengedichte zu schicken und bekam detaillierte Kritiken und
Lektürevorschläge zurück. Ich las ständig Gedichte. Still und leiden-

schaftlich sehnte ich mich nach einem Mädchen in der Buchhandlung, wo ich am Samstag mein Taschengeld für schmale Bände der Faber-Poeten ausgab, und andauernd trug ich Gedichtbände mit mir herum. Elisabeths Kritik war unverblümt. Sie hasste Sentimentalität, »ungenaue Gefühle«. Sie war der Ansicht, es habe keinen Sinn, strenge poetische Strukturen zu verwenden, wenn das Metrum nicht dem Inhalt entspreche. Keine Gutpunkte für meinen Sonettenkranz über das dunkelhaarige Mädchen in der Buchhandlung. Aber am meisten verachtete sie das Ungefähre, das Verwischen des Wirklichen im Rausch des Gefühls.

Nach ihrem Tod erbte ich viele ihrer Gedichtbände. In ihrem persönlichen Katalogsystem trug Rilkes »Stundenbuch« die Nummer 26, sein Buch über Rodin die Nummer 28, Stefan George ist EE Nr. 36, die Gedichtbände ihrer Großmutter Nr. 63 und 64. Ich schicke meinen Vater in eine Universitätsbibliothek, die einige ihrer Bücher besitzt, um nachzusehen, wann sie sie gelesen hat; spät nachts zwinge ich mich zum Aufhören, als ich immer noch Elisabeths Exemplare französischer Literatur nach Anmerkungen am Rand durchblättere, zwölf Bände Proust, frühe Rilke-Ausgaben, Fetzen vergessener Dichter, ein verschollener Brief. Ich denke an Saul Bellows Herzog, der seine Nächte damit verbringt, Banknoten, die er als Lesezeichen verwendet hatte, aus Büchern zu schütteln.

Wenn ich dann etwas aufspüre, wünsche ich, es wäre nicht geschehen. Ich finde eine Übertragung eines Rilke-Gedichts, die sie hinten auf eine Seite eines Schreibtischkalenders geschrieben hat: Sonntag, 6. Juli, schwarz und rot wie ein Messbuch. Ein durchscheinender Enzian markiert eine Seite in Rilkes »Ephemeriden«; die Adresse eines Herrn Pannwitz aus Wien ist in Valérys »Charmes« eingelegt, eine Fotografie des Salons in Kövecses in »Du Côté de chez Swann«. Ich komme mir wie ein Antiquar vor, der einen ausgebleichten Einband prüft, die Anmerkungen notiert, den wahrscheinlichen Marktwert abwägt. Es ist nicht nur ein Übergriff in ihre Lektüre, der sich seltsam und ungehörig anfühlt, sondern auch noch nahe am Klischee. Ich verwandle reale Begegnungen in gepresste Blumen.

Ich erinnere mich, dass Elisabeth wenig Sinn für die Welt der Dinge hatte, Netsuke und Porzellan, ebenso wie sie das Getue nicht mochte, was man morgens anziehen sollte. In ihrer letzten Wohnung gab es eine große Bücherwand und bloß ein schmales weißes Bord, auf dem ein kleiner chinesischer Keramikhund und drei Deckeldosen standen. Dass ich Töpfer wurde, fand sie gut, und sie stellte mir einen großzügigen Scheck aus, als ich meinen ersten Brennofen zu bauen begann, doch es amüsierte sie ein wenig, dass ich zu meinem Lebensunterhalt Dinge herstellen wollte. Was sie wirklich liebte, das war die Poesie, die Dingwelt hart und scharf umrissen, lebendig, lyrisch geworden. Dass ich aus ihren Büchern Fetische machte, hätte sie gehasst.

Im Palais Ephrussi in Wien liegen auf einer Ebene drei Räume. Am einen Ende Elisabeths Zimmer, eine Art Bibliothek, wo sie sitzt, Gedichte, Essays und Briefe an ihre poetische Großmutter Evelina, an Fanny und an Rilke schreibt. Am anderen Viktors Bibliothek. In der Mitte Emmys Ankleidezimmer mit seinem hohen Spiegel und dem Frisiertisch mit dem Strauß Blumen aus Kövecses und der Vitrine mit den Netsuke. Sie wird jetzt seltener geöffnet.

Es sind harte Jahre für Emmy. Sie ist Anfang vierzig, sie hat Kinder, die ihre Zuwendung brauchen, doch sich selbst zurückziehen. Sie alle beunruhigen ihre Mutter auf verschiedene Art und Weise, sie sitzen nicht mehr bei ihr, während sie sich ankleidet, um zu erzählen, was den Tag über vorgefallen ist. Und der kleine Junge im Kinderzimmer macht die Sache noch komplizierter. Sie nimmt die Kinder in die Oper mit, neutrales Gebiet: »Tannhäuser« mit Iggie am 28. Mai 1922, »Tosca« mit Gisela am 21. September 1923, die ganze Familie zur »Fledermaus« im Dezember.

In diesen Jahren gibt es in Wien nicht mehr ganz so viele Anlässe, sich schön anzuziehen. Anna hat deswegen nicht weniger zu tun – eine Zofe ist immer beschäftigt –, aber das Ankleidezimmer ist nicht mehr das Zentrum des Lebens im Haus. Es ist still.

Ich denke an das Zimmer und erinnere mich an Rilkes Wort von der »vibrierenden Stille« wie der eines Glasschranks.

# 23

# Eldorado 5-0050

Die drei älteren Kinder verlassen die Stadt.

Elisabeth, die Dichterin, geht als Erste. 1924 promoviert sie in Jus, als eine der ersten Frauen an der Wiener Universität. Und dann erhält sie ein Rockefeller-Stipendium für Amerika und ist fort.

Sie ist respektgebietend, meine Großmutter, klug und zielbewusst, sie schreibt für eine deutsche Zeitschrift über amerikanische Architektur und Idealismus, sie argumentiert, dass Inbrunst und Leidenschaft der Wolkenkratzer in der zeitgenössischen Philosophie ihre Entsprechung fänden. Nach ihrer Rückkehr zieht sie nach Paris, um Politikwissenschaft zu studieren. Sie hat sich in einen Holländer verliebt, den sie in Wien kennengelernt hat, er ist eben von einer ihrer Verwandten geschieden worden und hat aus dieser Ehe einen kleinen Buben.

Als Nächste geht die schöne Gisela. Sie heiratet einen liebenswürdigen spanischen Bankier aus einer reichen jüdischen Familie, Alfredo Bauer. Die Hochzeit findet in einer Wiener Synagoge statt, was den unfrommen Ephrussi einige Verlegenheit bereitet, sie wissen nicht, wie sie sich verhalten, wo sie stehen oder sitzen sollen. Man gibt ein Fest für das junge Paar, und der Nobelstock im Palais wird für einen repräsentativen Empfang im goldstrotzenden Ballsaal unter Ignaz' triumphalem Deckenbild geöffnet. Gisela ist lässig-stilvoll gekleidet, sie trägt eine lange Jacke und einen um die Hüfte geschlungenen silbernen Gürtel über einem gemusterten Rock, für die Reise ein schwarzweißes Kleid mit einer dunklen Kette. Sie zeigt ein offenes Lächeln, der bärtige Alfredo sieht gut aus. 1925 zieht das Paar nach Madrid.

Dann sendet Elisabeth dem jungen Holländer Hendrik de Waal eine Nachricht: Sie habe gehört, er komme am Freitag nächster Woche nach Paris, ob sie sich treffen könnten? Ihre Telefonnummer sei Gobelius 12-85, falls er anrufen wolle. Henk war groß, hatte leicht schütteres

Haar, er trug wunderschöne Anzüge – grau mit hauchdünnen dunkelgrauen Streifen – und ein Monokel und rauchte russische Zigaretten. Er war in Amsterdam an der Prinsengracht aufgewachsen, als einziger Sohn einer Kaufmannsfamilie, die im Kaffee- und Kakaoimportgeschäft tätig war, weitgereist, spielte Geige, war charmant und sehr witzig. Und er schrieb ebenfalls Gedichte. Ich bin nicht sicher, ob meine Großmutter, die mit siebenundzwanzig ihre Haare in einem strengen Nackenknoten und runde, schwarzgeränderte Brillen trug, passend zu einer Baronesse Doktor Ephrussi, schon einmal von einem solchen Mann umworben worden war. Sie betete ihn an.

Im Archiv der Gesellschaft Adler in Wien finde ich ihre Hochzeitsanzeige. Sie ist recht elegant gestaltet und gibt die Eheschließung von Elisabeth von Ephrussi und Hendrik de Waal bekannt; das heißt, dass sie bereits geheiratet haben. Viktor und Emmys Namen stehen in einer Ecke, die Eltern de Waal in der anderen. Meine Großeltern – der eine niederländisch-reformiert, die andere Jüdin – heirateten in der anglikanischen Kirche in Paris.

Elisabeth und Henk kauften eine Wohnung in Paris, in der Rue Spontini im 16. Arrondissement, und richteten sie im aktuellsten Art-déco-Stil ein, mit Fauteuils und Ruhlmann-Teppichen und aufregend modernen Metalllampen und unwahrscheinlich zarten Glaswaren der Wiener Werkstätte. Sie hingen große Reproduktionen von Van-Gogh-Gemälden auf und beherbergten für kurze Zeit im Wohnzimmer eine Schiele-Landschaft, die sie in Wien in Fannys Galerie gekauft hatten. Ich besitze ein paar Fotos dieser Wohnung; man kann das Vergnügen spüren, mit dem das Paar sie gestaltete, die Freude, neue Sachen zu kaufen statt etwas zu erben. Nichts Vergoldetes, keine »Junge Frau«, keine holländischen Truhen. Und kein einziges Familienporträt.

Solange alles gutging, lebten sie in dieser Wohnung mit Henks Sohn Robert und ihren beiden bald nach der Hochzeit geborenen kleinen Buben: meinem Vater Victor – wie sein Großvater Viktor mit seinem russischen Vatersnamen Tascha gerufen – und meinem Onkel Constant Hendrik, die jeden Tag im Bois de Boulogne spielten. Solange alles gutging, hatte die Familie eine Gouvernante und eine Köchin und ein Mädchen, sogar einen Chauffeur, und Elisabeth schrieb Gedichte und Artikel für *Le Figaro* und feilte an ihrem Holländisch. Bei Regenwetter nahm sie die Buben manchmal in die Galerie Jeu de Paume an den Tuilerien-Gärten mit. Hier in den weitläufigen hellen Räumen sahen sie sich die Manets und Degas und Monets aus der *coll. C. Ephrussi* an, die Fanny und ihr Ehemann Theodore Reinach, der kluge Gelehrte, der in die Familie eingeheiratet hatte, dem Museum zum Gedenken an Charles gestiftet hatten. Noch lebten Verwandte in Paris, aber jene aus Charles' Generation waren nicht mehr da und hatten eine Spur an Wohltaten für ihre Wahlheimat hinterlassen. Die Reinachs hatten die Villa Kerylos, die märchenhafte Neuschöpfung eines griechischen Tempels, dem französischen Staat geschenkt, Großtante Beatrice Ephrussi-Rothschild hatte die rosafarbene Villa in Cap Ferrat der Académie Française hinterlassen. Die Camondos hatten ihre Sammlungen gestiftet, die Cahen d'Anvers ihr Schloss außerhalb von Paris. Siebzig Jahre war es her, seit diese ersten jüdischen Familien ihre Häuser in der goldenen Rue de Monceau errichtet hatten, und nun hatten sie dem großzügigen Land etwas zurückgegeben.

Was die Religion anbelangt, führten meine Großeltern eine interessante Ehe. Henk war in einer strenggläubigen Familie aufgewachsen – in ihren schwarzen Anzügen und Kleidern wirkten sie wie Unglücksraben –, dann aber Mennonit geworden. Elisabeth, die sich ihres Judentums gewiss war, las die christlichen Mystiker und sprach von Übertritt. Keine Zweckkonversion wegen der Ehe oder um sich den Nachbarn anzupassen, keine Konversion zum Katholizismus – ich glaube nicht, dass ein gegenüber der Wiener Votivkirche aufgewachsenes jüdisches Mädchen das getan hätte –, aber zur Church of England. Sie gingen in die anglikanische Kirche in Paris.

Als das Geschäft mit der Anglo-Batavian Trading Company nicht mehr gut lief, verlor Henk viel von seinem eigenen Geld und dem anderer Leute. Unter anderem ging ein Vermögen drauf, das Piz gehörte, der wilden Cousine und Freundin aus Kindertagen, die eine avantgardistische expressionistische Malerin geworden war und in Frankfurt ein Boheme-Leben führte. So viel Geld zu verlieren war ein Albtraum;

das Mädchen und der Chauffeur mussten gehen, die Möbel wurden in Paris eingelagert, und es gab Diskussionen von labyrinthischer Verworrenheit.

Henks mangelnde Begabung in finanziellen Angelegenheiten unterschied sich von der seines Schwiegervaters Viktor. Henk konnte die Zahlen tanzen lassen. Mein Vater erzählte mir, wie er drei Ziffernreihen überflog, eine abzog und mit einem Lächeln ein (richtiges) Ergebnis herbeizauberte. Bloß glaubte er, derselbe Taschenspielertrick funktioniere auch mit echtem Geld. Er dachte, es würde alles wieder in Ordnung kommen, der Markt würde sich bewegen, die Schiffe würden einlaufen, die Vermögen wieder einrasten wie sein flaches, chagrinlederüberzogenes Zigarettenetui. Er täuschte sich einfach über seine Fähigkeiten. Und mir wird klar, dass Viktor nie geglaubt hat, er habe die Kontrolle über all die Zahlenreihen. Sehr spät mache ich mir Gedanken darüber, wie es für Elisabeth gewesen sein mag, als sie erkannte, dass sie einen Mann geheiratet hatte, der mit Geld beinahe so schlecht umgehen konnte wie ihr Vater.

Iggie maturierte im Schottengymnasium und war der Dritte, der das Haus verließ. Ich habe das Foto von seiner Matura und kann ihn zuerst nicht ausmachen, bis ich schließlich in der hinteren Reihe einen ziemlich korpulenten Jüngling im Zweireiher entdecke. Er sieht aus wie ein Börsenmakler. Fliege und Stecktuch, ein junger Mann, der übt, Haltung anzunehmen, überzeugend auszusehen. Sollte man zum Beispiel eine Hand in die Tasche stecken? Oder sind beide Hände in den Taschen besser? Oder sogar, das wirkt am rührendsten, eine Hand in der Weste, die Pose eines *clubman*?

Zur Feier des Schulabschlusses unternahm er mit seinen Kindheitsfreunden, den Gutmanns, eine Autotour von Wien nach Paris, auf der weiten Route über Norditalien und die Riviera. Sie fuhren in einem Hispano-Suiza, einem elefantenhaft riesigen, märchenhaft luxuriösen Wagen. Auf einem kalten Pass irgendwo in strahlendem Sonnenlicht sitzen drei junge Kerle im Fond, das Verdeck heruntergeklappt, in ihre Automäntel gehüllt, Schutzbrillen über den Kappen. Vor ihnen ist das Gepäck aufgetürmt. Ein Chauffeur hält sich im Hintergrund. Die Kotflügel des Autos verschwinden links im Bild, das Heck rechts. Es wirkt, als wäre der Wagen auf einem winzigen Drehpunkt ausbalanciert, als schwebe er zwischen zwei tiefen Abgründen.

Kein Vergnügen, eine ältere Schwester wie Elisabeth zu haben, falls man studieren will; Iggie aber hat mit Büchern wenig im Sinn. Die Familienfinanzen sind damals weniger prekär – Emmy, eine elegante Fünfundvierzigjährige, kauft wieder Kleider –, aber Iggie soll sich am Riemen reißen und seine Zeit nicht mit endlosen Kinonachmittagen vergeuden. Viktor und Emmy wissen genau, wie seine Zukunft aussehen soll. Iggie soll in die Bank eintreten, soll jeden Morgen mit seinem Vater nach rechts und dann nach links gehen, unter dem Schild mit dem kleinen Schiff, das sich seinen Weg durch die Wellen bahnt, an einem Schreibtisch sitzen, *Quod Honestum*, durch die Generationen von Joachim zu Ignaz und Leon, dann zu Viktor und Jules, und nun zu Iggie. Schließlich ist Iggie der einzige junge Mann in der ganzen Ephrussi-Sippe; Rudolf ist erst ein – hinreißendes – Kind von sieben Jahren.

Dass es Iggie mit Zahlen nicht besonders hatte, wurde ignoriert. Man schmiedete Pläne für ihn, er sollte in Köln Wirtschaft studieren. Das hätte den Vorteil gehabt, dass Pips – inzwischen zum zweiten Mal verheiratet, diesmal mit einer glamourösen Filmschauspielerin – ein onkelhaftes Auge auf ihn hätte werfen können. Zum Zeichen seiner endlich eingetretenen Unabhängigkeit bekam Iggie ein kleines Auto geschenkt, er sah gut aus darin. Er überlebte sein Martyrium – drei Jahre deutsche Vorlesungen – und begann in einer Frankfurter Bank zu arbeiten, was »mir die Gelegenheit gab, mich mit allen Phasen des Bankgeschäfts vertraut zu machen«, wie es in einem Jahre später geschriebenen Brief trocken hieß.

Er sprach nicht von jener Zeit, sondern meinte bloß, in Deutschland während der Wirtschaftskrise jüdischer Bankier zu sein sei keine kluge Entscheidung gewesen. Es waren die Jahre des Aufstiegs der Nazis, Hitler erhielt immer mehr Stimmen, die paramilitärische SA verdoppelte ihre Mitgliederzahlen auf 400000, Straßenkämpfe gehörten in den Städten zum Alltag. Am 30. Januar 1933 wurde Hitler zum Reichskanzler ernannt, einen Monat später wurden nach dem Reichstagsbrand Tausende in »Schutzhaft« genommen. Das größte dieser neuen Anhaltelager lag in Bayern, in Dachau.

Im Juli 1933 sollte Iggie wieder in Wien sein, um in der Bank anzufangen.

In Deutschland zu bleiben mochte nicht klug sein, es war aber auch keine günstige Zeit, um nach Österreich zurückzukehren. In Wien gingen die Wellen hoch. Der österreichische Bundeskanzler Engelbert Dollfuß hatte angesichts des wachsenden Drucks der Nazis die Verfassung außer Kraft gesetzt. Es gab gewalttätige Auseinandersetzungen zwischen Polizei und Demonstranten; an manchen Tagen ging Viktor nicht einmal in die Bank, sondern wartete ungeduldig den ganzen Tag, bis man ihm die Abendzeitungen in die Bibliothek brachte.

Iggie ließ sich nicht blicken. Er riss aus. Die Gründe fürs Weglaufen begannen mit der Bank – das Feixen, mit dem ihn der Portier immer begrüßte – und hatten dann auf verwickelte Weise mit Wien zu tun. Und mit der Familie: Papa, die alte Köchin Clara und ihre Willkommens-Kalbspastete mit Kartoffelsalat, Anna, die ein solches Getue um seine Hemden machte, sein Zimmer mit dem Biedermeierbett, das an dem vertrauten langen Gang auf ihn wartete, hinter dem Ankleidezimmer, die Tagesdecke, die um sechs Uhr abgenommen wurde.

Iggie riss aus nach Paris. Er begann in einem »drittklassigen Modehaus« zu arbeiten und lernte Nachmittagskleider zu zeichnen. In einem Atelier verbrachte er Nächte damit, das Zuschneiden zu lernen, er begann ein Gefühl dafür zu entwickeln, wie die Schere durch ein wogendes Feld aus schillernder grüner Seide fährt. Vier Stunden Schlaf in der Wohnung eines Freundes, auf dem Boden, dann Kaffee und wieder Zeichnen. Fünfzehn Minuten für Mittagessen, Kaffee und wieder weiter.

Er ist arm: Er lernt Kniffe, wie man seine Kleidung sauber und adrett hält, wie man Manschetten umnäht. Aus Wien erhält er von den Eltern eine regelmäßige kleine Zuwendung, kommentarlos. Und obwohl es für Viktor eine Blamage sein muss, seinen Freunden zu erklären, dass Iggie nicht in die Firma eintreten wird – vielleicht murmelt er nur leise etwas, wenn man ihn fragt, was Iggie in Paris eigentlich macht –, frage ich mich, ob er Sympathie für seinen Sohn empfunden hat. Viktor muss über das Davonlaufen oder Nicht-Davonlaufen Bescheid gewusst haben, so wie Emmy über das Bleiben. Iggie ist achtundzwanzig. Wie für Emmy sind auch für ihn Kleider eine Berufung. Die vielen Abendstunden im Ankleidezimmer mit den Netsuke, Anna und seiner Mutter, als er ein Kleid glatt strich, die Details der Spitzen an den Manschetten oder am Hals verglich. Die Verkleidespiele mit Gisela, der Schrankkoffer mit den alten Gewändern, im Abstellraum ganz hinten verwahrt. Die alten Hefte der *Wiener Mode*, über denen er auf dem Parkettboden im Salon brütete. Iggie wusste Bescheid, wie die Hosen des einen kaiserlichen Regiments sich im Schnitt von denen eines anderen unterschieden, wie man Crêpe de Chine im Schrägschnitt trug. Jetzt bemerkt er, dass er nicht so gut ist wie erhofft, aber er hat einen Anfang gemacht.

Und dann, nach neun schweren Monaten, läuft er wieder davon, nach New York, zu Knaben und Mode, einer in ihrer Kadenz so wunderbaren Dreieinigkeit, dass er als sehr alter Mann nicht anders konnte, als die Überfahrt nach New York lächelnd als eine Art Taufritus von einem Leben ins andere zu beschreiben, in gewisser Hinsicht eine Reise zu sich selbst.

Ich weiß ein wenig darüber, von seinen ironischen Versuchen her, mir einen besseren Stil in der Kleidung beizubringen, als ich zum ersten Mal bei ihm in Tokio war. In diesem heißen, schwülen Juni in Iggies Wohnung, ernsthaft und übereifrig und ziemlich schmuddelig von meinen Reisen, verstand ich erstmals nicht nur, dass Kleidung wichtig ist, sondern wie sie es ist. Iggie und Jiro, sein Freund in der Nachbarwohnung, gingen mit mir zu Mitsukoshi, dem großen Warenhaus an der Ginza, um ein paar ordentliche Sachen zu kaufen, Leinenjacketts für den Sommer und Hemden mit Kragen. Ihre Haushälterin Frau Nakamura nahm meine Jeans und kragenlosen Hemden mit und brachte sie mit geflickten Nähten, zusammengefaltet, mit kleinen Nadeln an den Aufschlägen und vollzähligen Knöpfen zurück. Einiges war gar nicht mehr dabei.

Bei einem viel späteren Besuch in Tokio gab mir Jiro eine kleine

*Iggies Einladung, 1936*

Karte, die er gefunden hatte:»Baron I. Leo Ephrussi begs to announce his association with Dorothy Couteaur Inc. formerly of Molyneux, Paris«. Die Adresse lautete 695 Fifth Avenue, die Telefonnummer Eldorado 5-0050.

Das scheint zu passen. Mode war Eldorado für Iggie: Statt Ignaz nannte er sich nun Leo, den Baron hatte er beibehalten.

Für Dorothy Couteaur Inc. – die spöttisch-affektierte Verballhornung von »Couture« wie ein Name aus Nabokov – entwarf Iggie einen »schwingenden Mantel«, »leger über einen diagonal gerafften Crêperock in Beige geworfen, beige ist auch der Fond des Seidencrêpemantels mit braunem Schwalbenmuster«. Ziemlich braun das alles. Iggie entwarf meist »stilvolle Kleider für die elegante Amerikanerin«, obwohl ich auch einen Hinweis auf »schicke Accessoires, zum ersten Mal in Kalifornien zu sehen« finde. »Gürtel, Taschen, Keramikschmuck, Puderdosen«; das lässt vermuten, dass er entweder Geld brauchte oder clever war. In *Women's Wear Daily* vom 11. März 1937 war die Rede von einem »bemerkenswerten Abendensemble, das mit einer interessanten Stoffallianz punktet; das griechisch inspirierte Kleid aus perlmuttfarbenem Seidenjersey, der Mantel aus leuchtendrotem, biesenverziertem Chiffon. Der Schal kann als Gürtel am Mantel getragen werden, eine Redingote-Anmutung.«

»Eine interessante Stoffallianz« ist eine wunderbare Wendung. Ich sehe mir die Illustration lange an, wegen der »Redingote-Anmutung«.

Erst als ich seinen Entwurf für ein Kreuzfahrt-Outfit finde, das auf den Signalflaggen der US-Marine beruhte, merke ich, welchen Spaß Iggie gehabt haben muss. Es zeigt Mädchen in Shorts und Röcken, die von phantastisch aussehenden braungebrannten Matrosen die Takelage hinaufgejagt werden, während uns der Code informiert, dass die Mädchen Signale aussenden, die etwa so lauten: »Möchte mit Ihnen Verbindung aufnehmen«, »Gefahr gebannt«, »Feuer an Bord« oder »Bin manövrierunfähig«.

In New York wimmelte es von verarmten Russen, Österreichern und Deutschen, die aus Europa geflüchtet waren; Iggie war bloß einer von vielen. Seine knappe Apanage aus Wien war schließlich ganz versiegt, und was er mit Entwürfen verdiente, war kümmerlich, aber er war glücklich. Er hatte seine erste große Liebe gefunden: Robin Curtis, einen Antiquitätenhändler, etwas jünger als er, schlank und blond. Auf einem Bild, aufgenommen in der Wohnung in der Upper East Side, die sie mit Robins Schwester teilten, tragen beide Nadelstreifanzüge, Iggie hockt auf einer Stuhllehne. Auf dem Kaminsims hinter ihnen stehen Fotos ihrer beider Familien. Auf anderen Bildern albern sie in Badehosen an irgendeinem Strand herum, in Mexiko, in Los Angeles – ein Paar.

Iggie war wirklich entkommen.

Für Elisabeth kam eine Rückkehr nach Wien keinesfalls in Frage. Doch als ihre finanzielle Lage unerträglich wurde – Kunden hatten Henk im Stich gelassen, Versprechungen waren nicht erfüllt worden, und so fort –, fuhr sie mit den Buben in ein Bauernhaus in Oberbozen, einem hübschen Dorf in Südtirol. An Festtagen spielte laut und falsch eine Musikkapelle auf, die Wiesen standen voller Enzian. Es war schön und die Luft wunderbar für die Haut der Kinder, vor allem aber war es sehr, sehr billig; hier brauchte man kein Geld für Pariser Lebensstil auszugeben. Die Kinder gingen für kurze Zeit in die Dorfschule, bevor sie sich entschloss, sie selbst zu unterrichten. Henk blieb in Paris und London und versuchte die Verluste seiner Handelsgesellschaft wieder einzutreiben. »Wenn er kam«, erinnerte sich mein Vater, »hieß es, wir sollten still sein, er sei sehr, sehr müde.«

Manchmal fuhr Elisabeth mit den Kindern nach Wien, um die Großeltern und deren Onkel Rudolf zu besuchen, der nun im Teenageralter war. Der Chauffeur kutschierte Viktor und die Enkel im Fond des langen schwarzen Wagens durch die Gegend. Emmy ging es nicht gut, sie litt an einer Herzkrankheit und nahm nun Pillen. Etwas überrascht vom herannahenden Alter, sieht sie auf den wenigen Bildern aus jener Zeit viel älter aus, immer noch sehr schick in schwarzem Kleid mit weißem Kragen, einen Hut schräg auf die grauen Locken gepinnt, eine Hand auf der Schulter meines Vaters, die andere auf der meines Onkels. Anna scheint sich gut um sie zu kümmern. Und immer noch verliebt sie sich.

Sie meint zwar, sie fühle sich noch gar nicht großmütterlich, schickt aber trotzdem meinem Vater bunte Ansichtskarten zu Geschichten von Hans Christian Andersen, »Der Schweinehirt«, »Die Prinzessin auf der Erbse«. Dutzende Karten, jede mit einer kurzen Botschaft, pünktlich eine pro Woche, jede unterschrieben »mit tausend Küssen von deiner Großmutter«. Emmy erzählt nach wie vor gerne Geschichten.

Rudolf, der von einem Jahr zum anderen ohne seine Geschwister aufwächst, ist groß und sieht gut aus; auf einem Bild trägt er Reithosen und einen Militärmantel, er steht im Torbogen des Salons im Palais. Er spielt Saxophon. Das Echo muss in den zunehmend leerer werdenden Räumen herrlich geklungen haben.

Im Juli 1934 verbrachten Elisabeth und die Buben vierzehn Tage in Wien im Palais, gerade als bei einem von der österreichischen SS angezettelten Putschversuch Bundeskanzler Dollfuß in seinen Amtsräumen ermordet wurde, das Signal für einen Nazi-Aufstand. Er wurde niedergeschlagen, wobei es viele Todesopfer gab; der neue Bundeskanzler, Kurt Schuschnigg, wurde vereidigt, während die Angst vor einem Bürgerkrieg umging. Mein Vater erinnert sich, wie er im Kinderzimmer im Palais aufwachte und ans Fenster lief, ein Feuerwehrwagen raste mit heulender Sirene den Ring entlang. Ich habe versucht, ihm noch mehr Erinnerungen zu entlocken (Naziaufmärsche? bewaffnete Polizei? Krise?), aber er lässt sich nichts einreden. Ein Feuerwehrwagen ist das A und O seines Wien von 1934.

Viktor tut kaum noch, als wäre er ein Bankier. Möglicherweise deswegen – oder vielleicht ist auch sein Stellvertreter, Herr Steinhäusser, so tüchtig – geht es der Bank gut. Nach wie vor geht Viktor jeden Tag ins Büro, wo er dicke, eng bedruckte Kataloge aus Leipzig und Heidelberg studiert. Er hat begonnen, Inkunabeln zu sammeln, die ersten gedruckten Bücher; seine besondere Passion – die seit dem Zerfall der Monarchie noch intensiver geworden ist – gilt der römischen Geschichte. Die Bücher stehen in der Bibliothek auf der Schottengassenseite in einem hohen Bücherschrank mit Gittertür, der Schlüssel hängt an seiner Uhrkette. Charakteristisch für ihn, dass er etwas so Abstruses – und Teures – sammelt wie frühe lateinische Historien, er interessiert sich eben für Imperien.

Viktor und Emmy verbringen die Ferien gemeinsam in Kövecses, aber seit dem Tod von Emmys Eltern wirkt der Ort seltsam dezimiert, nur zwei Pferde stehen im Stall, es gibt weniger Wildhüter, und es finden keine großen Jagden mehr statt. Emmy wandert zur Flussbiegung hinunter, vorbei an den Weiden, wo ein Lüftchen weht, und zurück zum Abendessen, wie sie es früher mit den Kindern getan hat, aber wegen ihrer Herzprobleme ist sie jetzt langsam unterwegs. Der Badeteich ist vernachlässigt, am Ufer wispert das Schilf.

Die Ephrussi-Kinder sind in alle Welt zerstreut. Elisabeth hält sich immer noch in den Alpen auf, inzwischen ist sie ins schweizerische Ascona gezogen; wann immer möglich, kommt sie mit den Buben nach Wien. Anna macht ein großes Aufhebens um sie. Iggie entwirft Kreuzfahrt-Mode in Hollywood. Und Gisela und ihre Familie mussten wegen des Spanischen Bürgerkriegs Madrid verlassen und nach Mexiko gehen.

1938 ist Emmy achtundfünfzig und sieht immer noch sehr gut aus, sie trägt die Perlenschnur um den Hals geschlungen, ein Strang fällt zur Taille nieder. In Wien herrscht das Chaos, doch das Leben im Palais verläuft seltsam unbewegt. Acht Bedienstete sorgen dafür, dass diese Statik erhalten bleibt. Der Tisch im Esszimmer wird um ein Uhr mittags und dann um acht Uhr abends gedeckt, doch diesmal ist es Rudolf, der nicht erscheint. Sie sagt, er sei dauernd unterwegs.

Viktor ist achtundsiebzig und sieht aus wie sein Vater – und wie das Porträt seines Cousins Charles, das neben dessen Nachruf abgedruckt war. Ich denke an den alten Swann, dessen Züge im Alter ausgeprägter wurden: Die Ephrussi-Nase sticht prächtig hervor. Ich betrachte das Bild Viktors mit dem adrett gestutzten Bart, mir fällt auf, dass er aussieht wie mein Vater heute, und dann denke ich, wie lange es dauern wird, bis auch ich so auszusehen beginne. Viktor ist so beunruhigt, dass er täglich mehrere Zeitungen liest. Und er hat recht mit seiner Besorgnis. Seit Jahren gibt es offenen Druck und geheime Unterstützung der österreichischen Nationalsozialisten durch Deutschland. Hitler hat nun gefordert, der österreichische Bundeskanzler Schuschnigg solle Mitglieder der NSDAP aus dem Gefängnis entlassen und an der Regierung beteiligen. Schuschnigg entspricht diesem Wunsch. Der Druck ist gestiegen und nun reicht es ihm. Er hat sich entschieden, am 13. März eine Volksabstimmung über die Unabhängigkeit Österreichs von Nazi-Deutschland abhalten zu lassen.

Als Viktor am Donnerstag, dem 10. März, in den Wiener Club am Kärntner Ring geht, um mit seinen jüdischen Freunden zu Mittag zu essen (zur Tür hinaus, nach links, noch ein paar hundert Meter), vergeht der ganze Nachmittag in rauchumnebelten Debatten darüber, was sich gerade abspielt. Seine historischen Kenntnisse werden Viktor nicht helfen.

# TEIL DREI

# Wien, Kövecses, Tunbridge Wells, Wien
## 1938–1947

## 24.
## »Eine geradezu ideale Lösung für Massenaufmärsche«

Am 10. März 1938 setzte man große Hoffnungen auf die Volksabstimmung. Am Abend zuvor hatte der österreichische Bundeskanzler in Innsbruck eine aufrüttelnde Rede gehalten und den Tiroler Volkshelden Andreas Hofer zitiert: »Mander, s'isch Zeit!« Es war ein prachtvoller Wintertag, heiter und klar. Überall Flugblätter, von Lastwagen geworfen, überall Plakate mit dem dramatischen »Ja!«. »Mit Schuschnigg für ein freies Österreich!« Kruckenkreuze der Vaterländischen Front waren in weißer Farbe auf die Hausmauern und auf das Pflaster gepinselt. In den Straßen drängten sich die Menschen, Gruppen Jugendlicher skandierten: »Heil Schuschnigg! Heil Freiheit!« Und: »Rot-Weiß-Rot bis in den Tod!« Das Radio spielte immer wieder die Schuschnigg-Rede. Die Israelitische Kultusgemeinde brachte die enorme Summe von 500000 Schilling auf, um die Kampagne zu unterstützen: Die Volksabstimmung war ein Schutzwall für die Wiener Juden.

Am Freitag dem 11. März wurde Schuschnigg vor Morgengrauen vom Wiener Polizeipräsidenten geweckt, der ihm von Truppenbewegungen an der deutschen Grenze berichtete. Der Eisenbahnverkehr war eingestellt. Ein weiterer heller, sonniger Morgen. Es war der letzte Tag Österreichs, ein Tag der Ultimaten aus Berlin und verzweifelter Anfragen Wiens, ob London oder Paris oder Rom es gegen die immer drängender werdenden Forderungen Deutschlands nach einem Rücktritt des Bundeskanzlers zugunsten eines hitlerfreundlichen Ministers, Arthur Seyß-Inquart, unterstützen würden.

Am 11. März spendete die IKG weitere 300000 Schilling für Schuschniggs Kampagne. Es gab Gerüchte, Truppen hätten bereits die deutsche Grenze überschritten, die Volksabstimmung werde verschoben.

Das Radio – ein riesiges englisches Radio, braun und imposant, auf der Anzeigeskala die Namen der Hauptstädte – steht in der Bibliothek; Viktor und Emmy sind den ganzen Nachmittag über dort und hören zu. Sogar Rudolf ist bei ihnen. Um halb fünf bringt Anna Viktors Tee in einem Glas, auf der Porzellanuntertasse eine Scheibe Zitrone und Zucker; Emmy bekommt englischen Tee serviert, dazu die kleine blaue Dose aus Meißner Porzellan mit den Pillen für ihre Herzkrankheit. Rudolf, neunzehn und ein Querkopf, trinkt Kaffee. Anna stellt das Tablett auf den Bibliothekstisch mit dem Lesepult. Um sieben bringt Radio Wien die Nachricht, dass die Volksabstimmung verschoben sei, einige Minuten später meldet es dann den Rücktritt des gesamten Kabinetts, außer des Nazi-Sympathisanten Seyß-Inquart, der als Innenminister bleiben soll.

Um zehn vor acht folgt die Rede Schuschniggs:

»Österreicher und Österreicherinnen!

Der heutige Tag hat uns vor eine schwere und entscheidende Situation gestellt ... Die Deutsche Reichsregierung hat dem Herrn Bundespräsidenten ein befristetes Ultimatum gestellt, nach dem der Herr Bundespräsident einen ihm vorgeschlagenen Kandidaten zum Bundeskanzler zu ernennen ... widrigenfalls der Einmarsch deutscher Truppen in Österreich für diese Stunde in Aussicht genommen wurde ... Wir haben, weil wir um keinen Preis, auch in diesen ernsten Stunden nicht, deutsches Blut zu vergießen gesonnen sind, unserer Wehrmacht den Auftrag gegeben, für den Fall, daß der Einmarsch durchgeführt wird, ohne Widerstand sich zurückzuziehen und die Entscheidung der nächsten Stunden abzuwarten ... So verabschiede ich mich in dieser Stunde von dem österreichischen Volk mit einem deutschen Wort und einem Herzenswunsch: Gott schütze Österreich!« Und dann kommt die Melodie des »Gott erhalte«, der ehemaligen Kaiserhymne.

Es ist, als wäre ein Schalter umgelegt worden. Geräuschrinnsale laufen unten auf der Straße zusammen, die Schottengasse hallt von Stimmen. Sie schreien: »Ein Volk, ein Reich, ein Führer!« und: »Heil Hitler! Sieg Heil!« Und brüllen: »Juda verrecke!«

Eine Flut von Braunhemden. Taxis hupen, bewaffnete Männer sind auf den Straßen, und plötzlich tragen die Polizisten Armschleifen mit dem Hakenkreuz. Lastwagen rasen den Ring entlang, vorbei am Haus, an der Universität, Richtung Rathaus. Und die Lastwagen tragen Hakenkreuze, ebenso die Straßenbahnen, junge Männer, Knaben hängen heraus, schreien und winken.

Jemand dreht das Licht in der Bibliothek ab, als wären sie unsichtbar, wenn sie im Dunkeln sitzen, aber der Lärm dringt bis ins Haus, in das Zimmer, in ihre Lungen. Unten auf der Straße wird einer zusammengeschlagen. Was sollen sie machen? Wie lange kann man so tun, als geschehe das alles gar nicht?

Manche Freunde packen einen Koffer und gehen auf die Straße, sie bahnen sich ihren Weg durch die brodelnden, turbulenten Massen der ekstatischen Wiener, zum Westbahnhof. Der Nachtzug nach Prag geht um elf Uhr fünfzehn, um neun bereits aber ist er vollkommen überfüllt. Uniformierte trampeln durch den Zug und nehmen Leute mit.

Um elf Uhr fünfzehn hängen Nazifahnen von den Brüstungen der Regierungsgebäude. Um halb ein Uhr nachts gibt Bundespräsident Miklas nach und vereidigt das Kabinett Seyß-Inquart. Um ein Uhr acht verkündet ein Major Klausner im Radio »tiefbewegt in dieser festlichen Stunde, Österreich ist frei, Österreich ist nationalsozialistisch«.

Vor der tschechischen Grenze bilden sich Schlangen von Menschen zu Fuß oder in Autos. Im Radio werden der Badenweiler und der Hohenfriedberger Marsch gespielt. Dazwischen Parolen. Die ersten Fenster jüdischer Geschäfte werden eingeschlagen.

In dieser ersten Nacht geschieht es, dass die Geräusche von der Straße in den Hof des Palais Ephrussi dringen, der Lärm hallt wider von den Wänden und vom Dach. Dann trampeln Füße die Treppe herauf, die dreiunddreißig flachen Stufen zu den Wohnräumen im zweiten Stock.

Fäuste donnern an die Tür, jemand drückt lange auf die Klingel, und dann sind da acht, zehn Männer, ein ganzer Haufen von ihnen in Uniform, einige mit Hakenkreuzarmschleifen, einige kennen sie. Manche sind halbe Knaben. Es ist ein Uhr früh, keiner schläft, alle sind angezogen. Viktor, Emmy und Rudolf werden in die Bibliothek gestoßen.

In dieser ersten Nacht schwärmen die Männer durch die Wohnung. Rufe ertönen von der gegenüberliegenden Hofseite, ein paar haben den Salon mit den französischen Möbeln und dem Porzellan entdeckt. Einer lacht, während sie Emmys Kleiderschrank durchwühlen. Jemand klimpert ein paar Noten auf dem Klavier. Einige sind im Arbeitszimmer, ziehen Schubladen auf, werfen auf den Schreibtischen alles durcheinander, stoßen die Foliobände vom Lesepult in der Ecke zu Boden. Sie kommen in die Bibliothek und werfen die Globen von ihren Ständern. Dieses krampfhafte Unordnungschaffen, Durcheinanderschmeißen, Zubodenfegen kann man kaum Plünderung nennen; es ist ein Muskelspiel, ein Knacken mit den Fingerknöcheln, eine Lockerungsübung. Die Leute im Gang prüfen, schauen, stöbern auf, suchen, was es zu holen gibt.

Sie nehmen die silbernen Kerzenleuchter im Esszimmer, hochgehalten von den beschwipst wirkenden Faunen, kleine Tierfiguren aus Malachit von den Kaminsimsen, silberne Zigarettenetuis, Geld in einem Clip vom Schreibtisch in Viktors Arbeitszimmer. Eine kleine russische Uhr, rosa Email und Gold, die im Salon die Stunden anzeigte. Und die große Uhr aus der Bibliothek mit der von Säulen gehaltenen goldenen Kuppel.

Jahrelang sind sie an dem Haus vorbeigegangen, haben hinter den Fenstern Gesichter gesehen, haben einen Blick in den Hof geworfen, wenn der Portier die Torflügel offen hielt, während die Kutschpferde hineintrotteten. Jetzt sind sie drinnen, endlich. So also leben die Juden, das haben die Juden mit unserem Geld gemacht – Zimmer nach Zimmer vollgestopft mit üppigen Reichtümern. Das da sind nur ein paar Souvenirs, ein bisschen Umverteilung. Es ist ein Anfang.

Die letzte Tür, zu der sie kommen, führt in Emmys Ankleidezimmer an der Ecke, ins Zimmer mit der Vitrine, in der die Netsuke liegen, und sie fegen alles vom Schreibtisch, den sie als Garderobentisch benutzt: den kleinen Spiegel und das Porzellan und die Silberdosen und die Blumen von den Wiesen in Kövecses, die Anna in der Vase arrangiert hat, und sie zerren den Tisch hinaus in den Gang.

Sie stoßen Emmy, Viktor und Rudolf an die Wand, drei von ihnen heben den Schreibtisch hoch und hieven ihn über das Geländer, bis er, Holz, Vergoldung, Intarsien splittern krachend, auf den Pflastersteinen im Hof unten zerschellt.

Dieser Schreibtisch – das Hochzeitsgeschenk von Fanny und Jules aus Paris – braucht lange, um zu fallen. Das Geräusch hallt vom Glasdach wider. Zerborstene Schubladen streuen Briefe über den Hof. Ihr glaubt, wir gehören euch, ihr widerlichen Scheiß-Ausländer. Jetzt kommt ihr dran, Scheiß-Juden. Das ist eine wilde, nicht genehmigte Arisierung. Aber es braucht keine Genehmigung. Das Geräusch zerbrechender Gegenstände ist die Belohnung für eine lange Wartezeit. Diese Nacht ist voll solcher Belohnungen. Es hat lange gedauert. Diese Nacht ist die Geschichte, die Großeltern ihren Enkelkindern erzählt haben, die Geschichte, wie eines Nachts die Juden endlich bezahlen werden für alles, was sie getan, was sie den Armen geraubt haben; wie die Straßen gesäubert werden, wie Licht in alle dunklen Ecken fallen wird. Denn dies alles hat mit Schmutz zu tun, mit dem Dreck, den die Juden aus ihren stinkenden Bruchbuden in die Kaiserstadt gebracht haben, als sie sich nahmen, was uns zustand.

Überall in Wien werden Türen eingeschlagen, während Kinder sich hinter ihren Eltern verstecken, unter Betten, in Schränken – überall, nur um dem Krach zu entkommen, während Väter und Brüder festgenommen werden, zusammengeschlagen, draußen auf Lastwagen gezerrt, während Mütter und Schwestern verhöhnt und misshandelt werden. Und überall in Wien nehmen sich die Leute, was ihnen gehören sollte, was von Rechts wegen ihres ist.

Es ist nicht so, dass man nicht schlafen könnte. Man kann gar nicht ins Bett. Als die Männer und Jungen endlich gehen, sagen sie, sie würden wiederkommen, und man weiß, sie meinen es ernst. Emmy trägt ihre Perlen, sie nehmen sie ihr weg. Sie ziehen ihr die Ringe ab. Jemand hält inne und spuckt ihr gezielt vor die Füße. Und dann trampeln sie die Treppen runter und brüllen, bis sie in den Hof kommen. Einer nimmt Anlauf und tritt auf die Trümmer, dann stürmen sie durch das Tor auf den Ring, eine große Uhr unter den Mantelärmel geklemmt.

Bald wird es schneien.

An diesem grauen Morgen, am Sonntag, dem 13. März, an dem die Volksabstimmung für ein freies, deutsches, unabhängiges, soziales, christliches und vereintes Österreich hätte stattfinden sollen, liegen Nachbarn auf den Knien und schrubben die Straßen Wiens – Kinder und ältere Leute, der Mann, dem der Zeitungskiosk am Ring gehört hat, Orthodoxe, Liberale, Fromme und Radikale, die alten Männer, die ihren Goethe kannten und an Bildung glaubten, die Geigenlehrerin und ihre Mutter –, umringt von SS-Leuten, Gestapo-Männern und Parteimitgliedern, von Polizisten und von den Menschen, neben denen sie seit Jahren gelebt haben. Verhöhnt, bespuckt, angebrüllt, verprügelt, verletzt. Sie waschen die Parolen für Schuschniggs Volksabstimmung weg, sie machen Wien wieder sauber, sie machen Wien bereit. Wir danken unsrem Führer. Er hat den Juden Arbeit beschafft.

Auf einem Foto beobachtet ein junger Mann in einer glänzenden Jacke die älteren Frauen, die im Seifenwasser knien. Er hat seine Hosenbeine hochgerollt, damit sie nicht feucht werden. Hier geht es um das Schmutzige und das Saubere.

In das Haus wurde eine Bresche geschlagen. An diesem Morgen sitzen meine Urgroßmutter und mein Urgroßvater schweigend in der Bibliothek, Anna hebt die Familienfotos vom Boden auf, kehrt die Porzellanscherben und die Holzsplitter zusammen, rückt Bilder gerade, versucht die Teppiche sauber zu bekommen, die aufgestoßene Tür zu schließen.

Den ganzen Tag über donnern Geschwader der Luftwaffe im Tiefflug über Wien. Viktor und Emmy wissen nicht, was tun. Sie wissen nicht, wohin sie gehen sollen, während die ersten deutschen Truppen die Grenze überqueren und von Blumen und jubelnden Massen begrüßt werden. Es heißt, Hitler kehre heim, um das Grab seiner Mutter zu besuchen.

Ständig werden Menschen festgenommen – jeder, der eine andere politische Partei unterstützt hat, prominente Journalisten, Finanzleute, Beamte, Juden. Schuschnigg sitzt in Einzelhaft. Am Abend findet ein Fackelzug statt, angeführt von der NSDAP. In den Bars wird das

Deutschlandlied gesungen. Hitler braucht sechs Stunden von Linz bis Wien. Es dauert so lange, weil sich überall die Massen drängen. Am Montag dem 14. März trifft Hitler ein: »Bevor die Abendschatten über Wien sanken, als der Wind nachließ und die vielen Flaggen in festlicher Starre ruhten, wurde die große Stunde Wirklichkeit und der Führer des vereinten deutschen Volkes betrat die Hauptstadt der Ostmark.«

Der Wiener Kardinal hat angeordnet, alle Kirchenglocken zu läuten; die Glocken der Votivkirche gegenüber dem Palais Ephrussi beginnen am Nachmittag zu läuten, der Lärm der Wehrmachtswagen, die um den Ring knattern, lässt das Haus erzittern. Überall Fahnen: Hakenkreuzfahnen, österreichische Fahnen mit aufgemalten Hakenkreuzen. Kinder klettern auf die Linden. In den Schaufenstern der Buchhandlungen finden sich bereits Karten, auf denen das neue Deutschland zu sehen ist: eine deutsche Nation von Elsass-Lothringen bis ins Sudetenland, von der Ostsee bis Tirol. Die halbe Karte ist Deutschland.

Am Dienstag dem 15. März strömen die Massen bereits zu früher Stunde herbei, durch die Schottengasse, am Palais Ephrussi vorbei, den Ring entlang, alle in eine Richtung, zum Heldenplatz, dem riesigen Platz vor der Hofburg. 200 000 Menschen drängen sich dort und in den Straßen. Sie klammern sich an die Statuen, an die Äste der Bäume, an die Geländer. Gegen den Himmel zeichnen sich Figuren ab, die auf den Brüstungen stehen. Um elf Uhr tritt Hitler auf den Balkon. Seine Stimme ist kaum zu vernehmen. Als er zum Schlusswort anhebt, lässt ihn der Lärm minutenlang nicht zu Wort kommen. Man kann ihn bis zur Schottengasse hören. Und dann: »Als Führer und Kanzler der deutschen Nation und des Reiches melde ich vor der Geschichte nunmehr den Eintritt meiner Heimat in das Deutsche Reich! Deutschland und sein neues Glied, die Nationalsozialistische Partei und die Wehrmacht unseres Reiches – Sieg Heil!« Die Szenen der Verblendung bei Hitlers Ankunft hätten jeder Beschreibung gespottet, schrieb die *Neue Basler Zeitung*.

Dafür ist der Ring angelegt, für Menschenmassen, als Paradeplatz der Emotionen, der Uniformen. Als Student in Wien hatte Hitler zwei gigantische Triumphbögen geplant, um den Heldenplatz als architektonischen Höhepunkt zu vollenden: »eine geradezu ideale Lösung für Massenaufmärsche«. Vor vielen Jahren hatte er das kaiserliche Maskenspiel der Habsburger bestaunt. Und nun wurde die Ringstraße wieder »ein Zauber aus Tausendundeiner Nacht«, aber aus einer dieser Geschichten, wo jemand sich vor deinen Augen in etwas Schauriges verwandelt, seine Gestalt wüst verformt, wenn du die falschen Worte sprichst.

Um halb zwei kehrt Hitler zurück, um sich das Massenspektakel mit marschierenden Soldaten und Lastkraftwagen noch einmal anzusehen, während vierhundert Flugzeuge am Himmel vorüberdonnern. Eine Volksabstimmung wird angekündigt – eine andere, diesmal legitim. »Bist Du mit der am 13. März 1938 vollzogenen Wiedervereinigung Österreichs mit dem Deutschen Reich einverstanden und stimmst Du für die Liste unseres Führers Adolf Hitler?« Auf dem blassrosa Stimmzettel ist ein großer Kreis für das Ja und ein viel kleinerer für das Nein eingezeichnet. Damit die Wiener auch ja wissen, welche Stimme sie abzugeben haben, sind die Straßenbahnen mit rotem Flaggentuch verkleidet, der Stephansdom ist rot drapiert, die Leopoldstadt, das alte jüdische Viertel, versinkt unter Nazifahnen. Bei dieser *echten* Volksabstimmung ist es den Juden nicht gestattet, ihre Stimme abzugeben.

Es herrscht Terror. Leute werden auf der Straße aufgegriffen und auf Lastautos gepfercht. Einige Tausend politisch Engagierte, Juden, Unruhestifter werden nach Dachau geschickt. In diesen ersten paar Tagen kommen Nachrichten von Freunden, die das Land verlassen, verzweifelte Anrufe, sie berichten von Menschen, die verhaftet wurden. Emmys Verwandte Frank und Mitzi Wooster sind abgereist. Ihre engsten Freunde, die Gutmanns, sind fort, sie sind am 13. gefahren. Die Rothschilds ebenfalls. Bernhard Altmann, ein Geschäftspartner Viktors, ein Freund aus zahllosen Abendessen, ist schon weg: Es braucht einiges, um einfach aus der Tür zu gehen und alles zurückzulassen.

Manchmal kann man die Leute aus den Polizeistationen loskaufen. Viktor hilft einigen Verwandten, die über die Grenze in die Tschechoslowakei müssen, doch er und Emmy scheinen unfähig zu einer Ent-

Wien, 15. März 1938.
*Blick von der Bellaria über das Parlament zum Burgtheater,*
*Richtung Palais Ephrussi*

scheidung. Freunde sagen ihnen, sie sollen gehen. Viktor ist wie erstarrt. Er kann dieses Haus, das Haus seines Vaters und Großvaters, nicht zurücklassen. Nicht die Bank, nicht seine Bibliothek einfach aufgeben.

Andere haben den Haushalt verlassen. Wer will schon mit Juden in Verbindung gebracht werden? Drei Bedienstete sind geblieben. Die Köchin und Anna, die sich darum kümmern, dass es noch Kaffee für den Baron und die Baronin gibt, und der Portier Herr Kirchner, der das kleine Zimmer neben dem Tor bewohnt und anscheinend keine Familie hat.

Stunde um Stunde verwandelt sich die Stadt, während immer mehr deutsche Soldaten auftauchen; Uniformierte an jeder Straßenecke. Die Währung ist jetzt die Reichsmark. Auf jüdische Geschäfte wird »Jude« geschmiert, Kunden werden ins Visier genommen, ob sie ein solches

247

Geschäft betreten oder verlassen. Das riesige Kaufhaus Schiffmann, es gehört vier jüdischen Brüdern, wird systematisch von der SA ausgeräumt, eine Menge sieht zu.

Menschen verschwinden. Es wird immer schwieriger, festzustellen, wo sich jemand aufhält. Am Mittwoch dem 16. März springt Pips' alter Freund, der Schriftsteller Egon Friedell, aus dem Fenster seiner Wohnung, als er SA-Männer den Hausmeister befragen sieht. Im März und April begehen 160 Jüdinnen und Juden Selbstmord. Juden dürfen nicht mehr in Theatern auftreten oder in Orchestern spielen. Alle Staats- und Gemeindebeamten sind entlassen; 183 jüdische Lehrerinnen und Lehrer haben ihre Arbeit verloren, ebenso alle jüdischen Anwälte und Staatsanwälte.

In diesen Tagen wandelt sich die wilde Befreiung, das Sich-Bedienen an jüdischem Eigentum, das willkürliche Verprügeln von Juden auf der Straße zu etwas Substanziellerem. Es wird deutlich, dass vieles geplant ist, dass es Befehle gibt. Am Freitag, dem 18. März, zwei Tage nachdem er in Wien eingetroffen ist, nimmt der junge SS-Leutnant Adolf Eichmann die Angelegenheit persönlich in die Hand und beteiligt sich an einer Razzia auf die IKG in der Seitenstettengasse, in deren Verlauf Dokumente beschlagnahmt werden, die eine Verbindung der Kultusgemeinde zur Kampagne für die Volksabstimmung Schuschniggs belegen. Daraufhin werden die Bibliothek und das Archiv der IKG beschlagnahmt. Eichmann ist es ein Anliegen, die besten Judaica und Hebraica für das geplante Institut zur Erforschung der Judenfrage zu erhalten.

Den Wiener Juden steht einiges bevor, das wird klar. Am 31. März verlieren jüdische Organisationen ihre Stellung als Körperschaften öffentlichen Rechts. Der Reverend der kleinen anglikanischen Kirche tauft Juden. Wer konvertiert, hat vielleicht bessere Fluchtmöglichkeiten. Vor dem Presbyterium bilden sich Schlangen. Er beschränkt die Einführung in den christlichen Glauben auf zehn Minuten, um mehr Verzweifelten helfen zu können.

Am 9. April kehrt Hitler nach Wien zurück. Seine Wagenkolonne fährt durch die Stadt und über den Ring. Zu Mittag tritt Goebbels auf den Balkon des Rathauses, es steht jetzt am Adolf-Hitler-Platz, und gibt das Resultat der Volksabstimmung bekannt: »Ich verkünde den Tag des Großdeutschen Reiches«: 99,75 Prozent haben mit Ja gestimmt und den Anschluss legitimiert.

Am 23. April wird ein Boykott jüdischer Geschäfte ausgerufen. Am selben Tag kommt die Gestapo ins Palais Ephrussi.

# 25

## »Eine nie wiederkehrende Gelegenheit«

Wie kann ich über diese Zeit schreiben? Ich lese Erinnerungen, die Tagebücher Musils, sehe mir Fotos von den Menschenmassen an diesem Tag an, dem nächsten, dem übernächsten. Ich lese Wiener Zeitungen. Am Dienstag bäckt die Bäckerei Hermansky arisches Brot. Am Mittwoch werden jüdische Anwälte entlassen. Am Donnerstag werden Nichtarier aus dem Fußballclub Schwarz-Rot ausgeschlossen. Goebbels verteilt am Freitag Gratis-Radios. Arische Rasierklingen sind zu kaufen.

Ich besitze Viktors Pass mit seinen Stempeln und einen dünnen Stoß Briefe von Familienmitgliedern, und nun lege ich alles auf meinen langen Tisch. Ich lese sie wieder und wieder und beschwöre sie, mir zu sagen, wie es war, was Viktor und Emmy fühlen, während sie in ihrem Haus am Ring sitzen. Ich habe Mappen mit Notizen aus Archiven. Aber mir wird klar, dass ich das von London, von einer Bibliothek aus nicht tun kann. Und so fahre ich wieder nach Wien, ins Palais.

Ich stehe auf der Innengalerie im zweiten Stock. Ich habe ein Netsuke mitgebracht, das hellbraune von den drei Kastanien mit der kleinen weißen Made aus Elfenbein, und ich bemerke, dass ich ständig in meiner Tasche daran herumfingere, dass ich es in der Hand um und um wende. Ich halte mich am Geländer fest, sehe auf den Marmorboden hinab und denke daran, wie Emmys Garderobentisch hinunterkracht. Ich denke daran, wie die Netsuke ungestört in ihrer Vitrine ruhen.

Ich höre, wie eine Gruppe Geschäftsleute durch den Gang von der Ringstraße zu einer Besprechung in den Büros kommt, ein Wust aus Gerede und Gelächter, und ich höre, wie das ferne Echo der Straße mit ihnen hereindringt. Diese Stimmen lassen mich an Iggie denken. Er erzählte, der alte Portier, Herr Kirchner, der die Torflügel des Palais

Ephrussi mit Schwung und einer tiefen Verbeugung zu öffnen pflegte, um die Kinder zum Lachen zu bringen, sei an dem Tag, an dem die Nazis kamen, entgegenkommenderweise ausgegangen und habe das Tor zur Ringstraße weit offen stehen lassen.

Sechs tadellos gekleidete Gestapo-Beamte marschieren ins Haus. Anfangs sind sie noch recht höflich. Sie hätten Befehl, die Wohnung zu durchsuchen, da Grund zu der Annahme bestehe, der Jude Ephrussi habe die Schuschnigg-Kampagne unterstützt.

Haussuchung. Haussuchung bedeutet: Jede Schublade wird herausgerissen, der Inhalt jedes Schranks herausgezerrt, jedes Schmuckstück wird unter die Lupe genommen. Wissen sie, wie viele Sachen in diesem Haus sind, wie viele Schubladen in wie vielen Räumen? Die Gestapo-Beamten gehen methodisch vor. Sie haben keine Eile. Sie sind keine Wilden. Die Schubladen in den kleinen Tischen im Salon werden durchwühlt, Papier fliegt herum. Das Arbeitszimmer wird auseinandergenommen. Die Zettelkataloge der Inkunabeln werden auf Hinweise durchblättert, Briefe gesichtet. Jede Lade im italienischen Kabinettschrank wird untersucht. Bücher werden aus den Regalen in der Bibliothek gezogen, durchgeblättert, fallen gelassen. Die Männer greifen tief hinein in den Leinenschrank. Bilder werden von der Wand genommen, die Keilrahmen geprüft. Die Wandteppiche im Esszimmer, hinter denen sich die Kinder zu verstecken pflegten, werden von der Wand gerissen.

Nachdem sie die vierundzwanzig Räume in der Familienwohnung, der Küche und im Dienerquartier durchsucht haben, verlangen die Gestapo-Leute die Schlüssel zum Safe, zum Silberzimmer und zum Porzellanschrank, wo Service für Service die Teller gestapelt stehen. Sie benötigen den Schlüssel zum Abstellraum in der Ecke, wo die Hutschachteln, die Koffer, die Kisten mit den Spielsachen der Kinder, den Kinderbüchern, den alten Andrew-Lang-Märchenbüchern aufbewahrt werden. Sie brauchen die Schlüssel für den Kabinettschrank in Viktors Ankleidezimmer, wo er seine Briefe von Emmy, von seinem Vater, von seinem alten Hauslehrer Herrn Wessel aufbewahrt, dem guten Preußen, dem Mann, der ihm etwas über deutsche Werte beibrachte, der ihm Schiller zu lesen gab. Sie nehmen Viktors Schlüssel für sein Büro in der Bank.

Und alle diese Dinge, eine Welt an Dingen – eine familiäre Geographie, die sich von Odessa, von Ferien in St. Petersburg, in der Schweiz, in Südfrankreich, Paris, Kövecses, London, überallhin erstreckt – wird unter die Lupe genommen und notiert. Jedes Objekt, jeder Vorfall ist verdächtig. Es ist eine Prozedur, die jede jüdische Familie in Wien durchmacht. Am Ende dieser langen Stunden findet eine kursorische Besprechung statt, und der Jude Viktor Ephrussi wird beschuldigt, fünftausend Schilling zur Schuschnigg-Propaganda beigetragen zu haben; das macht ihn zum Staatsfeind. Rudolf und er werden verhaftet und mitgenommen.

Emmy werden zwei Zimmer im hinteren Trakt des Hauses zugestanden. Ich gehe in diese Zimmer. Sie sind klein und hoch und sehr finster, ein trübes Fenster über der Tür lässt ein wenig Licht vom Hof her einfallen. Die Haupttreppe darf sie nicht benutzen, ihre früheren Räume nicht betreten. Sie hat keine Bediensteten. Im Moment hat sie nur ihre Kleider.

Ich weiß nicht, wo man Viktor und Rudolf hinbrachte. Ich kann keine Aufzeichnungen finden. Elisabeth oder Iggie habe ich nie gefragt.

Möglicherweise wurden sie ins Hotel Metropol gebracht, das als Hauptquartier der Gestapo beschlagnahmt worden war. Es gibt noch viele andere Gefängnisse für diese Flut an Juden. Sie werden natürlich geschlagen; aber man verbietet ihnen auch, sich zu rasieren oder zu waschen, damit sie noch verkommener aussehen. Das geschieht, weil es wichtig ist, den Affront aus der Welt zu schaffen, dass Juden nicht wie Juden aussehen. Wenn man ihnen die Ehrbarkeit nimmt, die Uhrkette, oder die Schuhe, oder den Gürtel, so dass sie stolpern, während sie die Hosen mit einer Hand festhalten, kann man sie ins Schtetl zurücktreiben, auf ihren eigentlichen Charakter reduzieren – unstet, unrasiert, gekrümmt, alle Habseligkeiten auf dem Rücken. Am Ende sollen sie aussehen wie eine Karikatur aus dem *Stürmer*, Streichers Schmierblättchen, das jetzt auf den Straßen Wiens verkauft wird. Man nimmt ihnen die Lesebrillen weg.

Drei Tage lang werden Vater und Sohn irgendwo in Wien festgehalten. Die Gestapo braucht eine Unterschrift, man legt ihnen ein Formular vor, hier unterschreiben, oder Sie und Ihr Sohn wandern nach Dachau. Mit seiner Unterschrift gibt Viktor alles her, das Palais und was darin ist, seine weiteren Vermögenswerte in Wien, alles, was sich durch den Fleiß einer Familie angesammelt hat, hundert Jahre Besitz. Und dann dürfen sie ins Palais Ephrussi zurückkehren, durch das offene Tor, über den Hof zur Dienertreppe in der Ecke und hinauf in den zweiten Stock, in die zwei Zimmer, die jetzt ihr Heim sind.

Am 27. April wird erklärt, die Liegenschaft Dr.-Karl-Lueger-Ring 14, Wien I, früher Palais Ephrussi, sei vollständig arisiert worden. Es ist eine der ersten, die diese Auszeichnung erhält.

Während ich vor den Zimmern stehe, die man ihnen zugewiesen hatte, auf der anderen Hofseite, scheinen das Ankleidezimmer und die Bibliothek unwahrscheinlich nahe. Das ist der Moment, denke ich, das ist der Anfang des Exils, der Moment, wenn das Heim noch bei dir ist und zugleich weit, weit weg.

Das Haus gehört ihnen nicht mehr. Es ist voller Menschen, manche in Uniform, andere in Anzügen. Leute zählen die Räume, fertigen Listen der Kunstgegenstände und Bilder an, schaffen Sachen weg. Anna ist irgendwo dabei. Man hat ihr befohlen, beim Verpacken in Schachteln und Kisten zu helfen, hat ihr gesagt, sie solle sich schämen, für Juden zu arbeiten.

Es geht nicht nur um Kunst, um die Nippes, all die vergoldeten Sachen von den Tischen und Kaminsimsen, auch um Kleidung, um Emmys Wintermäntel, eine Kiste voller Haushaltsporzellan, eine Lampe, ein Bündel Regenschirme und Spazierstöcke. Das alles hat Jahrzehnte gebraucht, um in das Haus zu kommen, sich in Schubladen und Kisten und Vitrinen und Truhen niederzulassen, Hochzeitsgeschenke und Geburtstagsgeschenke und Souvenirs, und jetzt wird alles wieder hinausgetragen. Es ist das seltsame Auflösen einer Sammlung, eines Hauses, einer Familie. Es ist der Augenblick, in dem etwas zerreißt, wenn große Dinge weggenommen und Familienbesitztümer, gekannt, gebraucht, geliebt, einfach Zeug werden.

Um den Wert der Kunstobjekte jüdischer Besitzer beurteilen zu können, sind von der Vermögensverkehrsstelle Schätzmeister bestellt worden, die methodisch beim Entkernen der jüdischen Haushalte von Bildern, Büchern, Möbeln, Kunstgegenständen behilflich sind. Experten aus den Museen beurteilen, was von Wert ist. In den ersten Wochen nach dem Anschluss brodelt es in den Museen und Galerien förmlich von emsiger, zielgerichteter Arbeit: Briefe müssen geschrieben und kopiert werden, Listen angelegt, Anfragen gestellt zu Herkunft oder Zuschreibung, jedes Bild, jedes Möbelstück, jedes Kunstobjekt muss bewertet werden. Um jedes einzelne Objekt kämpfen verschiedene Interessenten.

Während ich die Dokumente lese, denke ich an Charles in Paris, *Amateur de l'art*, fleißig und gewissenhaft beim Recherchieren und Anfertigen von Verzeichnissen, ich denke an sein Gelehrtenleben, sein Vagabundieren, um Kenntnisse über seine geliebten Maler zusammenzutragen, seine Lackarbeiten, seine Netsuke-Sammlung.

Nie zuvor waren Kunsthistoriker so nützlich, nie hat man so aufmerksam ihre Meinung angehört wie in Wien im Frühjahr 1938. Und da der Anschluss bedeutet, dass alle Juden ihre Anstellungen in öffentlichen Institutionen verloren haben, gibt es spannende Möglichkeiten für die richtigen Kandidaten. Zwei Tage nach dem Anschluss wird Fritz Dworschak, früher für die Numismatische Abteilung zuständig, zum Direktor des Kunsthistorischen Museums ernannt. Die Verteilung der beschlagnahmten Kunstwerke, verkündet er, sei eine »einzigartige, nie wiederkehrende Gelegenheit einer Erweiterung ... auf sehr vielen Gebieten«.

Das trifft zu. Die meisten Kunstgegenstände sollen verkauft oder versteigert werden, um Geld für das Reich aufzutreiben. Einige Objekte sollen bei Händlern gegen anderes getauscht, einige dem Führer für das neue Museum, das er für seine Heimatstadt Linz plant, geschenkt werden, wieder andere an die Nationalmuseen gehen. Berlin beobachtet die Lage genau. Der Führer möchte persönlich über die Verwendung der Güter nach der Beschlagnahme entscheiden. Er überlegt, die Kunstwerke zuerst und vor allen Dingen kleinen österreichischen Städten für ihre Sammlungen zur Verfügung zu stellen. Einige Bilder, Bücher und Möbel sind für die Sammlungen der führenden Nazis vorgesehen.

Im Palais Ephrussi ist dieser Begutachtungsprozess nun im Gang. Alles in dem großen Schatzhaus wird ans Licht gehalten und untersucht. Sammler gehen so vor. Unter dem grauen Licht im glasüberdachten Innenhof werden alle Gegenstände dieser jüdischen Familie begutachtet. Die Gestapo äußert sich recht ätzend über den Geschmack, der die Sammlungen zusammengetragen hat, hält aber fest, dreißig der Ephrussi-Bilder seien »museumswürdig«. Drei Alte Meister werden umgehend der Gemäldegalerie des Kunsthistorischen Museums übergeben, sechs der Österreichischen Galerie, ein Alter Meister wird an einen Händler verkauft, zwei Terrakotten und drei Gemälde gehen an einen Sammler, zehn an einen anderen Händler am Michaelerplatz, für 10 000 Schilling. Und so weiter und so fort.

Zahlreiche künstlerische und qualitätvolle Stücke, die für Bürozwecke ungeeignet seien, wie es heißt, gehen an das Kunsthistorische und das Naturhistorische Museum. Alle anderen »ungeeigneten« Objekte kommen ins Mobiliendepot, ein riesiges Lager, aus dem andere Organisationen sich bedienen können.

Die allerbesten Bilder in Wien werden fotografiert und die Fotos in zehn ledergebundene Alben geklebt; diese Alben kommen nach Berlin, wo Hitler sie sich ansehen soll.

Und in einem Brief von (Initialen unleserlich), »betreff: RK 19694 B«, aus Berlin, 13. Oktober 1938, wird angemerkt, dass der Reichsführer SS mit Brief vom 10. August 1938, eingegangen am 26. September 1938, sieben Inventarlisten über Besitztümer und Kunstgegenstände, die in Österreich beschlagnahmt worden seien, übergeben habe, dazu zehn Alben mit Fotografien und einen Katalog; Inventarlisten und Bescheinigungen seien beigeschlossen. Außer dem »Schloss inklusive Grundstücke und Wälder des Juden Rudolf Gutmann« und »sieben Gütern aus dem Familienbesitz des Hauses Habsburg-Lothringen sowie vier Villen und einem Schloss von Otto v. Habsburg« seien auch Kunstgegenstände in Wien beschlagnahmt worden, darunter aus dem

Besitz von »Viktor v. Ephrussi, No. 57, 71, 81–87, 116–118 und 120–122«. Die Beschlagnahme sei zugunsten verschiedener Stellen erfolgt: Reichsführer SS, NSDAP, Wehrmacht, Lebensborn und andere.

Während Hitler sich die Alben ansieht und aussucht, was er haben will, während diese Angelegenheiten besprochen werden und man sich über den Unterschied zwischen Konfiskation und Beschlagnahme den Kopf zerbricht, verliert Viktor seine Bibliothek: seine Bücher zur Geschichte, die griechischen und lateinischen Dichter, sein Ovid und Vergil, der Tacitus, die Reihen englischer, deutscher und französischer Romane, die riesige ledergebundene Dante-Ausgabe mit den Illustrationen von Doré, vor denen die Kinder sich so gegruselt haben, die Wörterbücher und Atlanten, Charles' Bücher aus Paris, die Inkunabeln. Bücher, die er in Odessa und Wien gekauft hat, die seine Händler aus London und Zürich geschickt haben, sein ganzes Lektüreleben, werden von den Regalen genommen, sortiert und in hölzerne Kisten verpackt, und dann werden die Kisten zugenagelt, die Treppe hinunter in den Hof getragen und auf einen Lastwagen gehievt. Irgendjemand – die Initialen sind unleserlich – kritzelt eine Unterschrift auf ein Dokument, dann knattert der Lastwagen los, fährt an, durch das Eichentor auf den Ring und verschwindet.

Es gibt eine eigene Organisation, die in jüdischem Besitz befindliche Büchersammlungen ausfindig macht. Als ich den Mitgliedsausweis für den Wiener Club von »Präsident Viktor v. Ephrussi« durchgehe, fällt mir auf, dass die Bibliotheken von elf seiner Freunde beschlagnahmt wurden.

Einige Kisten kommen in die Nationalbibliothek. Hier sehen sich Bibliothekare und Fachleute die Bücher an, dann werden sie aufgeteilt. Wie die Kunsthistoriker haben auch die Bibliothekare und Fachleute in diesen Tagen viel zu tun. Manche Bücher bleiben in Wien, andere gehen nach Berlin, wieder andere sind für die in Linz geplante »Führerbibliothek« oder für Hitlers Privatbibliothek bestimmt. Und wieder andere werden für das Amt Rosenberg ausgesucht. Alfred Rosenberg, der frühe Ideologe des Nazismus, ist eine Größe im Reich. »Das Wesen der heutigen Weltrevolution liegt im Erwachen der rassischen Typen«, schwadronierte er in seinen Büchern; für Deutschland werde die Judenfrage erst gelöst sein, wenn der letzte Jude Großdeutschland verlassen habe. Diese Bücher, die an ihrer eigenen Rhetorik zu ersticken drohten, verkauften sich zu Hunderttausenden und standen in ihrer Beliebtheit nur »Mein Kampf« nach. Zu den Aufgaben des Amtes Rosenberg gehörte es, Forschungsmaterial aus »herrenlosem jüdischem Besitz« in Frankreich, Belgien und Holland herbeizuschaffen. Solches geschieht in ganz Wien. Manchmal werden Juden gezwungen, Sachen für ein Spottgeld zu verkaufen, um das Geld für die Reichsfluchtsteuer aufzutreiben, damit sie das Land verlassen können. Manchmal werden ihnen ihre Besitztümer einfach weggenommen. Manchmal mit Gewalt, manchmal ohne, aber immer in einem Gewaber von Bürokratendeutsch, mit Papieren, die zu unterzeichnen sind, einem Schuldeingeständnis, dass sie in Aktivitäten verstrickt waren, die mit den Gesetzen des Reichs unvereinbar seien. Alles und jedes wird dokumentiert; die Liste der Gutmann-Sammlungen umfasst viele Seiten. Die Gestapo nimmt Mariannes elf Netsuke mit, den spielenden Jungen, den Hund und den Affen, die Schildkröte, jene, die sie vor so langer Zeit Emmy gezeigt hat.

Wie lange dauert es, die Menschen von den Orten, an denen sie gelebt haben, abzuspalten? Im Dorotheum, dem Wiener Auktionshaus, findet eine Versteigerung nach der anderen statt. Jeden Tag kommen beschlagnahmte Besitztümer unter den Hammer. Jeden Tag finden all diese Sachen Käufer, die sie billig erwerben, Sammler, die ihre Sammlungen vergrößern wollen. Der Verkauf der Sammlung Altmann dauert fünf Tage. Er beginnt am Freitag dem 17. Juni 1938 um drei Uhr mit einer englischen Standuhr mit dem Big-Ben-Glockenton. Sie geht für bloß dreißig Reichsmark weg. An jedem Tag wird feinsäuberlich durchgezählt, so dass am Ende die eindrucksvolle Zahl von 250 Losen erreicht ist.

So also soll das vor sich gehen. Es zeigt sich, dass in der Ostmark Dinge jetzt mit Akribie behandelt werden sollen. Jeder silberne Kerzenhalter soll gewogen werden. Jede Gabel, jeder Löffel gezählt. Jede Vitrine geöffnet. Die Herkunftszeichen an der Unterseite jeder Porzellanfigur werden notiert. Ein gelehrtes Fragezeichen folgt auf die Beschreibung der Zeichnung eines Alten Meisters; die Abmessung eines Bildes wird genau festgehalten. Und während das vor sich geht, bricht man den ehemaligen Besitzern die Rippen und schlägt ihnen die Zähne aus.

Die Juden sind weniger wichtig als ihr ehemaliges Eigentum. Es ist ein Test, wie man Objekte achtsam behandelt, wie man pfleglich mit ihnen umgeht und ihnen ein ordentliches deutsches Heim schenkt. Es ist ein Test für eine Gesellschaft ohne Juden. Wien ist wieder einmal eine »Versuchsstation für den Weltuntergang«.

Drei Tage nachdem Viktor und Rudolf aus dem Gefängnis entlassen wurden, weist die Gestapo die Familienwohnung dem Amt für Wildbach- und Lawinenverbauung zu. Aus den Schlafzimmern werden Büros. Der Nobelstock des Palais, die Wohnung von Ignaz mit dem Gold und dem Marmor und den Deckenmalereien, wird dem Amt Rosenberg übergeben, dem Bevollmächtigten des Führers für die »Überwachung der gesamten geistigen und weltanschaulichen Schulung und Erziehung der NSDAP«.

Ich stelle mir Rosenberg vor, schlank und gut angezogen, wie er sich über den riesigen Boulle-Tisch in Ignaz' ringseitigem Salon beugt, seine Papiere vor sich ausgebreitet. Sein Büro ist für die Koordination der kulturpolitischen Ausrichtung des Reichs zuständig, und es ist eine Menge zu tun. Archäologen, Literaten, Wissenschaftler, alle benötigen seine Imprimatur. Es ist April, an den Linden sprießen frische Blätter. Aus den drei Fenstern vor ihm flattern über dem hellgrünen Blätterbaldachin Hakenkreuzfahnen von der Universität und von dem Fahnenmast, den man jüngst vor der Votivkirche aufgestellt hat.

Rosenberg ist in seinem neuen Wiener Büro eingerichtet, über sich Ignaz' feinsinnig ausgewogener Hymnus auf Zions jüdischen Stolz – sein lebenslanges Vertrauen auf die Assimilation: das grandiose, goldstrotzende Bild der zur Königin Israels gekrönten Esther. Über ihm zur Linken ist zu sehen, wie die Feinde Zions zerschmettert werden. Aber in der Zionstraße soll es keine Juden mehr geben.

Am 25. April findet die feierliche Wiedereröffnung der Universität

statt. Studenten in Lederhosen flankieren die Stufen zum Hauptein-
gang, als Gauleiter Joseph Bürckel eintrifft. Es gibt nun ein Quoten-
system: Nur ein Prozent der Studenten und des Lehrpersonals dürfen
jüdisch sein; ab sofort haben jüdische Studenten nur mit Genehmigung Zutritt; von den 197 Mitgliedern des Lehrpersonals der Medizi-
nischen Fakultät wurden 153 entlassen.

Am 26. April beginnt Hermann Göring seine Kampagne zur »Ver-
mögensumverteilung«. Jeder Jude, der Vermögenswerte von mehr als
fünftausend Reichsmark besitzt, ist verpflichtet, dies den Behörden zu
melden, oder er wird verhaftet.

Am nächsten Morgen erscheint die Gestapo im Bankhaus Ephrussi.
Drei Tage verbringen die Beamten damit, sich die Unterlagen anzusehen. Unter den neuen Bestimmungen – Bestimmungen, die gerade
sechsunddreißig Stunden in Kraft sind – muss das Unternehmen zuerst den arischen Aktionären angeboten werden, und zwar zu herab-
gesetztem Preis. Das bedeutet, dass Herr Steinhäusser, Viktors Kollege
seit achtundzwanzig Jahren, gefragt wird, ob er seine jüdischen Kollegen auszahlen will.

Es ist erst sechs Wochen her seit der geplanten Volksabstimmung.

Ja, sagt er in einem Interview nach dem Krieg über seine Rolle in
der Bank, natürlich habe er sie ausbezahlt. »[Für die Flucht] bedurften
sie eines größeren liquiden Geldbetrages, um insbesondere den Anforderungen des Deutschen Reiches für Reichsfluchtsteuer genügen
zu können. Diese beiden Gesellschafter boten mir ihre Gesellschafts-
anteile deshalb dringend an, weil ihnen dies der rascheste Weg zur
Erfüllung dieses Wunsches schien ...« Die »Abtretungspreise« seien
»vollkommen entsprechend« gewesen: 508 000 Reichsmark und die
»Entjudungsauflage«, 40 000 Reichsmark.

So wird Ephrussi und Co. am 12. August 1938 aus dem Handels-
register genommen. In den Aufzeichnungen heißt es unüblicherweise
»gelöscht«. Drei Monate später wird der Name in »Bankhaus C. A.
Steinhäusser« geändert. Unter dem neuen Namen wird die Bank neuerlich bewertet: Unter den jetzigen nichtjüdischen Eigentümern ist sie
sechsmal mehr wert als unter den jüdischen.

Es gibt kein Palais Ephrussi mehr in Wien und kein Bankhaus Ephrussi. Die Stadt wurde von der Familie Ephrussi gesäubert.

Bei diesem Aufenthalt in Wien gehe ich ins Archiv der Kultusgemeinde, dasjenige, das Eichmann beschlagnahmte, und möchte mir Näheres über eine Eheschließung ansehen. Ich blättere eine Mappe durch und finde Viktor; quer über seinen Vornamen ist mit roter Farbe der Name »Israel« gestempelt. Es war verfügt worden, dass alle Juden zusätzliche Namen annehmen mussten. Jemand muss auf jeden einzelnen Namen in der Auflistung der Wiener Juden einen Stempel gedrückt haben: »Israel« für die Männer, »Sara« für die Frauen.

Ich habe mich geirrt. Die Familie wurde nicht ausgelöscht, sondern überschrieben. Und das ist es, was mich endlich zum Weinen bringt.

# 26.

# »Einmalige Ausreise nach CSR«

Was müssen Viktor, Emmy und Rudolf tun, um die Ostmark des Deutschen Reichs verlassen zu dürfen? Sie können sich vor so vielen Botschaften oder Konsulaten anstellen, wie sie wollen, die Antwort ist immer die gleiche. Die Quoten sind erfüllt. Es gibt genügend Flüchtlinge, Emigranten, bedürftige Juden in England, um die Listen auf Jahre abzuhaken. In solchen Schlangen zu stehen ist gefährlich, da die SS oder die örtliche Polizei oder jeder, der mit jemandem abzurechnen hat, sie überwacht. Unaufhörliches Zittern vor Angst, ein Polizeilastwagen könne einen mitnehmen und nach Dachau transportieren.

Sie brauchen genug Geld, um die vielen einfallsreichen Steuern, die vielen Bußzahlungen zu entrichten, bevor sie emigrieren dürfen. Sie müssen deklarieren, was sie am 27. April 1938 besessen haben. Das wird von der Vermögensverkehrsstelle aufgenommen. Sie müssen alle inländischen und ausländischen Vermögenswerte anführen, sämtlichen Grundbesitz, Geschäftsanteile, Einkommen, Sparguthaben, Pensionen, Wertgegenstände, Kunstobjekte. Dann müssen sie zum Finanzministerium, um nachzuweisen, dass sie weder bei Erbschafts- noch Liegenschaftssteuern im Rückstand sind, und dann müssen sie einen Nachweis über Einkommen, Umsätze und Pensionszahlungen vorlegen.

Und so beginnt der achtundsiebzigjährige Viktor seinen Rundgang durch das historische Wien, er spricht bei einem Amt nach dem anderen vor, wird hier abgewiesen, kann dort nicht hinein, stellt sich an, um in ein Büro zu kommen, wo er dann wieder in einer Schlange warten muss. All die Schreibtische, vor denen er stehen muss, die gebellten Fragen, der Stempel auf dem roten Stempelkissen, der ihm die Ausreise erlauben wird oder auch nicht, die Steuern, Erlässe und Protokolle, die er verstehen soll. Es ist erst sechs Wochen her seit dem

Anschluss, und wegen der vielen neuen Gesetze, der neuen Männer hinter den Schreibtischen, die unbedingt beachtet werden, sich in der Ostmark unbedingt beweisen wollen, herrscht Chaos. Eichmann richtet im arisierten Palais Rothschild in der Prinz-Eugen-Straße die Zentralstelle für jüdische Auswanderung ein, um die Juden schneller »abzuwickeln«. Er lernt, wie man eine Organisation effizient leitet. Seine Vorgesetzten sind äußerst beeindruckt. Dieses neue Amt wird den Beweis erbringen, dass einer mit seiner ganzen Habe und im Besitz der Staatsbürgerschaft hineingehen und ein paar Stunden später mit nichts als einer Ausreisegenehmigung wieder herauskommen kann.

Menschen werden zum Schatten ihrer Dokumente. Sie warten auf die Beglaubigung ihrer Papiere, warten auf Unterstützungsbriefe aus Übersee, auf das Versprechen einer Anstellung. Wer schon außer Landes ist, wird um Gefälligkeiten angebettelt, um Geld, um einen Verwandtschaftsnachweis, um schimärenhafte Projekte, um irgendetwas Schriftliches oder ein Blatt Papier mit Briefkopf.

Am 1. Mai erhält der neunzehnjährige Rudolf die Genehmigung, in die USA auszureisen; ein Freund hat ihm einen Job bei der Firma Bertig in Paragould, Arkansas, verschafft. Viktor und Emmy bleiben allein im alten Haus zurück. Alle Bediensteten sind gegangen, außer Anna. Diese drei Personen bewegen sich nicht auf vollkommenen Stillstand zu: Sie sind schon dort angekommen, erstarrt. Viktor geht die ungewohnte Treppe in den Hof hinunter, vorbei an der Apollostatue, weicht den Blicken der neuen Beamten und seiner ehemaligen Mieter aus, geht beim Tor hinaus, vorbei am Wache stehenden SA-Mann, auf den Ring. Wo kann er hin? Nicht in sein Kaffeehaus, in sein Büro, seinen Club, zu Verwandten. Er hat kein Kaffeehaus, kein Büro, keinen Club, keine Verwandten. Er kann nicht mehr auf einer öffentlichen Bank sitzen; auf den Bänken im Park vor der Votivkirche steht »Für Juden verboten«. Er kann nicht ins Sacher gehen, nicht ins Café Central, auch nicht in den Prater oder in seine Buchhandlung, nicht zum Friseur, nicht durch den Park spazieren. Er kann in keine Straßenbahn einsteigen: Juden und Menschen, die jüdisch aussahen, sind schon hinausgeworfen worden. Er kann nicht ins Kino gehen. Und nicht in die Oper. Auch wenn er es könnte, er würde keine von Juden geschriebene Musik hören, keine von Juden gespielte oder gesungene Musik. Keinen Mahler und keinen Mendelssohn. Die Oper ist arisch geworden. Bei der Endstation der Straßenbahn nach Neuwaldegg stehen Männer, die verhindern sollen, dass Juden im Wienerwald wandern gehen. Wo soll er hingehen? Wie können sie entkommen?

Während alle zu fliehen versuchen, kehrt Elisabeth zurück. Sie hat einen niederländischen Pass, das könnte sie, die jüdische Intellektuelle, die Unerwünschte, eventuell vor der Verhaftung bewahren, aber es ist trotzdem eine gefährliche Sache. Und sie ist unermüdlich: Sie kümmert sich um die Genehmigungen für ihre Eltern, gibt vor, zur Gestapo zu gehören, um einen bestimmten Beamten sprechen zu dürfen, findet Wege, die Reichsfluchtsteuer zu bezahlen, verhandelt mit Ämtern. Sie lässt sich von der Sprache dieser neuen Gesetzgeber nicht einschüchtern: Sie ist Anwältin, sie wird alles ordentlich erledigen. Sie wollen amtlich vorgehen? Nun, das kann ich auch.

Die Stempel in Viktors Pass zeigen, wie er sich Schritt für Schritt auf die Abreise zubewegt. Am 13. Mai lautet der Stempel »Passinhaber ist Auswanderer«, unterzeichnet hat ein Dr. Raffegerst. Fünf Tage später, am 18. Mai, lautet er »Einmalige Ausreise nach CSR«. In dieser Nacht gibt es Berichte von deutschen Truppenbewegungen an der Grenze und einer Teilmobilisierung der tschechoslowakischen Armee. Am 20. Mai treten in Österreich die Nürnberger Gesetze in Kraft. Diese seit drei Jahren in Deutschland gültigen Bestimmungen legen fest, was als jüdisch zu gelten hat. Sind drei von vier Großeltern Juden, dann ist man Jude. Man darf keinen Nichtjuden heiraten, darf nicht mit einem Nichtjuden oder einer Nichtjüdin Geschlechtsverkehr haben oder die Reichsflagge hissen. Man darf keine jüdischen Hausangestellten unter fünfundvierzig Jahren beschäftigen.

Anna ist eine nichtjüdische Bedienstete in mittleren Jahren, seit ihrem vierzehnten Lebensjahr hat sie für Juden gearbeitet, für Emmy und Viktor und deren vier Kinder. Sie muss in Wien bleiben. Sie muss sich eine neue Herrschaft suchen.

Am 20. Mai erteilt das Grenzpolizeikommissariat Wien Viktor und Emmy die endgültige Ausreisegenehmigung.

Am Morgen des 21. treten Elisabeth und ihre Eltern aus dem Eichenportal und wenden sich nach links. Sie müssen zu Fuß zum Bahnhof gehen. Jeder trägt einen Koffer. Die *Neue Freie Presse* berichtet, dass es milde vierzehn Grad hat. Diesen Weg den Ring entlang sind sie tausendmal gegangen. Am Bahnhof verabschiedet sich Elisabeth von ihnen. Sie muss zurück in die Schweiz zu den Kindern.

Als Viktor und Emmy die Grenze erreichen, ist es beinahe unmöglich, in die Tschechoslowakei einzureisen; man fürchtet einen unmittelbar bevorstehenden deutschen Einmarsch. Sie werden aufgehalten. Das bedeutet, dass sie aussteigen und stundenlang in einem Warteraum stehen müssen, während Telefonanrufe getätigt und Papiere konsultiert werden, bevor man ihnen 150 Schweizer Franken und einen ihrer Koffer abnimmt. Dann dürfen sie die Grenze passieren. Ein paar Stunden später kommen Emmy und Viktor in Kövecses an.

Kövecses liegt in der Nähe einiger Grenzen. Das war immer einer seiner Vorzüge, es war ein guter Treffpunkt für Freunde und Verwandte aus ganz Europa, ein Jagdschlösschen, ein Ort der Freiheit für Schriftsteller und Musiker.

Im Sommer 1938 wirkt Kövecses mehr oder minder wie immer, eine bunte Mischung von feudal und leger. Man sieht die Sommergewitter über die Ebene heranziehen, der Wind schüttelt die Weiden am Ufer. Auf einem Foto aus diesem Monat wirken die Rosen weniger gepflegt; Emmy hat sich bei Viktor eingehakt. Es ist das einzige Bild, das ich besitze, auf dem sie einander berühren.

Das Haus ist leer. Die vier Kinder sind in alle Himmelsrichtungen zerstreut: Elisabeth ist in der Schweiz, Gisela in Mexiko, Iggie und Rudolf sind in den USA. Und so warten die beiden jeden Tag auf die Post, warten auf eine Zeitung, warten.

Die Grenzen werden beobachtet, die Tschechoslowakei ist gespalten, und Kövecses liegt der Gefahr einfach zu nahe. In diesem Sommer bricht die Sudetenkrise aus, um die Region im Westen des Landes: Hitler verlangt, die dort ansässige deutsche Bevölkerung solle sich

*Viktor und Emmy in Kövecses,*
*18. August 1938*

dem Reich anschließen dürfen. Die Lage wird immer unruhiger, ein Krieg droht. In London versucht Chamberlain zu beschwichtigen, er will taktisch vorgehen und Hitler überzeugen, dass man seinen Forderungen entgegenkommen könne.

Im Juli findet in Evian eine neuntägige internationale Konferenz über die Flüchtlingskrise statt: Zweiunddreißig Länder, darunter die Vereinigten Staaten, sind vertreten, doch es gelingt nicht, eine Resolution gegen Deutschland zustande zu bringen. Die Schweizer Polizei, die den Flüchtlingszustrom aus Österreich eindämmen möchte, hat die deutsche Regierung ersucht, ein Symbol einzuführen, mit dem man die Juden an den Grenzkontrollstellen identifizieren könne. Dem wurde entsprochen. Die Pässe der Juden sind ab sofort ungültig, sie müssen bei den Polizeidienststellen abgegeben werden und kommen mit einem daraufgestempelten J zurück.

Am frühen Morgen des 30. September unterzeichnen Chamberlain, Mussolini und der französische Ministerpräsident Édouard Daladier das Münchener Abkommen mit Hitler: Der Krieg ist abgewendet. Die heller gefärbten Bereiche auf der Karte der Tschechoslowakei müssen bis 1. Oktober 1938 abgetreten werden, in den dunkler gefärbten Regionen soll eine Volksabstimmung stattfinden. Die Prager Regierung ist nicht vertreten, als ihr Land zerstückelt wird. An diesem Tag verlassen die tschechischen Grenzbeamten ihre Posten, österreichische wie deutsche Flüchtlinge werden zum Verlassen des Landes aufgefordert. Es gibt erste Judenverfolgungen. Es herrscht Chaos. Zwei Tage später betritt Hitler unter Jubel das Sudetenland. Am 6. Oktober wird eine hitlerfreundliche slowakische Regierung gebildet. Die neue Grenze verläuft nur etwa dreißig Kilometer vom Haus entfernt. Am 10. ist die deutsche Annexion vollendet.

Erst vier Monate ist es her, seit sie in Wien auf den Ring hinausgetreten sind, um zum Bahnhof zu gehen und zu entkommen. Und nun stehen deutsche Soldaten an jeder Grenze.

Emmy stirbt am 12. Oktober.

Weder Elisabeth noch Iggie ließen mir gegenüber das Wort »Selbstmord« fallen, aber beide sagten, sie habe nicht mehr weitermachen können, nicht mehr weitermachen wollen. Sie starb in der Nacht. Emmy nahm zu viele ihrer Herztabletten, die sie in der taubenblauen Porzellandose aufbewahrte.

In der Dokumentenmappe liegt ihr Totenschein, zweifach zusammengefaltet. Eine kastanienbraune tschechoslowakische Fünf-Kronen-Stempelmarke mit dem aufrecht schreitenden Löwen ist aufgeklebt und gestempelt, obwohl an dem Tag, an dem der Schein ausgefüllt wurde, die Tschechoslowakei nicht mehr existierte. Am 12. Oktober 1938, steht da auf Slowakisch, ist Emmy Ephrussi von Schey, Ehefrau von Viktor Ephrussi, Tochter von Paul Schey und Evelina Landauer, im Alter von neunundfünfzig Jahren gestorben. Todesursache ist Herzversagen. Unterschrieben hat ein »Frederik Skipsa, *matrikar*«. Unten links eine handschriftliche Notiz: Die Verstorbene war Bürgerin des Deutschen Reichs, dieses Dokument wurde nach den Reichsgesetzen ausgefertigt.

Ich denke an ihren Selbstmord. Sie wollte wohl keine Bürgerin des Deutschen Reichs sein und dort leben. Ich frage mich, ob es zu viel für Emmy war – diese schöne, witzige und zornige Frau –, dass der einzige Platz in ihrem Leben, wo sie vollkommene Freiheit erlebt hatte, sich nun ebenfalls als Falle erwies.

Elisabeth erfuhr die Nachricht durch ein Telegramm zwei Tage später, Iggie und Rudolf drei Tage danach in Amerika. Emmy wurde auf dem Friedhof des Dorfes nahe Kövecses begraben. Und mein Urgroßvater Viktor war allein.

Auf dem langen Tisch in meinem Atelier lege ich meine schmale Spur blauer Briefe aus dem Jahr 1938 aus. Achtzehn sind es, eine schwache Fährte durch den Winter. Sie stammen hauptsächlich von Elisabeth, ihrem Onkel Pips und Verwandten in Paris; man versuchte herauszufinden, wo sich alle aufhielten, wie man Ausreisegenehmigungen erlangen, wie man Geld als Sicherheit auftreiben könnte. Wie sollten sie Viktor aus der Slowakei herausbekommen? Sein Besitz war beschlagnahmt, er war mitten auf dem Land gestrandet, mit einem österreichischen Pass, der bis 1940 gültig gewesen wäre, jetzt aber nutzlos war, da Österreich seine Eigenständigkeit verloren hatte. Da Viktor ausgewiesen worden war, konnte er nicht bei einem deutschen Konsulat um einen deutschen Pass ansuchen. Er hatte Schritte unternommen, die tschechische Staatsbürgerschaft zu erhalten, aber dann war auch dieses Land von der Landkarte verschwunden. Er besaß bloß ein Dokument, das nachwies, dass er Wiener Bürger war, sowie ein weiteres über die Niederlegung seiner russischen Staatsbürgerschaft und die Annahme der österreichischen im Jahr 1914. Aber das war noch in der Zeit der Habsburger gewesen.

Am 7. November 1938 betrat ein junger Jude die deutsche Botschaft in Paris und schoss auf den deutschen Diplomaten Ernst vom Rath. Am 8. wurden kollektive Strafmaßnahmen gegen die Juden verkündet: Jüdische Kinder durften keine arischen Schulen mehr besuchen, jüdische Zeitungen wurden verboten. Am Abend des 9. starb vom Rath in Paris. Hitler entschied, die spontanen Demonstrationen sollten nicht mehr eingedämmt und die Polizeikräfte zurückgezogen werden.

Die sogenannte Kristallnacht ist eine Nacht des Schreckens: 680 Juden begehen in Wien Selbstmord, siebenundzwanzig werden ermordet. In ganz Österreich und Deutschland werden Synagogen niedergebrannt, Geschäfte geplündert, Juden verprügelt und zusammengetrieben, um ins Gefängnis oder in Lager geschafft zu werden.

Die Briefe, hauchdünne Flugpostbriefe, werden zunehmend verzweifelter. Pips schreibt aus der Schweiz:»Meine Briefe sind eine Art Zwischenstation für Freunde und Verwandte geworden, die einander nicht schreiben können … Ich mache mir schreckliche Sorgen um sie, da ich aus zuverlässigen Quellen höre, dass früher oder später alle jüdischen Männer in das sogenannte ›Protektorat‹ in Polen geschickt werden sollen.« Er bittet Freunde, für eine Einreiseerlaubnis Viktors in England zu intervenieren. Und Elisabeth schreibt an die britischen Behörden:»Infolge der tiefgreifenden politischen Umwälzungen in der Tschechoslowakei und besonders in der Slowakei, wo sein gegenwärtiger Wohnsitz sich befindet, kann seine Lage nicht mehr als sicher angesehen werden. Willkürliche Maßnahmen gegen Juden, Einwohner wie Zuwanderer, sind bereits ergriffen worden, und die vollständige Unterwerfung des Landes unter die deutsche Oberhoheit ist Rechtfertigung genug, in Bälde ›legale‹ Maßnahmen gegen Juden zu ergreifen.«

Am 1. März 1939 erhält Viktor sein Visum,»Good for a Single Journey«, von der britischen Passstelle in Prag. Am selben Tag verlassen Elisabeth und die Buben die Schweiz. Sie nehmen den Zug nach Calais und die Fähre nach Dover. Am 4. März kommt Viktor am Flughafen Croydon südlich von London an. Elisabeth holt ihn ab und bringt ihn ins St. Ermin's Hotel in Madeira Park, Tunbridge Wells, wo Henk für sie alle Zimmer genommen hat.

Viktor hat einen einzigen Koffer. Er trägt denselben Anzug, den Elisabeth beim Weg zum Bahnhof in Wien an ihm gesehen hat. Sie bemerkt, dass er an der Uhrkette immer noch den Schlüssel zum Bücherschrank in der Bibliothek im Palais trägt, dem Schrank mit seinen frühen gedruckten Historien.

Er ist Emigrant. Sein Land der Dichter and Denker ist zum Land der Richter und Henker geworden.

# 27

# Die Tränen der Dinge

Viktor lebte mit meinen Großeltern, meinem Vater und Onkel in einem gemieteten Haus in einem Vorort von Tunbridge Wells, St. David's. Ein im Fischgrätmuster gepflasterter Weg führte von einer hölzernen Gartentür zwischen Ligusterrabatten hinauf zu einer Veranda vor einem gedrungenen Giebelhaus. Es gab Rosenbeete und einen Gemüsegarten. Es war ein gewöhnliches Haus in einer gewöhnlichen Stadt in Kent, sechzig Kilometer südlich von London, sicher und ziemlich bieder.

Sie gingen sonntags zum Frühgottesdienst in die Kirche King Charles the Martyr. Die Buben – acht und zehn Jahre alt – wurden in Schulen geschickt, wo man sie wegen ihres ausländischen Akzents nicht hänselte, der Direktor achtete streng darauf. Sie sammelten Granatsplitter und Uniformknöpfe und bastelten aus Pappe aufwendige Burgen und Boote. Am Wochenende gingen sie in den Buchenwäldern spazieren.

Elisabeth, die nie in ihrem Leben gekocht hatte, lernte Mahlzeiten zuzubereiten. Ihre frühere Köchin, die nun in England lebte, schickte ihr seitenlange Briefe mit Rezepten für Salzburger Nockerl und Schnitzel und akribischen Anleitungen: »Die gnädige Frau kippt die Bratpfanne ein wenig ...«

Um das Haushaltsgeld aufzubessern, unterrichtete Elisabeth Nachbarskinder in Latein; mit Übersetzungen verdiente sie genug, um den Buben Fahrräder kaufen zu können, jedes kostete acht Pfund. Sie versuchte wieder Gedichte zu schreiben, aber es ging nicht mehr. 1940 verfasste sie einen Essay über Sokrates und den Nazismus – drei enragierte Seiten – und schickte ihn ihrem Freund, dem Philosophen Eric Voegelin in Amerika. Sie setzte den Briefwechsel mit ihrer in alle Winde zerstreuten Familie fort. Gisela und Alfredo samt Kindern waren in Mexiko. Rudolf war immer noch in seiner Kleinstadt in Arkansas: Er schickte ihr einen Zeitungsausschnitt aus *The Paragould Soliphone*: »Rudolf Ephrussi, Baron Ephrussi, wie er in der Alten Welt geheißen hätte, ein großer, gut aussehender Junge, entlockt seinem Saxophon die neuesten Melodien.« Pips und Olga waren in der Schweiz.

Tante Gerty hatte aus der Tschechoslowakei flüchten können und lebte nun in London, aber es gab nach wie vor keine Nachrichten von Elisabeths Tante Eva und Onkel Jenö, die zuletzt in Kövecses gewesen waren.

Henk, mein Großvater, pendelte mit dem Zug um acht Uhr achtzehn nach London; zu seinen Aufgaben gehörte es, den Verbleib der holländischen Handelsflotte und ihren geplanten Einsatzort nachzuverfolgen.

Und Viktor saß auf einem Stuhl neben dem Küchenherd, der einzige Platz im Haus, wo es warm war. Jeden Tag verfolgte er in der *Times* die Nachrichten über den Krieg, an Donnerstagen las er die *Kentish Gazette*. Er las Ovid, besonders die »Tristia«, die Gedichte aus dem Exil. Beim Lesen strich er sich mit der Hand über das Gesicht, damit die Kinder nicht sahen, welche Wirkung der Dichter auf ihn hatte. Er las beinahe den ganzen Tag über, außer wenn er seinen kurzen Spaziergang die Blatchingdon Road hinauf und zurück unternahm oder ein Schläfchen hielt. Gelegentlich ging er den ganzen Weg ins Stadtzentrum in Hall's Antiquariat, wo der Buchhändler Mr. Pratley besonders freundlich zu Viktor war, während der die Bände von Galsworthy, Sinclair Lewis und H. G. Wells befühlte.

Manchmal erzählte er den Buben, wenn sie aus der Schule heimkamen, von Aeneas und seiner Rückkehr nach Karthago. Dort sind an die Wände Szenen aus Troja gemalt. Erst dann, konfrontiert mit den Bildern dessen, was er verloren hat, kann Aeneas endlich weinen. »Sunt lacrimae rerum«, sagt Aeneas. Es sind die Tränen der Dinge, liest Viktor dort am Küchentisch, während die Buben ihre Algebra-Aufgaben erledigen. »Ein Tag im Leben eines Bleistifts«; »Die Aufhebung der Klöster: Triumph oder Tragödie?«

Viktor vermisste die flachen Zündhölzer, die man in Wien kaufen konnte, sie passten in seine Westentasche. Er vermisste seine kleinen Zigarren. Er trank seinen schwarzen Tee nach russischer Art aus dem Glas, mit Zucker. Einmal streute er die gesamte Wochenration für die Familie hinein und rührte um, während die anderen mit offenem Mund dasaßen.

Im Februar 1944 taucht zur Freude aller Iggie in seiner amerikanischen Uniform in Tunbridge Wells auf; er ist Nachrichtenoffizier im Hauptquartier des 7. Korps. Das aus der Kindheit vertraute Hin- und Herwechseln zwischen Englisch, Französisch und Deutsch kommt ihm jetzt zugute. Beide Brüder haben die US-Staatsbürgerschaft angenommen, um in die Armee eintreten zu können, Rudolf in Virginia im Juli 1941, Iggie in Kalifornien im Januar 1942, einen Monat nach Pearl Harbor.

Die nächste Nachricht von Iggie ist ein Foto auf der Titelseite der *Times* vom 27. Juni 1944, drei Wochen nach der Landung der Alliierten in Frankreich. Es zeigt die Kapitulation eines deutschen Admirals und eines deutschen Generals in Cherbourg. Sie stehen in durchnässten Mänteln einem inzwischen ein wenig kahlen Captain I. L. Ephrussi und dem adretten amerikanischen Generalmajor J. Lawton Collins gegenüber. Karten der Normandie an den Wänden, ein aufgeräumter Schreibtisch. Alle stehen in leicht vorgebeugter Haltung da, um Iggies Übersetzung der Bedingungen von General Collins zu lauschen.

Viktor starb am 12. März 1945, einen Monat, bevor Wien von den Russen befreit wurde, zwei Monate vor der bedingungslosen Kapitulation des deutschen Oberkommandos. Er war vierundachtzig. »Geboren in Odessa, gestorben in Tunbridge Wells«, steht auf seinem Totenschein. Gelebt hat er, füge ich beim Lesen hinzu, in Wien, dem Zentrum Europas. Sein Grab auf dem Städtischen Friedhof in Charing ist weit weg von dem seiner Mutter in Vichy. Weit weg von dem seines Vaters und Großvaters im Mausoleum mit den dorischen Säulen in Wien, errichtet voller Zuversicht, in diesem neuen kaiserlichen österreichisch-ungarischen Heimatland würde es den dynastischen Ephrussi-Clan auf immer beherbergen. Am weitesten entfernt ist es von Kövecses.

*Iggie während des Feldzugs*
*in der Normandie, 1944*

Bald nach Kriegsende erhielt Elisabeth einen langen Brief von ihrem Onkel Tibor, mit der Schreibmaschine getippt. Pips hatte ihn im Oktober aus der Schweiz weitergeleitet. Der Brief war auf beinahe durchscheinendem Papier geschrieben und enthielt furchtbare Nachrichten.

»Ich möchte nicht alles wiederholen, aber ich muss noch einmal über Jenö und Eva schreiben. Es ist schrecklich, an die Qual zu denken, unter der sie starben. Jenö hatte bereits die Bestätigung in Händen, bevor sie aus Komarom ins Reich deportiert wurden, denn man hatte ihm die Heimreise gestattet. Er wollte Eva nicht verlassen, weil er glaubte, man würde ihnen erlauben, zusammenzubleiben, aber an der deutschen Grenze wurden sie sofort getrennt, und man nahm ihnen die besseren Kleidungsstücke ab, die sie trugen. Beide starben im Januar.«

Eva, die Jüdin, war ins KZ Theresienstadt gebracht worden, wo sie an Typhus starb; Jenö, Nichtjude, war in einem Arbeitslager an Erschöpfung zugrunde gegangen.

Tibor fährt fort, erzählt Neuigkeiten von den Nachbarn in Kövecses, zählt Namen von Freunden der Familie und Verwandten auf, von
denen mir keiner ein Begriff ist: Samu, Herr Siebert, Familie Erwin
Strasser, die Witwe von János Thuróczy, »ein zweiter Sohn, der seit
damals vermisst wird«, im Krieg deportiert oder in den Lagern verschwunden. Er schreibt von der Verwüstung in seiner Gegend, den
niedergebrannten Dörfern, dem Hunger, der Inflation. Auf dem Land
gibt es kein Wild mehr. Das Gut neben Kövecses, Tavarnok, »ist leer
und niedergebrannt. Alle sind gegangen, in Tapolcány ist nur die alte
Dame. Ich besitze bloß, was ich auf dem Leib trage.«

Tibor war in Wien im Palais Ephrussi gewesen: »In Wien konnten
wir ein paar Dinge retten … Das Bildnis der Anna Herz (Makart) ist
noch dort, ein Porträt von Emmy (Angeli) und das Bild von Taschas
Mutter (ebenfalls Angeli, glaube ich), ein paar Möbelstücke, Vasen etc.
Fast alle Bücher von Deinem Vater und mir sind verschwunden, wir
haben ein paar gefunden, einige mit Wassermanns Widmung.« Ein
paar Familienporträts, etliche Bücher mit Widmung und einige Möbel. Keine Erwähnung, wer jetzt im Haus ist.

Im Dezember 1945 entscheidet Elisabeth, sie müsse jetzt nach Wien
zurückkehren, um nachzuforschen, wer und was noch da sei. Und um
das Bild ihrer Mutter zu retten und nachhause zu bringen.

Elisabeth verfasste einen Roman über ihre Reise. Er ist unveröffent-
licht. Und nicht zu veröffentlichen, denke ich, als ich das Typoskript
durchsehe, 261 getippte Seiten, Korrekturen sorgfältig mit Tippex
durchgeführt. Die ungefilterte Emotion macht ihn zu keiner angeneh-
men Lektüre. Elisabeth tritt darin als fiktiver jüdischer Professor Kuno
Adler auf, der nach dem Anschluss zum ersten Mal aus Amerika nach
Wien zurückkehrt.

Es ist ein Buch über Begegnungen. Sie schreibt über die viszerale
Reaktion ihrer Hauptfigur auf einen Zollbeamten an der Grenze, der
sie nach ihrem Pass fragt:

»Es war die Stimme, die Tonfärbung, die einen Nerv irgendwo
in Kuno Adlers Hals traf; nein, unterhalb des Halses, wo Atem und
Nahrung in die Tiefen des Körpers hinabgleiten, ein nicht vom Wil-

len beeinflusster, unkontrollierbarer Nerv, wahrscheinlich im Solarplexus. Es war die Art dieser Stimme, dieses Akzents, weich und doch rauh, einschmeichelnd und leicht vulgär, fühlbar für das Ohr wie eine bestimmte Art Stein für die Berührung – Bimsstein, grobkörnig, schwammartig und an der Oberfläche ein wenig ölig – eine österreichische Stimme. ›Österreichische Passkontrolle!‹«

Der exilierte Professor kommt am ausgebombten Bahnhof an und wandert herum, versucht sich an das Elend, die Habgier der verarmten Einwohner und an die Zerstörung der Sehenswürdigkeiten zu gewöhnen. Die Oper, die Börse, die Akademie der bildenden Künste – alles zerstört. Der Stephansdom eine ausgebrannte Hülse.

Unweit des Palais Ephrussi bleibt der Professor stehen: »Endlich war er da, am Ring: das massig aufragende Naturhistorische Museum zu seiner Rechten, die Rampe des Parlaments zur Linken, dahinter der Rathausturm, vor ihm der Zaun des Volksgartens und das Burgtor. Hier war er, und alles war noch da; obwohl die einst baumbestandenen Spazierwege entlang der Straße kahl, baumlos waren, nur ein paar nackte Stämme standen noch. Sonst war alles vorhanden. Und plötzlich sprang die Verzerrung der Zeit, die ihn vor Illusionen und Trugbildern schwindeln gemacht hatte, ins Scharfe, und er war real, alles war real, unumstößliche Tatsache. Er war hier. Nur die Bäume waren nicht hier, und dieses vergleichsweise banale Zeichen der Zerstörung, auf das er nicht vorbereitet gewesen war, machte ihn unverhältnismäßig traurig. Rasch überquerte er die Straße, trat durch das Parktor, setzte sich auf eine Bank an einem verlassenen Weg und weinte.«

In ihrer Kindheit hatte Elisabeth durch den Lindenbaldachin vor ihrem Haus geschaut. Im Mai war ihr Schlafzimmer von Blumenduft erfüllt gewesen.

Am 8. Dezember 1945 – es ist sechseinhalb Jahre her, seit sie das letzte Mal hier gewesen ist – betritt Elisabeth ihr ehemaliges Elternhaus. Die riesigen Torflügel hängen schief in den Angeln. Hier befinden sich nun Büros der amerikanischen Besatzungsbehörden: American Headquarters / Legal Council Property Control Sub-Section. Im Hof sind Motorräder und Jeeps abgestellt. Die meisten Scheiben im

Glasdach sind zerborsten: Eine Bombe ist auf dem Dach des Nachbargebäudes gelandet, hat den Großteil der Fassade zerstört und die Karyatiden am Palais, hinter denen die Kinder Verstecken spielten, mitgerissen. Auf dem Boden stehen Pfützen. Apollo steht nach wie vor auf seinem Podest, unbewegt, die Leier in der Hand.

Elisabeth steigt die dreiunddreißig Stufen, die Familientreppe, zur Wohnung hinauf; sie klopft und wird von einem liebenswürdigen Leutnant aus Virginia eingelassen.

In der Wohnung sind jetzt Büros, jedes Zimmer ist voller Schreibtische und Aktenschränke und Stenographinnen. Listen und Merkblätter sind an die Wände gepinnt. In der Bibliothek hängt über dem Kamin eine riesige Karte des besetzten Wien, die sowjetische, amerikanische, englische und französische Zone in verschiedenen Farben. Eine Wolke von Zigarettenrauch steht im Raum, Stimmengeräusch, Schreibmaschinengeklapper. Man führt sie mit Interesse und Sympathie durch die Büros und mit einem Anflug leichten Unglaubens, dass dies – dies alles – einmal das Heim einer Familie war. Die amerikanische Behörde ist einfach über das letzte Nazi-Amt gestülpt worden.

Ein paar Gemälde hängen noch an den Wänden, ein paar »Junge-Frau«-Bilder in ihren schweren Goldrahmen, einige Studien österreichischer Landschaften im Nebel und drei Porträts von Emmy, einer Großmutter und einer Großtante. Die schwersten Möbel stehen noch am Platz, der Esstisch und die dazugehörenden Stühle, ein Sekretär, Kleiderschränke, Betten, die breiten Lehnstühle. Einige Vasen. Es scheint willkürlich, was noch da ist. Der Schreibtisch ihres Vaters steht in der Bibliothek. Einige Teppiche liegen auf den Böden. Aber es ist immer noch ein leeres Haus. Genauer, ein *geleertes* Haus.

Der Abstellraum ist leer. Die Kaminsimse sind leer. Die Silberkammer ist leer, ebenso der Safe. Kein Klavier steht da. Kein italienischer Kabinettschrank. Keine Tischchen mit Mosaikintarsien. In der Bibliothek gähnen leere Regale. Die Globen sind weg, die Uhren, die französischen Fauteuils. Das Ankleidezimmer ihrer Mutter ist staubig. Dort steht ein Aktenschrank. Kein Tisch oder Spiegel, aber eine schwarze Lackvitrine, auch sie leer.

Der freundliche Leutnant möchte behilflich sein und wird gesprächig, als er erfährt, dass Elisabeth in New York studiert hat. Lassen Sie sich Zeit, meint er, sehen Sie sich um, finden Sie, was möglich ist. Ich weiß nicht, was wir für Sie tun können. Es ist sehr kalt, er bietet ihr eine Zigarette an und erwähnt nebenbei, es gebe eine alte Dame, die noch hier wohne – er deutet mit der Hand –, die werde vielleicht mehr wissen. Ein Korporal wird um die alte Frau geschickt.

Sie heißt Anna.

## 28.

# Annas Schürzentasche

Zwei Frauen, eine davon älter. Die jüngere ist jetzt in mittleren Jahren, grauhaarig.

Sie begegnen einander wieder nach einem Krieg. Acht Jahre ist es her, seit sie sich zuletzt gesehen haben.

Sie treffen in einem der alten Zimmer aufeinander, jetzt ein Büro, wo mit Geräusch Akten abgelegt und eingeordnet werden. Oder im feuchten Innenhof. Ich kann bloß zwei Frauen sehen, von denen jede ihre Geschichte zu erzählen hat.

27. April. Sechs Wochen nach dem Anschluss, der Tag, an dem Alois Kirchner das Tor zur Ringstraße offen ließ und die Gestapo hereinkam. Es war der Beginn der Arisierung. Anna bekam zu hören, sie dürfe nicht mehr für Juden arbeiten, sie müsse jetzt für ihr Land tätig sein. Sie solle sich nützlich machen, die Besitztümer der früheren Bewohner aussortieren und in Holzkisten verstauen. Es gebe viel zu tun, sie solle damit beginnen, das Silber im Silberzimmer einzupacken.

Überall standen Kisten herum, und die Gestapo-Beamten fertigten Listen an. Wenn sie etwas eingepackt hatte, wurde es abgehakt. Nach dem Silber kam das Porzellan. Rund um sie nahmen die Leute die Wohnung auseinander. Es war der Tag, an dem Viktor und Rudolf verhaftet und weggebracht wurden, an dem Emmy aus der Wohnung ausgesperrt und in die zwei Zimmer auf der anderen Hofseite verwiesen wurde.

Sie nahmen das Silber mit. »Und den Schmuck deiner Mutter, das Porzellan, ihre Kleider.« Und die Uhren, die Anna aufgezogen hatte (Bibliothek, Vorraum, Salon, die Uhr im Ankleidezimmer des Barons einmal pro Woche), die Bücher aus der Bibliothek, die hübschen Porzellanclowns aus dem Salon. Alles. Sie hatte geschaut, was sie für Emmy und die Kinder retten könnte.

»Ich konnte nichts Wertvolles für euch mitnehmen. Also hab ich drei oder vier von den Figürchen aus dem Ankleidezimmer der Baronin genommen, die kleinen Spielsachen, mit denen ihr als Kinder gespielt habt – weißt du noch? –, hab sie in meine Schürzentasche gesteckt, wenn ich vorbeigegangen bin, und in mein Zimmer gebracht. Dort habe ich sie in der Matratze in meinem Bett versteckt. Ich habe zwei Wochen gebraucht, bis ich sie alle aus dem großen Glasschrank geholt hatte. Du weißt ja, wie viele es waren!

Sie haben nichts bemerkt. Sie waren so beschäftigt. Sie waren so beschäftigt mit den großen Sachen – die Bilder des Barons und das Goldservice aus dem Safe und die Kabinettschränke aus dem Wohnzimmer und die Statuen und der Schmuck eurer Mutter. Und die alten Bücher des Barons, die er so geliebt hat. Die kleinen Figuren sind ihnen nicht abgegangen.

Also hab ich sie einfach genommen. Ich habe sie in meine Matratze gelegt und darauf geschlafen. Und jetzt bist du da, und ich habe etwas, das ich dir zurückgeben kann.«

Im Dezember 1945 gab Anna Elisabeth 264 japanische Netsuke.

Das ist die dritte Bleibe in der Geschichte der Netsuke.

Von Charles und Louise in Paris, der Vitrine in dem leuchtenden gelben Zimmer mit den Impressionisten, zu Emmy und ihren Kindern in Wien, zu den ineinander verwobenen Geschichten und zum Verkleiden, zu Kindheit und So-tun-als-ob, bis zu diesem seltsamen Zubettgehen mit Anna in ihrem Zimmer.

Die Netsuke waren bereits früher in Bewegung gewesen. Seit sie aus Japan gekommen waren, hatte man sie begutachtet: aufgenommen, untersucht, in der Hand gewogen, wieder hingelegt. So etwas tun Händler. Sammler tun es und auch Kinder. Doch wenn ich an Annas Schürzentasche denke, mit ihrem Staubtuch oder einer Garnspule drin, dann denke ich, noch nie zuvor ist man ihnen mit so viel Behutsamkeit begegnet. Es ist April 1938, und nach dem Anschluss folgt eine Proklamation auf die andere, während die Kunsthistoriker wie besessen an den Inventaren arbeiten und Fotos in die Gestapo-Alben kleben, die dann nach Berlin geschickt werden sollen, und die Bibliothekare sorgfältig ihre Bücherlisten zusammenstellen. Sie bewahren Kunst für ihr Land. Und Rosenberg braucht Judaica, um seine Theorie über das Tierhafte der Juden nachweisen zu können. Alle arbeiten sie hart, keiner aber kommt der Hingabe und dem Fleiß Annas nahe. Während Anna auf ihnen schläft, werden die Netsuke mit mehr Respekt behandelt als jemals zuvor. Sie hat den Hunger und die Plünderungen, die Brände und den Einmarsch der Russen überlebt.

Netsuke sind klein und hart. Sie werden kaum zerkratzt, kaum zerbrochen: Sie sind geschaffen, herumgestoßen zu werden. »Ein Netsuke muss so gestaltet sein, dass es seinem Träger nicht lästig wird«, heißt es in einem Führer. Sie sind nach innen orientiert: der Hirsch mit den unter dem Bauch gefalteten Beinen, der Fassbinder, der in seinem halbfertigen Fass kauert, die Ratten, die um eine Haselnuss jagen. Oder mein Liebling, der schlafende Mönch über seiner Bettlerschale; eine einzige ungebrochene Rückenlinie. Sie können auch Schmerzen zufügen: Die Spitze der elfenbeinernen Bohnenschote ist scharf wie ein Messer. Ich denke daran, wie sie in einer Matratze liegen, eine eigenartige Matratze, in der Buchsbaumholz und Elfenbein aus Japan auf österreichisches Rosshaar treffen.

Berührung findet nicht bloß durch die Finger statt, auch durch den ganzen Körper.

Jedes Einzelne dieser Netsuke ist für Anna ein Widerstand gegen das Unterminieren der Erinnerung. Jedes, das sie hinausträgt, ist ein Widerstand gegen das Neueste vom Tag, eine ins Gedächtnis gerufene Geschichte, eine Zukunft, an der man festhält. Hier stößt der Wiener Kult der Gemütlichkeit – leichthin geweinte Tränen über sentimentale Geschichten, alles umhüllt von Mehlspeise und Schlagobers, der melancholische Abschied vom Glück, die zuckersüßen Bilder von den Dienstmädchen und ihren Galanen – auf etwas Diamanthartes. Ich denke an Herrn Brockhaus und seine Verwünschungen achtloser Bediensteter; wie unrecht er doch hatte.

Keine Sentimentalität, keine Nostalgie. Es ist etwas viel Härteres, buchstäblich Härteres. Eine Art Vertrauen.

Ich habe Annas Geschichte vor langer Zeit gehört. Ich hörte sie in Tokio, als ich das erste Mal die Netsuke sah, beleuchtet in einer langen Vitrine zwischen Bücherschränken. Iggie hatte mir einen Gin Tonic gemacht, sich selbst einen Scotch mit Soda, und er sagte – en passant, halblaut –, das sei eine verborgene Geschichte. Damit meinte er nicht, denke ich heute, dass er zögerte, die Geschichte zu erzählen, sondern dass sich die Geschichte um etwas Verborgenes drehte.

Ich kannte die Geschichte. Ich spürte sie nicht, bis zu meinem dritten Aufenthalt in Wien, als ich mit einem Mann aus dem Büro der Casinos Austria im Hof stand und er mich fragte, ob ich die Geheimetage sehen wolle. Wir gingen die Opernstiege hinauf, er schob einen Teil der Wandverkleidung nach links, wir schlüpften geduckt hindurch und kamen in ein ganzes Stockwerk, Zimmer nach Zimmer ohne Fenster zur Außenseite: Wenn man auf dem Ring steht, schweift das Auge ungehindert vom Straßenniveau bis zu Ignaz' Nobelstock. Es zeichnet die großen Räume darüber nach, doch die sind eigentlich alle niedriger. Zum Hof hin gibt es nur kleine, trübe rechteckige Fenster, unauffällig genug, um als Bestandteil der Wandgestaltung durchzugehen. Die einzige Möglichkeit, in dieses Stockwerk hinein- oder herauszukommen, ist entweder durch die als Marmorplatte kaschierte Tür, die auf die große Treppe führt, oder über die Dienstbotentreppe in der Ecke des Hofes. Es ist die Dienstbotenetage.

In dem Zimmer, wo Anna schlief, befindet sich nun die Cafeteria der Casinos Austria. Während ich im Getriebe der Mittagszeit an einem Werktag in Wien dastehe, fühle ich einen kleinen Taumel, als würde etwas nicht stimmen, jenes Aufschrecken, das man empfindet, wenn man eine Seite umblättert und bemerkt, dass man liest, ohne zu verstehen. Man muss zurückblättern und von vorne beginnen, und die Worte scheinen noch unvertrauter und klingen seltsam im Kopf.

Und, sagte der für das Haus zuständige Mann, der sich immer mehr für sein Vorhaben erwärmte, haben Sie bemerkt, wie im Haus Licht einfällt? Woher, glauben Sie, erhält die Opernstiege Licht? So steigen wir die gewundene Dienertreppe hinauf und stoßen eine kleine Tür auf, die auf eine ganze Dachlandschaft von eisernen Brücken und Leitern führt. Wir gehen die Brüstung über den Karyatiden entlang und spähen hinunter, so dass ich es sehen kann: Ja, da gibt es noch versteckte Lichthöfe. Er holt die Pläne und zeigt mir, wie das Haus mit den Nachbargebäuden in Verbindung steht und wie man durch die unterirdischen Gänge Futter und Stroh für die Pferde in die Keller schaffen konnte, ohne den Vordereingang benutzen zu müssen.

Dieses ganze massive Haus, intarsiert und überfangen und gegipst und verputzt, Marmor und Gold, war leicht wie ein Puppentheater, eine Abfolge versteckter Räume hinter einer Fassade. Potemkinsch. Diese Marmorwand besteht aus Marmorimitat, Latten und Mörtel.

Es ist ein Haus weggeräumter Kinderspielsachen, geheimer Spiele hinter den Brüstungen über dem Palais, Versteckenspielen in den Tunneln und Kellern, Geheimfächer in Schreibtischen mit Liebesbriefen an Emmy. Doch es war auch ein Haus der unsichtbaren Menschen und unbekannten Leben. Essen, das aus verborgenen Küchen kommt, Wäsche, die in verborgene Waschküchen entschwindet. Menschen schlafen in stickigen Räumen zwischen den Etagen.

Es war ein Ort, wo man kaschieren konnte, woher man kam. Es war ein Ort, um Dinge zu verstecken.

Ich habe meine Reise mit meinem Ordner voller Familienbriefe begonnen, einer Art Lageskizze. Mehr als ein Jahr ist vergangen, und ich finde immer wieder verborgene Dinge. Nicht nur Vergessenes: die Listen der Gestapo, Tagebücher, Zeitschriften, Romane, Gedichte, Zeitungsausschnitte. Testamente und Frachtpapiere. Befragungen von Bankiers. Die mitgehörten Kommentare in einem Pariser Hinterzimmer, die Stoffbahnen, aus denen um die Jahrhundertwende Kleider für die Cousinen geschneidert wurden. Die Bilder und die Möbel. Ich finde Listen, wer vor hundert Jahren zu einem Fest kam.

Ich weiß zu viel über die Spuren meiner privilegierten Familie, aber über Anna kann ich nichts mehr herausfinden.

Über sie ist nichts geschrieben worden, sie wurde nicht in Geschichten aufgesplittert. Emmy hat ihr in ihrem Testament kein Geld hinterlassen: Es existiert kein Testament. Anna hat keine Spuren in den Auftragsbüchern der Händler oder Schneider hinterlassen.

Ich fühle mich gezwungen, weiterzusuchen. In Bibliotheken stolpere ich über Hinweise, die weiterführen, auf Nebengeleise. Ich sehe nach, um ein Faktum zu überprüfen – von wann stammt der gelbe Teppich aus Charles' Salon, Näheres über den Maler, der die Deckenfresken im Palais Ephrussi geschaffen hat –, als mir eine Fußnote und dann eine Anmerkung im Anhang auffällt. Mit stockendem Atem sehe ich, dass Louises Haus in der Rue Bassano, gegenüber von Jules' und Fannys Haus, etwas oberhalb von Charles' letzter Wohnung, goldfarbener Stein und Schnörkel, den Nazis als eines ihrer Pariser Anhaltezentren diente. Es war eines der drei Nebenlager des Konzentrationslagers Drancy, wo jüdische Insassen Möbel und Objekte, die Rosenbergs Amt für die Funktionäre des Reichs gestohlen hatte, sortieren, reinigen und reparieren mussten.

Und dann etwas Erschreckendes: eine Anmerkung in Klammern, dass das Mädchen im blauen Kleid auf Renoirs Doppelbildnis der Töchter von Louise Cahen d'Anvers – der Auftrag, um den sich Charles so endlos und eifrig bemüht hatte, um Renoir eine Verdienstmöglichkeit zu verschaffen – deportiert wurde und in Auschwitz gestorben ist. Ich lese, dass Fanny und Theodore Reinachs Sohn Leon und seine Frau Beatrice Camondo und ihre zwei Kinder deportiert wurden. Die Familie starb 1944 in Auschwitz.

All die alten Verleumdungen, die giftigen Ausfälle gegen die jüdischen Familien auf dem Goldhügel, sie trugen in Paris spät und auf grauenhafte Weise Frucht.

Hier, in diesem Haus, fühle ich mich auf dem falschen Fuß erwischt. Dass die Netsuke in Annas Tasche, in ihrer Matratze überlebt haben, ist ein Affront. Ich kann es nicht ertragen, dass daraus etwas Symbolisches wird. Warum sollten sie den Krieg in einem Versteck überlebt haben, wo es so vielen versteckten Menschen nicht gelungen ist? Ich kann Menschen, Orte und Dinge nicht mehr zusammenfügen. Diese Geschichten machen mir zu schaffen.

Und es gibt Dinge, nach denen ich suche, seit ich die Geschichte vor beinahe dreißig Jahren hörte, als ich Iggie in Japan kennen lernte. Es ist ein Leerraum um Anna, wie um die Figur in einem Fresko. Sie war keine Jüdin. Sie hatte seit deren Hochzeit für Emmy gearbeitet. »Sie war immer da«, pflegte Iggie zu sagen.

1945 gab sie Elisabeth die Netsuke, und Elisabeth legte die Khakifrucht und den elfenbeinernen Hirsch und die Ratten samt Rattenfänger und die Masken, die ihr so gefallen hatten, als sie sechs war, und all den Rest dieser Welt in einen kleinen ledernen Aktenkoffer, um sie mit nach England zu nehmen. Sie können sich ausbreiten, bis sie eine riesige Vitrine in einem Pariser Salon oder in einem Wiener Ankleidezimmer füllen, aber sie haben auch auf kleinstem Raum Platz.

Ich kenne nicht einmal Annas vollständigen Namen oder was mit ihr geschah. Ich habe nie daran gedacht zu fragen, als ich hätte fragen können. Sie war einfach Anna.

# 29.

# »Alles ganz offen, offiziell und legal«

Elisabeth nahm den kleinen Aktenkoffer mit dem Haufen Netsuke nachhause mit. Zuhause, das war jetzt England: keine Rede davon, mit der Familie nach Wien zu ziehen. Iggie, der aus der US-Armee entlassen worden war und Arbeit suchte, war derselben Ansicht. Nur wenige Juden kehrten nach Wien zurück. Zur Zeit des Anschlusses lebten 185 000 Juden in Österreich. Von ihnen kamen nur 4500 wieder; 65 459 österreichische Juden waren ermordet worden. Niemand wurde zur Verantwortung gezogen. Die nach dem Krieg errichtete neue demokratische Republik Österreich amnestierte 1948 neunzig Prozent der NSDAP-Mitglieder, 1957 auch Angehörige der SS und Gestapo.

Die Rückkehr der Emigranten sah man als Belästigung für die Gebliebenen. Der Roman meiner Großmutter über die Rückkehr nach Wien hilft mir zu verstehen, wie sie sich fühlte. Es gibt einen Moment der Konfrontation in Elisabeths Roman, der besonders aufschlussreich ist. Der jüdische Professor wird gefragt, warum er überhaupt zurückgekehrt sei, was er von Österreich denn erwarte: »Sie haben sich ein bisschen früh entschieden zu gehen. Ich meine, Sie haben aufgegeben, bevor man Sie hinausgeworfen hat – und das Land verlassen.« Das ist die Schlüsselfrage: Was bezwecken Sie mit Ihrer Rückkehr? Sind Sie gekommen, um uns etwas wegzunehmen? Sind Sie als Ankläger gekommen? Wollen Sie uns bloßstellen? Und ein Unterton schwingt mit: Kann Ihr Krieg schlimmer gewesen sein als unserer?

Für die Überlebenden war eine Restitution schwierig. Elisabeth fiktionalisiert das in einer der eigenartigsten Episoden des Romans, wo ein Sammler, Kanakis, »zwei dunkle Bilder in schwerem Rahmen, die an der Wand gegenüber seinem Sessel hingen«, ansieht »und ein leichtes Lächeln seine Augenlider fältelte«.

»Erkennen Sie wirklich diese Bilder?« ruft der neue Besitzer. »Sie haben eigentlich einem Herrn gehört, der sicher mit ihrer Familie bekannt war, Baron E. Möglicherweise haben Sie sie in seinem Haus gesehen. Baron E. ist leider im Ausland gestorben, in England, glaube ich. Nachdem sie das, was von seinem Besitz noch vorhanden war, ausfindig gemacht hatten, haben seine Erben das alles versteigern lassen, dieses altmodische Zeug können sie in ihren modernen Wohnungen nicht brauchen, nehme ich an. Ich habe sie im Auktionshaus erworben, ebenso wie die meisten Sachen, die Sie in diesem Raum sehen. Alles ganz offen, offiziell und legal, sehen Sie. Es herrscht keine große Nachfrage nach dieser Epoche.«

»Sie brauchen sich nicht zu entschuldigen, Herr Doktor«, erwidert Kanakis, »ich kann Ihnen nur zu Ihrem günstigen Kauf gratulieren.«

»Alles ganz offen, offiziell und legal«, das waren Worte, die Elisabeth immer wieder zu hören bekam. Sie entdeckte, dass auf der Prioritätenliste einer fragmentierten Gesellschaft die Rückerstattung von Eigentum an jene, denen man es weggenommen hatte, beinahe an letzter Stelle stand. Viele von denen, die sich jüdisches Eigentum angeeignet hatten, waren nun ehrenwerte Bürger der neuen Republik Österreich. Auch die Regierung weigerte sich, Reparationen zu zahlen, war doch ihrer Ansicht nach Österreich von 1938 bis 1945 ein okkupiertes Land gewesen; aus Österreich war das »erste Opfer« geworden statt ein Mittäter im Krieg.

Als »erstes Opfer« musste sich Österreich gegen jene zur Wehr setzen, die dieses Bild beschädigen wollten. Karl Renner, Rechtsanwalt und erster österreichischer Bundespräsident nach dem Krieg, machte das deutlich. Im April 1945 schrieb er: »Rückgabe des geraubten Judengutes, dies nicht an die einzelnen Geschädigten, sondern an einen gemeinsamen Restitutionsfonds. Die Errichtung eines solchen und die im folgenden vorgesehenen Modalitäten sind notwendig, um ein massenhaftes, plötzliches Zurückfluten der Vertriebenen zu verhindern (ein Umstand, der aus vielen Gründen sehr zu beachten ist).« Die »Volksgesamtheit« solle nicht »haftbar gemacht« werden.

Als am 15. Mai 1946 die Republik Österreich ein Gesetz erließ, aufgrund dessen alle Rechtsgeschäfte null und nichtig seien, die auf Grundlage der diskriminierenden Nazi-Ideologie erlassen worden waren, schien es, dass nun ein Weg offen stand. Aber das Gesetz war mysteriöserweise nicht durchführbar. Wenn jemandes Besitz aufgrund einer erzwungenen Arisierung verkauft worden war, konnte es geschehen, dass man ihn aufforderte, ihn zurückzukaufen. Wenn er ein Kunstwerk zurückerhielt, das als bedeutend für das österreichische Kulturerbe galt, wurde die Ausfuhr untersagt. Wenn man allerdings Werke einem Museum stiftete, erhielt man eventuell eine Genehmigung für andere, minder wichtige Kunstgegenstände.

Bei der Entscheidungsfindung, was zurückgegeben werden sollte und was nicht, stützten sich die Regierungsbehörden auf die verfügbaren Dokumente mit der meisten Aussagekraft. Das waren jene der für ihre Gründlichkeit bekannten Gestapo.

Ein Akt über die Aneignung von Viktors Büchersammlung hielt fest, der Gestapo sei eine Bibliothek übergeben worden, aber es seien keine Aufzeichnungen über deren vollständigen Inhalt vorhanden. Trotzdem könnten es nur wenige Werke gewesen sein, angesichts dessen, dass die Übernahmebestätigung den Inhalt zweier großer und zweier kleiner Kisten sowie ein Drehregal erwähnt habe.

Also werden am 31. März 1948 von der Österreichischen Nationalbibliothek Bücher an die Erben von Viktor Ephrussi zurückerstattet; 191 Exemplare, ein paar Regale voll, ein paar Meter von den Hunderten in seinem Zimmer.

Und so geht das weiter. Wo sind die Belege von Herrn Ephrussi? Sogar nach seinem Tod noch wird er zur Verantwortung gezogen. Viktors Leben mit Büchern ist verloren, weil es ein Dokument mit unleserlichen Initialen gibt.

Eine andere Akte befasst sich mit der Aneignung der Kunstsammlung. Sie enthält einen Brief von einem Museumsdirektor an einen anderen. Sie haben ein von der Gestapo angefertigtes Inventar und sollen nun eruieren, was mit den Bildern des »Bankiers Ephrussi, Wien I., Luegerring 14« geschehen ist. »Es handelt sich bei diesem Bestand nicht um eine künstlerisch wertvolle Sammlung, sondern lediglich um den Bilderschmuck der Wohnung eines wohlhabenden Mannes, der nach dem ganzen Geschmack etwa in den siebziger Jahren zusammengebracht sein dürfte.« Es gibt keine Quittungen, doch »nicht verkauft wurden lediglich die absolut nicht anbringlichen Bilder«. Impliziert wird, man könne eigentlich kaum etwas unternehmen.

Beim Lesen dieser Briefe fühle ich eine idiotische Wut. Es geht ja nicht darum, dass diese Kunsthistoriker den Geschmack des »Bankiers Ephrussi« und seines Wandschmucks nicht teilen, wenn auch die Wendung dem Ausdruck »der Jude Ephrussi«, wie ihn die Gestapo gebrauchte, unangenehm ähnelt. Es ist die Art, wie die Archive herhalten, um einen Schlussstrich unter die Vergangenheit zu ziehen: Es gibt keine Quittung für dieses, jene Unterschrift können wir nicht lesen. Erst neun Jahre war es her, denke ich, und diese Transaktionen haben eure Kollegen durchgeführt. Wien ist eine kleine Stadt. Wie viele Anrufe hätte es gebraucht, um sich Klarheit zu verschaffen?

Die Kindheit meines Vaters wurde interpunktiert von den Briefen Elisabeths, geschrieben vor dem Hintergrund schwindender Erwartungen, sie würden jemals das Familienvermögen zurückerhalten. Teilweise schrieb sie aus Zorn über die Art und Weise, mit der mittels pseudolegaler Maßnahmen Antragsteller abgeschreckt werden sollten. Immerhin war sie Anwältin. Der Hauptgrund aber war, dass alle vier Geschwister in finanziell bedrängter Lage waren, und sie lebte als Einzige in Europa.

Wann immer sie ein Bild zurückerhielten, wurde es verkauft und der Erlös aufgeteilt. Die Gobelins bekamen sie 1949 zurück, mit dem Geld wurden die Schulgebühren beglichen. Fünf Jahre nach dem Krieg erhielt Elisabeth das Palais Ephrussi zurück. Es war keine gute Zeit, um ein kriegsbeschädigtes Palais in einer von vier Mächten besetzten Stadt zu verkaufen, der Erlös betrug lediglich 30 000 Dollar. Danach gab Elisabeth auf.

Herr Steinhäusser, Viktors ehemaliger Gesellschafter, der Vizepräsident des Verbandes österreichischer Banken und Bankiers geworden war, wurde 1956 gefragt, ob er etwas über die Geschichte des Bankhauses Ephrussi wisse, das er arisiert hatte. In diesem Jahr sollte das hundertjährige Jubiläum begangen werden.»Lt. Hr. Edl«, notierte er, »Jubiläum Ende des Jahres (genaues Datum unbekannt). Wird jedoch nicht gefeiert.«

Die Ephrussi-Erben erhielten gegen die Zusage, keine weiteren Ansprüche stellen zu wollen, einen Betrag im Gegenwert von damals etwa 5000 Dollar.

Diese ganze Restitutionsgeschichte erschöpft mich. Ich sehe, wie man sein Leben damit verbringen kann, etwas aufzuspüren, wie die Energie unter all den Bestimmungen, Briefen, Rechtsauffassungen versickert. Du weißt, dass auf dem Sims von irgendjemandem die Uhr aus dem Salon tickt, mit den zwei Nixen, die sich an den Sockel schmiegen. Du schlägst einen Auktionskatalog auf und siehst zwei Schiffe im Sturm, und plötzlich stehst du an der Tür zur Treppe, Nanny legt dir einen Schal um den Hals, es geht zum Spaziergang auf den Ring. Einen Atemzug lang kannst du ein Leben zusammenstückeln, einen zerborstenen Hintergrund für eine Familie in der Diaspora.

Die Familie fand nicht mehr zusammen. Elisabeth stellte in Tunbridge Wells eine Art Mittelpunkt dar, sie schrieb und erzählte Neuigkeiten, schickte Fotos von Nichten und Neffen weiter. Nach dem Krieg fand Henk in London einen guten Job, er arbeitete für eine UN-Hilfsorganisation, es ging ihnen finanziell besser. Gisela war in Mexiko. Sie hatte es weniger leicht und arbeitete als Putzfrau, um das Familienbudget aufzubessern. Rudolf war aus dem Kriegsdienst entlassen und lebte in Virginia. Und die Mode hatte Iggie aufgegeben, wie er es ausdrückte. Sich mit Kleidern zu beschäftigen sagte ihm nicht mehr zu: Der Faden von Wien über Paris nach New York war durch seine Kampferfahrung in Frankreich 1944 abgerissen.

Er arbeitete jetzt für Bunge, einen international tätigen Getreideexporteur; ohne es zu wollen, war er damit zu den Wurzeln des Patriarchen in Odessa zurückgekehrt. Sein erstes Aufgabengebiet war Léopoldville im Belgisch-Kongo, das er wegen der Hitze und der dort herrschenden Brutalität hasste. Ein ganzes Jahr verbrachte er dort.

Im Oktober 1947 besuchte Iggie zwischen zwei Aufträgen England. Man hatte ihm eine Stelle entweder wieder im Kongo oder in Japan angeboten, beides sagte ihm wenig zu. Er fuhr nach Tunbridge Wells, um Elisabeth, Henk und seine Neffen zu sehen und das erste Mal das Grab seines Vaters zu besuchen. Dann wollte er eine Entscheidung über seine Zukunft treffen.

Es war nach dem Abendessen. Die Buben hatten ihre Hausaufgaben erledigt und lagen im Bett. Elisabeth öffnete den Aktenkoffer und zeigte ihm die Netsuke.

Ein Rattengewusel. Der Fuchs mit den eingelegten Augen. Der an den Flaschenkürbis geschmiegte Affe. Der gefleckte Wolf. Sie nehmen ein paar heraus und legen sie auf den Küchentisch des Vorstadthauses.

Wir haben gar nichts gesagt, erzählte mir Iggie. Wir beide hatten sie zuletzt im Ankleidezimmer unserer Mutter gesehen, vor dreißig Jahren, auf dem gelben Teppich.

Japan wird's werden, sagte er. Ich bringe sie zurück.

# TEIL VIER

# Tokio 1947–1991

# 30

# Takenoko

Am 1. Dezember 1947 erhielt Iggie den Militärbewilligungsschein Nr. 4351 zur Einreise nach Japan G. GHQ FEC, Tokio. Sechs Tage später kam er in der besetzten Stadt an.

Auf der Fahrt vom Flughafen Haneda umrundete das Taxi die schlimmsten Schlaglöcher auf der Straße, wich den Kindern aus, den Radfahrern und den Frauen in den gemusterten Pluderhosen, die sich in Richtung Stadt schleppten. Tokio war eine bizarre Szenerie. Das Erste, das ihm auffiel, waren die verschlungenen Kalligraphien der Telefonleitungen und Stromkabel, die sich über das Rot der rostigen Blechdächer auf den Schuppen in alle Richtungen wanden, hinein in gesichtslose Öde. Dann ragte im winterlichen Licht im Südwesten der Fudschijama empor.

Drei Jahre lang hatten die Amerikaner Tokio bombardiert, doch wirklich verheerend waren die Angriffe vom 10. März 1945 gewesen. Flammenwände von den Brandbomben, »die den Himmel mit Feuer besäten«; 100 000 Menschen wurden getötet, zwanzig Quadratkilometer der Stadt zerstört.

Außer einigen wenigen Gebäuden wurde alles zum Einsturz gebracht oder ging in Flammen auf. Stehen blieben der Kaiserpalast hinter seinen grauen Bruchsteinwällen und breiten Gräben, die wenigen aus Stein oder Beton errichteten Gebäude, die alte *kura*, der Speicher, wo die Kaufmannsfamilien ihre Kostbarkeiten aufbewahrten, und das Imperial Hotel. Es war 1923 von Frank Lloyd Wright entworfen worden, ein phantastisches, etwas vulgäres Gebilde, um einige Teiche gruppierte Betontempel, eine leicht aztekisch anmutende Version des Japonismus. Es hatte auch das Erdbeben von 1923 überlebt und war ein wenig lädiert, zum Großteil aber intakt, so wie das japanische Parlamentsgebäude, einige Ministerien, die amerikanische Botschaft und

Bürogebäude im Geschäftsviertel Marunouchi direkt gegenüber dem Kaiserpalast.

All das war für die Besatzungsbehörden beschlagnahmt worden.

Der Journalist James Morris (später Jan Morris) schrieb in seinem Reisebericht »The Phoenix Cup« über dieses seltsame Viertel: »Marunouchi ist eine kleine amerikanische Insel, umgeben von einem japanischen Meer aus Asche, Schutt und rostigen Blechdosen. Wir schlendern um den Block, misstönende Musik aus dem Sender der Armed Forces pocht auf die Trommelfelle, GIs, die dienstfrei haben, stehen grübelnd an die nächste Mauer gelehnt ... man könnte in Denver sein ...«

Hier, im prächtigsten dieser Gebäude, dem Dai-Ichi (Gebäude Nummer eins), hatte General MacArthur sein Hauptquartier. Das Supreme Commander Allied Powers (SCAP), das Alliierte Oberkommando, der Yankee-Daimyo.

Iggie kam zwei Jahre, nachdem der Kaiser mit hoher Falsettstimme die Kapitulation verkündet hatte, wobei er eine außerhalb des Hofes unbekannte Diktion und Wortwahl benutzte und die Warnung aussprach, es würden »die Nöte und Leiden, denen Unsere Nation hiernach ausgesetzt sein wird, groß sein«. In den Monaten seither hatte sich Tokio an seine Besatzungsarmee gewöhnt. Die Amerikaner hatten angekündigt, sie würden ihr Regiment mit Feinfühligkeit ausüben.

Auf der Fotografie des Generals und des Kaisers in der US-Botschaft in Tokio wird die Beziehung deutlich. MacArthur trägt Khaki-Uniform, ein Hemd mit offenem Kragen und Militärstiefel. Er hat die Hände in die Hüften gestemmt, ein »großer amerikanischer Soldat ohne Ordensbänder«, wie es in *Life* hieß. Der Kaiser steht neben ihm, zart, untadelig gekleidet, in schwarzem Anzug, Hemd mit steifem Kragen und gestreifter Krawatte, gefangen in der Konvention. Feinfühligkeit und Etikette, so hält die Fotografie fest, sind jetzt am Verhandeln. Die japanische Presse weigert sich, das Bild zu veröffentlichen. Das amerikanische Oberkommando sorgt dafür, dass es geschieht. Am Tag, nachdem das Foto aufgenommen wurde, schickt die Kaiserin Mrs. MacArthur ein Bukett mit Blumen aus dem Palastgarten. Und einige

Tage später eine Lackdose mit dem kaiserlichen Wappen. Mit Geschenken beginnt eine vorsichtige, zaghafte Kommunikation.

Iggies Taxi brachte ihn zum Teito Hotel gegenüber dem Palast. Es war nicht nur schwierig, Einreisepapiere für Japan und eine Aufenthaltserlaubnis zu erhalten; einmal angekommen, war es auch nicht leicht, eine Unterkunft zu finden, denn das Teito war eines von nur zwei Hotels, die noch standen. Die nichtmilitärische Ausländergemeinde war winzig. Außer dem diplomatischen Korps und Presseleuten gab es nur eine Handvoll Geschäftsleute wie Iggie und ein paar Wissenschaftler. Er war eben eingetroffen, als vor dem Internationalen Militärtribunal für den Fernen Osten die Kriegsverbrecherprozesse, unter anderem gegen Hideki Tojo und Ryukichi Tanaka, den Chef der Geheimpolizei, begannen. Laut der westlichen Presse zeigte Tojo die »unirdische Selbstgefälligkeit des Samurai«.

Ständig gab SCAP Erlässe zu allem und jedem heraus, von allen möglichen Kleinigkeiten des Zivillebens bis zur Regierung Japans, und sie spiegelten oft die amerikanischen Empfindlichkeiten. MacArthur hatte verfügt, dass es eine Trennung zwischen dem Shintoismus – der eng mit dem Aufstieg des Nationalismus der vergangenen fünfzehn Jahre verbunden war – und der Regierung geben sollte. Er wollte auch eine Zerschlagung der großen Industrie- und Handelskonglomerate: »Der Kaiser ist das Staatsoberhaupt ... Seine Pflichten und Rechte werden im Einklang mit der neuen Verfassung und dem Willen des Volkes, wie er darin dargelegt ist, ausgeübt ... Krieg als souveränes Recht der Nation wird abgeschafft. Das japanische Feudalsystem wird aufgehoben ... Kein Adelspatent wird ab nun per se das Recht zur Regierungsverantwortung auf nationaler oder lokaler Ebene beinhalten.«

MacArthur hatte auch bestimmt, dass zum ersten Mal in der japanischen Geschichte die Frauen das Wahlrecht erhielten und dass der Zwölf-Stunden-Tag in Fabriken auf einen Acht-Stunden-Tag reduziert werden sollte. Die Demokratie sei nach Japan gekommen, verkündete die SCAP. Die einheimische und internationale Presse wurden zensuriert.

Die amerikanische Armee in Tokio hatte ihre eigenen Zeitungen

und Zeitschriften, ebenso ein Radioprogramm, das aus den Schilder-
häuschen dröhnte. Sie hatte ihre Bordelle (die RAA, Recreation and
Amusement Association) und ihre genehmigten Orte, wo man Mädchen aufgabeln konnte (das Oasis an der Ginza; die Mädchen trugen,
wie es ein amerikanischer Kommentator ausdrückte, »schäbige Imita-
tionen langer Nachmittagskleider«). In den Zügen gab es für die Mitglieder der Besatzungsarmee reservierte Waggons. Ein Theater war
beschlagnahmt worden und zum »Ernie Pyle« geworden, wo die Soldaten Filme oder Revuen sehen, eine Bibliothek oder eine der »etlichen
großen Lounges« aufsuchen konnten. Und es gab die nur für Besatzungssoldaten bestimmten Läden, die OSS (Overseas Supply Stores)
und die PX, wo amerikanische und europäische Lebensmittel, Zigaretten, Haushaltswaren und alkoholische Getränke erhältlich waren. Sie
nahmen nur Dollars oder MFC an, Military Payment Certificates, Be-
rechtigungsscheine des Militärs. Japan war ein besetztes Land, und so
hatte alles seine Abkürzung: undurchsichtig für Besiegte wie für Neuankömmlinge.

In dieser bizarren besiegten Stadt waren die Straßennamen entfernt
worden, es gab nun eine A-Avenue und eine Zehnte Straße. Neben den
Militärjeeps und General MacArthurs schwarzem 1941er Cadillac mit
einem Sergeanten am Steuer und einer Eskorte weißer Jeeps der Mili-
tärpolizei, die auf dem Weg zu seinem Hauptquartier durch die Straßen rasten, waren qualmende japanische Lieferwagen und Lastautos
mit Kohle- oder Holzfeuerung unterwegs, dazu dreirädrige Taxis, die
*bata-bata*, die in den klaffenden Schlaglöchern stecken blieben. Am
Bahnhof Ueno klebten Zettel, auf denen um Informationen über vermisste Angehörige oder Heimkehrer gebeten wurde.

Die Armut in jenen Jahren war extrem. Sechzig Prozent der Stadt
waren zerstört, das bedeutete, dass die behelfsmäßig aus den gerade
zur Verfügung stehenden Materialien errichteten Häuser hoffnungslos überbelegt waren. Die amerikanische Armee hatte in den ersten
achtzehn Monaten die Verteilung der Baustoffe in Händen. Das bedeutete aber auch, dass die Arbeiter sich in elenden Verkehrsmitteln
mühsam stundenlang vom Land in die Stadt durchkämpfen mussten.

Neue Kleidung war äußerst schwer zu bekommen, noch Jahre nach dem Krieg sah man ehemalige Soldaten in Uniformen, von denen sie die Rangabzeichen abgetrennt hatten, und Frauen in *mompei*, den Pluderhosen, die man früher bei der Feldarbeit getragen hatte. Es gab nicht genug Heizmaterial. Alle froren. Die Bäder verlangten Schwarzmarktpreise für die eine Stunde, bevor die Wassertemperatur gesenkt wurde. Die Büros wurden kaum beheizt, aber die Angestellten »haben es nicht eilig, das Büro zu verlassen, da sonst nicht viel zu tun ist. Die meisten Arbeitsräume sind im Winter zumindest ein wenig geheizt, und die Angestellten können sich warm halten, solange sie dort bleiben.« In einem schlimmen Winter hieß es von Eisenbahnern, die Zugpfeifen würden leiser gestellt, um Kohlen zu sparen.

Vor allem gab es viel zu wenige Lebensmittel. Das bedeutete, sich vor dem Morgengrauen in überfüllte Züge zu zwängen, um auf dem Land um Reis zu feilschen. Gerüchte gingen um, Bauern besäßen dreißig Zentimeter hohe Geldstapel. Oder es bedeutete, auf die Schwarzmärkte unter freiem Himmel zu gehen, die in der Nähe der Tokioter Bahnhöfe entstanden waren; dort konnte man kaufen und verkaufen und unter den gelangweilten Augen der Armee alles Mögliche eintauschen. In der »Amerikanischen Gasse« auf dem Markt beim Bahnhof Ueno wurden Güter feilgeboten, die man den Besatzungssoldaten abgehandelt oder geklaut hatte. Amerikanische Armeedecken waren besonders begehrt. »Wie die Bäume ihre Blätter abwarfen, so warfen die Japaner nach und nach ihre Kimonos ab, um sie gegen Lebensmittel einzutauschen. Sie erfanden sogar eine ironische Bezeichnung für ihre bedrängte Existenz: *takenoko*, nach dem Bambusspross, den man Schicht um Schicht abschält.« Angesichts dieser Härten lautete eine damals gängige Redewendung *Shikata ga nai*, das bedeutet so viel wie: »Da kann man nichts machen«, mit einem Unterton von: »Nicht jammern«.

Viele dieser amerikanischen Waren, Büchsenfleisch, Kekse, Lucky Strikes, wurden von den *panpan*-Mädchen auf den Schwarzmarkt gebracht, jenem »armseligen Stamm von Harpyien … Mädchen, die für Essen mit den Soldaten ausgehen … Tagsüber schlendern sie in billigen schicken Fähnchen aus dem PX-Laden herum, schwatzen und lachen schrill, kauen ständig Kaugummi oder erzürnen hungrige Bürger im Zug oder Bus, indem sie ihren Sündenlohn zur Schau stellen.« Über diese Mädchen und was sie für Japan bedeuteten wurde viel diskutiert. Man hatte solche Angst vor der amerikanischen Armee, dass man die *panpan* als eine Art Opfer ansah, das für die Sittsamkeit der meisten japanischen Frauen gebracht wurde. Verbunden damit war der Horror vor ihrem Lippenstift, ihren Kleidern und dem öffentlichen Geknutsche. Das Küssen wurde ein Symbol für die Befreiung von den Konventionen, die die Besatzung mit sich brachte.

Es gab auch Schwulenbars, *gei pati*, wie sie Yukio Mishima in seinem Roman »Kinjiki« (»Verbotene Farben«) nannte; der Roman erschien in Fortsetzungen Anfang der 1950er Jahre. *Gei* wurde in lateinischen Buchstaben gedruckt, das bedeutete, dass der Ausdruck bereits allgemein gebräuchlich war. Der Hibiya-Park war ein beliebter Treffpunkt. Ich habe bloß den unzuverlässigen Mishima als Führer: »Er trat in das trübe, feuchtkalte Lampenlicht der Toilette und sah, was die Kameraden ein ›Büro‹ nannten. (Es gibt vier, fünf solch wichtiger Orte in Tokio.) Es war ein Büro, wo die stillschweigende Vorgangsweise auf Augenzwinkern statt auf Dokumenten beruht, auf winzigen Gesten statt auf Gedrucktem, auf verschlüsselter Kommunikation statt auf einem Telefon.«

Es hieß unternehmerisch denken. Diese junge Generation wurde im allgemeinen Sprachgebrauch *apure* genannt, nach »après-guerre«. Ein *apure* ist ein »Collegestudent, der häufig die Tanzdielen besucht, seine Prüfungen mittels eines Stellvertreters besteht und eventuell auf unorthodoxe Weise zu Geld kommt«. Der Schlüssel waren ihre ungewöhnlichen Überlebensstrategien und ihr Bestreben, einen amerikanischen Lebensstandard zu erlangen. Es war ihnen gelungen, die Normen, die für die Arbeit galten, außer Kraft zu setzen. »Seit dem Krieg ist der Schlendrian die Regel geworden«, schrieb ein japanischer Kommentator über diese *apure*. Sie kamen zu spät zur Arbeit, schwindelten bei Prüfungen, galten aber auch als Strichjungen; aus einem Nichts konnten sie Geld schlagen. Auf den Strich gehen, das bedeutete

Hawaiihemden, Nylongürtel oder sogar Schuhe mit Gummisohlen, in einer ironischen Anspielung auf die drei geheiligten Symbole des Kaisers »die drei geheiligten Insignien« genannt. In den Jahren nach der Niederlage erschienen etliche neue, extra für diese jungen Männer gedachte Zeitschriften mit Artikeln wie »Wie man 1 000 000 Yen auf die Seite legt« oder »Wie man von null an Millionär wird«.

Im Sommer 1948 war in der Stadt der »Tokio Boogie-Woogie« ein Riesenhit. Er plärrte aus Lautsprechern auf den Straßen und aus den Nachtclubs, die Besucher anlocken wollten: »Tokyo boogie-woogie / Rhythm ookie-ookie / Kokoro zookie-zookie / Waku-waku.« Das ist der Beginn der *kasutori*, der Schundkultur, hieß es in der Presse. Sie wird uns bezwingen. Vulgär und aufdringlich, hedonistisch, keine Grenzen kennend.

Auch im Freien wird gekauft und verkauft. Veteranen in weißen Gewändern betteln auf den Straßen, abgeschraubte Metallarme oder -beine vor sich auf dem Boden, dazu ein Schild mit der Liste der Schlachten, an denen sie teilgenommen haben. Kinder streunen überall herum, Kriegswaisen, die Geschichten zu erzählen haben, von Eltern, die in der Mandschurei an Typhus gestorben sind, sie betteln, stehlen, sind verwildert. Schulkinder kreischen nach *chocoretto* oder Zigaretten, oder sie rufen die Sätze von Seite eins des Japanisch-Englischen Handbuchs:
Thank you!
Thank you, awfully!
How do you do?
Oder, wie sie es in phonetischer Lautschrift gelernt haben: *San kyu! San kyu ofuri! Hau dei dou?*
Der Lärm der Spielautomatenhallen, das scheppernde Geprassel Tausender kleiner Metallkugeln, die durch die Maschinen sausen. Für den Gegenwert eines Shillings kann man fünfundzwanzig kaufen und, falls man geschickt war, einige Stunden unter den Neonlampen sitzen und sie einfüttern. Die Preise – Zigaretten, Rasierklingen, Seife, Konservendosen – kann man beim Besitzer gegen eine weitere Tasse voller Kugeln eintauschen, noch ein paar Stunden Vergessen.

Straßenszenen: betrunkene Büroangestellte in schäbigen schwarzen Anzügen und schmalen Krawatten über wollenen Westen, die auf dem Bürgersteig vor einer Bar lümmeln. Das Pinkeln auf der Straße, das Ausspucken. Die Bemerkungen über Größe oder Haarfarbe. Die tägliche Litanei der Kinder, die einem *gaijin, gaijin,* »Ausländer, Ausländer« nachrufen. Dann gibt es noch das andere Tokioter Straßenleben: die blinden Masseusen, die Flechter der Tatami-Matten, die Verkäufer von eingelegtem Gemüse, die verkrüppelten alten Frauen, die Mönche. Die Händler, die Streifen von gepfeffertem Schweinefleisch verkaufen, gelbbraunen Tee, üppige Süßigkeiten aus Kastanien, gesalzenen Fisch und Sushi, der Geruch nach gegrilltem Fisch über den Holzkohleöfchen. Straßenleben, das heißt von Schuhputzern angesprochen zu werden, von Blumenverkäufern, Straßenkünstlern, Kundenfängern für die Bars, es bedeutet Gerüche und Geräusche.

Ausländer durften nicht fraternisieren. Sie durften die Wohnung von Japanern nicht betreten und in kein japanisches Restaurant gehen. Aber auf den Straßen waren sie Teil einer geräuschvollen, sich drängelnden Welt.

Iggie hatte ein Aktenköfferchen voller Elfenbeinmönche, -handwerker und -bettler, aber er wusste nichts über dieses Land.

# 31.

## Kodachrome

Iggie erzählte mir, er habe vor seiner Ankunft nur ein einziges Buch über Japan gelesen, »The Chrysanthemum and the Sword: Patterns of Japanese Culture« (»Chrysantheme und Schwert: Formen der japanischen Kultur«); er hatte es unterwegs in Honolulu gekauft. Geschrieben hatte es die Ethnographin Ruth Benedict auf Ersuchen des American Office of War Information; es bestand aus Zeitungsausschnitten, übersetzten Literaturzitaten und Interviews mit Internierten. Seine Lesbarkeit verdankt sich vielleicht dem Umstand, dass Ruth Benedict keine direkte Erfahrung mit Japan hatte. Das Buch beschreibt eine angenehm simple Polarität zwischen dem Samuraischwert der Selbstverantwortung und der Chrysantheme, die nur durch verborgene Drähte ihre ästhetische Form erhält. Ihre berühmte These, die Japaner hätten eher eine Kultur der Scham als eine Kultur der Schuld, war bei den amerikanischen Offizieren in Tokio, die die Umgestaltung der japanischen Erziehung, des Rechtswesens und des politischen Systems planten, sehr einflussreich. Benedicts Buch wurde 1948 ins Japanische übersetzt und war außerordentlich populär. Natürlich. Was konnte spannender sein, als zu lesen, wie Amerikaner Japan sahen? Noch dazu eine Frau.

Iggies Exemplar des Benedict-Buches liegt vor mir, während ich dies schreibe. Seine akribischen Bleistiftanmerkungen – meist Ausrufezeichen – hören siebzig Seiten vor den letzten Kapiteln auf, die sich mit Selbstdisziplin und Kindheit befassen. Vielleicht war sein Flugzeug gelandet.

Iggies erstes Büro war im Geschäftsviertel Marunouchi mit seinen öden breiten Straßen. Im Sommer wurde es grässlich heiß, er erinnerte sich aber vor allem an die Kälte, die in seinem ersten Winter dort herrschte. In jedem Büro stand ein kleiner *hibachi*, ein Holzkohleofen, aber solche Öfchen spenden nur einen Hauch Wärme. Man müsste sie schon unter die Jacke stecken, um den Unterschied zu spüren.

Draußen ist es Nacht. Der Lichtschein aus den Büros dringt bis zur Feuertreppe hinaus. Die Köpfe über die Schreibmaschinen gebeugt, die Ärmel ihrer weißen Hemden zweimal hochgekrempelt, sind diese jungen Männer eifrig mit dem japanischen Mirakel beschäftigt. Zwischen den Papieren liegen Zigaretten und Abakusse. Die Männer sitzen auf Drehstühlen. Iggie steht abseits, hält ein Bündel Papiere; Mattglasscheiben, ein Telefon (eine Seltenheit).

Im Büro weiß man, dass es Abend wird, wenn Iggie kurz vor fünf den Gang hinunter entschwindet. Zum Rasieren braucht man heißes Wasser, also erhitzt er den Kessel auf dem *hibachi* im Büro. Und er muss sich rasieren, bevor er ausgeht.

In seinem Hotel in jenem Denver-ähnlichen Teil Tokios hatte es Iggie gar nicht gefallen, und so war er binnen Wochen in sein erstes eigenes Haus gezogen. Es lag in Senzoku am Senzoku-See im Südosten der Stadt. Eigentlich war es mehr ein Teich, sagte er mir, ein großer Thoreau-Teich, das war ihm wichtig zu betonen, kein kleiner englischer Weiher. Er zog im Winter um; man hatte ihm von den Kirschbäumen erzählt, die im Garten und am Ufer wuchsen, aber auf die Wirkung, als dann der Frühling kam, war er dann doch nicht vorbereitet. Wochenlang entfaltete sich das Schauspiel vor seinen Augen, bis zu einer solchen Überfülle an Blüten, dass es wie eine blendend weiße Wolke vor der Netzhaut war, sagte er. Kein Vordergrund mehr, kein Hintergrund, keine Distanz, man schwebte.

Nach so vielen Jahren, in denen er aus einem oder zwei Koffern gelebt hatte, war dies Iggies erstes Haus. Er war zweiundvierzig, hatte in Wien, Frankfurt, Paris, New York und Hollywood gelebt, war mit der Armee durch Frankreich nach Deutschland gezogen, war in Léopoldville gewesen, doch nie hatte er die Tür zu seinem eigenen Haus hinter sich zumachen können – bis zu diesem ersten, befreiten, betörenden Frühling in Japan.

Das Haus war in den 1920ern erbaut worden, es besaß ein achteckiges Esszimmer und einen offenen Vorbau, von dem aus man auf den

*Sommerliche Party in Senzoku, Tokio, 1951*

See blickte, wunderbar geeignet für Cocktailpartys. Aus dem Wohnzimmer trat man auf eine große Steinplatte und dann hinunter in den
Garten mit den gestutzten Kiefern und Azaleen, einer Terrasse, gepflastert mit nach dem Zufallsprinzip angeordneten Steinen, und einem Moosgarten. Es war die Art Haus, wie sie der junge japanische
Diplomat Ichiro Kawasaki beschrieb: »In der Vorkriegszeit konnte sich
ein Universitätsprofessor oder Oberst ein solches Haus leisten und
dort auch wohnen. Heute sind sie für die Besitzer so unerschwinglich
im Unterhalt, dass sie sie entweder verkaufen oder an Ausländer vermieten müssen.«

Ich sehe mir den Stoß kleiner Kodachrome-Fotos mit abgerundeten
Ecken an, aufgenommen in Iggies erstem Haus in Tokio. »Auf Flächenwidmungspläne haben japanische Stadtplaner wenig Gedanken verschwendet. Nicht selten findet man schäbige Holzschuppen von Arbeitern direkt neben der palastartigen Residenz eines Millionärs.« Das
ist auch hier der Fall, obwohl die Schuppen links und rechts aus Beton statt aus Holz und Pappe wiedererrichtet wurden. Die Nachbarschaft blüht wieder auf: Tempel und Schreine, ein lokaler Markt, eine

Fahrradreparaturwerkstätte, ein paar Geschäfte am Ende der Straße – mehr ein Feldweg als eine Straße –, wo man in Reih und Glied ausgelegte dicke weiße Daikon-Rettiche kaufen kann, Kohl und sonst nicht viel.

Wir beginnen mit Iggie in der Eingangstür, die Hand in der Hosentasche, der Clip glänzt auf der grünen Seidenkrawatte. Er ist breit geworden, trägt gern ein Stecktuch in der Jacketttasche. Die jungen Kerle in seinem Büro haben das nachzuahmen begonnen, diese zusammenpassende Stecktuch-Krawatten-Kombi. Heute trägt er feste Schuhe. Er sieht ein wenig nach Landadel aus. Es könnte in den Cotswolds sein, wären da nicht die gestutzten Kiefern an seiner Seite und die grünen Dachziegel. Wir treten in einen langen Korridor und wenden uns nach links, wo der Koch Mr. Haneda in seinem weißen Dress, die Augen wegen des Blitzlichts geschlossen, am neuen Herd lehnt, die Kochmütze keck nach hinten geschoben. Eine Flasche Heinz Ketchup ist das einzig Essbare in Sicht, kodachromerot vor dem blendend sauberen Email.

Zurück im Korridor, treten wir durch einen offenen Torbogen mit einer No-Maske in das Wohnzimmer. Die Decke ist mit Holzlatten verkleidet. Alle Lampen sind an. Objekte stehen auf schlichten dunklen koreanischen und chinesischen Möbeln, daneben bequeme niedrige Sofas, verstreute Tischchen und Lampen, Aschenbecher, Zigarettendosen. Ein hölzerner Buddha aus Kyoto hockt auf einer koreanischen Truhe, eine Hand segnend erhoben.

Die Bambusbar enthält ein eindrucksvolles Sortiment an Spirituosen, nichts davon kann ich identifizieren. Dieses Haus ist für Partys gedacht. Partys mit herumkrabbelnden Kleinkindern, Frauen in Kimonos, Geschenken. Partys mit Männern in dunklen Anzügen, gesprächig vom Whisky, die um runde Tischchen sitzen. Partys zu Neujahr, Kiefernzweigbüschel hängen von der Decke, Partys unter den Kirschbäumen, und einmal, poesiebeflügelt, eine Glühwürmchen-Party.

Hier wird fraternisiert auf Teufel komm raus: japanische, amerikanische und europäische Freunde, Frau Nakamura, die Haushälterin in Dienstkleidung, serviert Sushi und Bier. Hier ist wieder Liberty Hall.

Es ist auch ein Haus mit Stil. Keine vollgestopften Zimmer wie in

Iggies Kindheit im Palais: ein bühnenhaftes Interieur mit Blattgold-Wandschirmen und Schriftrollen, Malereien und chinesischer Töpferei, geschaffen als neues Heim für die Netsuke.

Mitten im Haus nämlich, im Zentrum von Iggies Leben, liegen die Netsuke. Iggie hat einen Glasschrank für sie entworfen, die Hinterwand ist mit gemustertem Papier beklebt, ein blassblaues Chrysanthemenmuster. So sind also nicht nur die 264 Netsuke wieder in Japan, sie werden auch in einem Salon zur Schau gestellt. Iggie hat sie auf drei lange Glasborde plaziert. Verdeckte Beleuchtungskörper lassen die Vitrine in der Dämmerung in allen Abstufungen von Cremeweiß, Knochenfarben und Elfenbein schimmern. Abends können sie den ganzen Raum erhellen.

Hier werden die Netsuke wieder japanisch.

Sie verlieren ihre Fremdheit. Nun sind sie erstaunlich genaue Nachbildungen der Speisen, die man zu sich nimmt: Muscheln, Tintenfische, Pfirsiche, Khakis, Bambussprossen. Die Kienspäne neben der Küchentür sind ebenso zusammengebunden wie das von Soko geschnitzte Bündel. Die trägen, unbeirrbaren Schildkröten, die am Rand des Tempelteichs übereinanderkrabbeln, sind das Netsuke von Tomokazu. Vielleicht begegnet man auf dem Weg zum Büro in Marunouchi keinen Mönchen und Wanderhändlern und Fischern, ganz zu schweigen von Tigern, aber der Mann beim Nudelstand am Bahnhof schaut ebenso mürrisch drein wie der enttäuschte Rattenfänger.

Die Netsuke haben eine gemeinsame Bildsprache mit den japanischen Schriftrollen und den goldenen Wandschirmen im Zimmer. Sie können mit etwas in Dialog treten, nicht wie bei Charles' Moreaus und Renoirs oder Emmys silbernen und gläsernen Parfümflakons auf dem Garderobentisch. Sie waren immer Dinge, die man in die Hand nehmen und befühlen musste; nun sind sie Teil einer anderen Welt der berührbaren Dinge. Sie sind nicht nur aus vertrautem Material (in Form von Essstäbchen fasst man jeden Tag Elfenbein und Buchsbaumholz an), auch ihre Formen sind tief verwurzelt. Ein ganzer Netsuke-Typus, die *manju*-Netsuke, sind nach den kleinen, runden süßen Tofuküchlein benannt, die man täglich zum Tee isst oder als *o-miyagi* erhält, die kleinen Geschenke, die man in Japan bei Besuchen mitbringt. *Manju* sind fest und erstaunlich schwer, geben aber beim Anfassen ein wenig nach. Beim Aufnehmen eines *manju*-Netsuke spürt der Daumen etwas Ähnliches.

Viele von Iggies japanischen Freunden hatten noch nie Netsuke gesehen, geschweige denn angefasst. Jiro konnte sich gerade noch an seinen Großvater, den Unternehmer, erinnern, der bei Hochzeiten und Begräbnissen seinen schweren grauen Kimono trug. Fünf heraldische Motive am Hals, an den Ärmeln und Ärmelumschlägen, weiße Zehensocken und *geta*, hölzerne Pantoffeln, der breite Obi-Gürtel mit dem steifen Knoten in der Taille und ein Netsuke – ein Tier? eine Ratte? – an der Schnur. Aber Netsuke waren bereits achtzig Jahre zuvor aus dem täglichen Gebrauch verschwunden, in der frühen Meiji-Zeit, als man Kimonos für Männer abschaffen wollte. Bei Iggies Partys – auf den Tischen stehen Whiskygläser, Teller mit *edamame*, gerösteten Sojabohnen – wird der Schrank geöffnet. Die Netsuke werden herausgenommen, bewundert, herumgereicht, genossen. Und die Freunde erklären, was sie bedeuten. Es ist 1951, das Jahr des Hasen, und so hält man das aus dem hellsten Elfenbein der ganzen Sammlung geschnitzte Netsuke und bekommt erklärt, dass es leuchtet, weil es ein Mondhase ist, der über die vom Mondlicht bestrahlten Wellen flitzt.

Das letzte Mal, als die Netsuke in solch geselliger Runde herumgereicht wurden, war in Paris, Edmond de Goncourt, Degas und Renoir taten das in Charles Ephrussis Salon, eingerichtet im damals üblichen guten Geschmack, ein Dialog zwischen einem erotisierten Anderen und der neuen Kunst.

Nun, wieder daheim in Japan, sind die Netsuke eine Erinnerung an Gespräche mit den Großeltern über Kalligraphie, über Poesie oder den *shamisen*. Für Iggies japanische Gäste gehören sie zu einer versunkenen Welt, die durch die Düsternis der Nachkriegszeit noch trüber wirkt. Schaut an, scheinen die Netsuke vorwurfsvoll zu sagen, welchen Reichtum an Zeit es gegeben hat.

Hier gehören sie auch zu einer neuen Version des Japonismus. Iggies Haus hat sein Pendant in den internationalen Design-Zeitschriften der fünfziger Jahre, die gerne den japanischen Stil auf die zeitgenössische Einrichtung aufpfropfen. Man kann das Thema Japan durch einen Buddha, einen Wandschirm, einen derben Tontopf im folkloristischen Stil, wie er jetzt en vogue ist, andeuten. *Architectural Digest* zeigt reihenweise Wohnhäuser in Amerika, in denen solche Objekte neben Blattgold im Vorzimmer, einer verspiegelten Wand, Rohseidentapeten, Panoramafenstern und abstrakten Bildern zu sehen sind. Im Tokioter Haus dieses Adoptiv-Amerikaners befindet sich ein *tokonama*, der Alkoven, der in den traditionellen Häusern einen so wichtigen Platz einnimmt, ein vom Rest des Hauses durch einen rohen Holzbalken abgetrennter Raum. In einem Korb neben einer Bildrolle sind Gräser arrangiert, daneben eine japanische Schale. Zeitgenössische japanische Bilder kränklich-blasser Figuren und Pferde von Fukui, einem seiner jungen Lieblingsmaler, hängen an den Wänden. Iggies umfassende Büchersammlung, über japanische Kunst, Proust neben James Thurber und stapelweise amerikanische Krimis, füllt die Borde.

Doch zwischen der japanischen Kunst hängen auch ein paar Gemälde aus dem Palais Ephrussi in Wien, die sein Großvater in den berauschenden Jahren des Familienaufstiegs in den 1870er Jahren gesammelt hatte. Das Bild eines Araberjungen von einem Maler, den Ignaz bei seinen Reisen in den Nahen Osten unterstützte. Ein paar österreichische Landschaften. Ein kleines holländisches Bild einiger genügsamer Kühe, das einmal in irgendeinem hinteren Flur gehangen hat. In seinem Esszimmer hängt über der Anrichte ein melancholisches Bild eines Soldaten mit Muskete in einem dämmrigen Wald; es stammt aus dem Ankleidezimmer seines Vaters am Ende des Flurs und hing neben der riesenhaften »Leda mit dem Schwan« und der Büste des Herrn Wessel. Neben Iggies japanischen Schriftrollen die paar Brocken Restitution, die Elisabeth Wien abgerungen hat. Auch hier ein bisschen Fraternisieren: Ringstraßenstil in Japan.

Die Fotos wirken sehr lebendig: Sie vibrieren vor Glück. Iggie hatte die Fähigkeit, es sich einzurichten, wo immer er war – es gibt Schnappschüsse von ihm und Freunden im Krieg, wie sie in einem zerstörten Bunker mit einem zugelaufenen Hündchen spielen. In seinem eklektischen Ambiente in Japan nahm er seine japanischen und westlichen Freunde sehr herzlich auf.

Sein Glück steigerte sich noch, als er in ein zweites schönes Haus mit Garten in einer besser gelegenen Gegend in Azabu zog. Das Umfeld sagte ihm zwar nicht zu – eine *gaijin*-Kolonie, lauter Diplomaten –, aber das Haus war hoch gelegen, mit einer Reihe durchgehender Räume und einem abschüssigen Garten voll weißer Kamelien. Es war groß genug, um ein eigenes Apartment für seinen jungen Freund Jiro Sugiyama einzurichten. Sie hatten einander im Juli 1952 kennengelernt. »Ich traf einen alten Klassenkameraden vor dem Marunouchi-Gebäude, der mich seinem Boss Leo Ephrussi vorstellte ... Zwei Wochen danach rief mich Leo an – ich habe ihn immer Leo genannt – und lud mich zum Abendessen ein. Wir speisten Hummer Thermidor auf dem Dachgarten des Tokio Kaikan ... durch ihn habe ich einen Job bei einer Unterabteilung von Mitsui gefunden, Sumitomo.« Einundvierzig Jahre lang sollten sie zusammen sein.

Jiro war sechsundzwanzig, schlank und gutaussehend, er sprach fließend Englisch und liebte Fats Waller und Brahms. Als sie einander begegneten, war er gerade aus Amerika zurückgekehrt, er hatte dort mit einem Stipendium drei Jahre an einer Universität studiert. Sein von den Besatzungsbehörden ausgestellter Pass trug die Nummer 19. Jiro erinnerte sich an seine Angst, wie man ihn wohl in Amerika behandeln würde, und an das, was in der Zeitung gestanden hatte: »ein junger Japaner auf dem Weg nach Amerika, in grauem Flanellanzug und weißem Oxfordhemd«.

Jiro war als mittleres von fünf Geschwistern in eine Kaufmannsfamilie geboren worden, die in Shizuoka, zwischen Tokio und Nagoya gelegen, lackierte Holzschuhe herstellte. »Meine Familie produzierte die allerbesten bemalten *geta* mit *urushi*-Lack. Mein Großvater Tokujiro machte ein Vermögen mit den *geta* ... Wir hatten ein großes, traditionelles Haus, zehn Personen arbeiteten im Geschäft, sie hatten alle ihre eigenen Räume.« Es war eine wohlhabende Unternehmerfamilie; 1944 besuchte der achtzehnjährige Jiro einen Vorbereitungskurs für die Waseda-Universität in Tokio und anschließend die Universität. Er

*Iggie und Jiro im Boot auf dem Inlandsee, 1954*

war zu jung für den Kriegseinsatz gewesen, die Zerstörung Tokios jedoch hatte er miterlebt.

Jiro, mein japanischer Onkel, gehörte ebenso lange wie Iggie zu meinem Leben. Wir saßen im Arbeitszimmer seiner Wohnung in Tokio, und er erzählte vom Beginn ihrer gemeinsamen Zeit. An den Freitagabenden verließen sie die Stadt und »verbrachten das Wochenende in der Umgebung von Tokio, in Hakone, Ise, Kyoto, Nikko, oder wir blieben in *ryokan* und *onsen* und speisten gut. Er hatte ein gelbes DeSoto-Kabrio mit schwarzem Verdeck. Nachdem wir unser Gepäck im *ryokan* deponiert hatten, wollte Leo immer zuerst Antiquitätenläden aufsuchen – chinesische und japanische Töpfereien, Möbel ...« Unter der Woche trafen sie sich nach der Arbeit. »Er sagte: ›Komm ins Restaurant, wie wär's mit Rindfleisch und Curryreis oder Krabbenkroketten.‹ Oder wir gingen in die Bar des Imperial. Zuhause gaben wir viele Partys. Wenn alle gegangen waren, tranken wir spätnachts noch einen Whisky und hörten uns Opernplatten an.«

Ein Leben in Kodachrome – ich kann das gelb-schwarze Auto auf einer staubigen Straße in den japanischen Alpen aufblitzen sehen, wie eine Hornisse, ich sehe die rosa Kroketten, umrahmt von Weiß.

Sie erkundeten Japan zusammen, fuhren zu einem Gasthof, wo es an bestimmten Wochenenden besonders gute Bachforellen gab; in eine Küstenstadt zum Herbst-*matsuri*, einer unter viel Gedrängel und Gestoße ablaufenden Parade rot-goldener Festwagen. Sie gingen in Ausstellungen japanischer Kunst in den Museen im Ueno-Park. Und zu den ersten Ausstellungen, in denen Impressionisten aus den europäischen Museen gezeigt wurden, die Schlangen reichten vom Eingang bis zum Ausgang. Sie kamen aus der Pissarro-Ausstellung, und Tokio sah aus wie Paris im Regen.

Doch die Musik war mit ihrem Zusammenleben am innigsten verbunden. Beethovens Neunte Symphonie war im Krieg außerordentlich populär geworden. Die Neunte – im Volksmund als *Dai-ku* bekannt – wurde zum essenziellen Teil des Jahresendfestes, riesige Chöre sangen die »Ode an die Freude«. Während der Besatzung wurde das Tokyo Symphony Orchestra teilweise von den Besatzungsbehörden gesponsert, die Programme richteten sich nach den Wünschen der Soldaten. In den frühen 1950er Jahren nun gab es in ganz Japan regionale Orchester. Schulkinder, den Ranzen auf dem Rücken, waren mit Geigenkästen unterwegs. Ausländische Orchester gaben Gastspiele, und Jiro und Iggie besuchten ein Konzert nach dem anderen: Rossini, Wagner, Brahms. Sie sahen zusammen »Rigoletto«, und Iggie erinnerte sich, dass dies die erste Oper gewesen war, die er mit seiner Mutter in ihrer Loge in der Hofoper während des Ersten Weltkriegs gesehen hatte; beim Schlussvorhang hatte sie geweint.

Und so ist dies der vierte Ruheplatz der Netsuke. Es ist eine Vitrine in einem Wohnzimmer im Tokio der Nachkriegszeit, das hinaussieht auf ein Beet mit gestutzten Kamelien; nachts wird sie umspült von brausenden Wellen aus Gounods »Faust«.

# 32.
# Wo haben Sie die her?

Die Ankunft der Amerikaner bedeutete, dass Japan neuerlich ein Land zum Ausbeuten geworden war, ein Land voll attraktiver Dinge, Satsuma-Vasen, Kimonos, Lackarbeiten und vergoldete Schwerter, Faltwandschirme, mit Pfingstrosen bemalt, Truhen mit Bronzegriffen. Japanische Sachen waren so billig, so reichlich verfügbar. Der erste Bericht von *Newsweek* über das besetzte Japan vom 24. September 1945 war übertitelt:»Yanks auf Kimonojagd – was dürfen Geishas und was nicht?« Diese anzügliche und zugleich kryptische Überschrift, die Souvenirs und Mädchen in eines setzt, bildet ein Resümee der Besatzung. Später berichtete die *New York Times* von »Matrosen auf Einkaufsbummel«: Für GIs gab es wenig zu kaufen, wenn sie schon alles für Zigaretten, Bier und Mädchen ausgegeben hatten.

Ein erfolgreicher *après-guerre* eröffnete am Pier in Yokohama eine kleine Geldwechselbude, wo die ersten amerikanischen Soldaten Dollars in Yen umtauschen konnten. Er kaufte und verkaufte auch amerikanische Zigaretten. Der Punkt aber war: Die dritte Sparte seines Geschäfts bestand darin,»billige japanische Nippsachen, etwa bronzene Buddhafiguren, zu verkaufen. Messingkerzenleuchter, Weihrauchöfchen, die er aus ausgebombten Stadtvierteln geborgen hatte. Diese Kuriositäten, damals große Neuheiten, verkauften sich wie die sprichwörtlichen warmen Semmeln.«

Woher wusste man, was man kaufen sollte? Alle Soldaten »mussten eine Stunde Gefechtsausbildung in Themen wie japanische Blumensteckkunst, Weihrauchanzünden, Ehe, Kleidung, Teezeremonien und Kormoranfischerei über sich ergehen lassen«, ätzte John LaCerda in »The Conqueror Comes to Tea: Japan under MacArthur«, erschienen 1946. Wer es ernsthafter wollte, der hatte die neuen Einführungen in japanisches Kunsthandwerk zur Verfügung, gedruckt auf seidenpapierdünnem grauem Papier. Das Japanische Reisebüro gab solche Führer heraus, »um Touristen und anderen an Japan interessierten Ausländern Grundkenntnisse über die verschiedenen Epochen der japanischen Kultur zu vermitteln«. Darunter waren etwa: »Die Blumenkunst Japans«, »Hiroshige«, »Kimonos (japanische Kleidung)«, »Japanischer Teekult«, »Bonsai (Miniaturbäumchen im Topf)«. Und natürlich: »Netsuke: eine japanische Kunst en miniature«.

Vom Nippesverkäufer am Pier von Yokohama zu den vor einem Tempel sitzenden Männern mit einer Handvoll Lackarbeiten auf einem weißen Tuch: Es war schwer, nicht einem Japan zu begegnen, das sich verkaufte. Alles war alt oder wurde als alt etikettiert. Man konnte Aschenbecher bekommen, Feuerzeuge oder Servietten mit Bildern von Geishas, dem Fudschijama oder Glyzinien. Japan war eine Reihe von Schnappschüssen, von Ansichtskarten in Brokatfarben, Kirschblüten so rosa wie Zuckerwatte. Madame Butterfly und Pinkerton, die Klischees überpurzelten sich. Aber man konnte ebenso gut »ein exotisches Relikt aus der Zeit der Daimyos« kaufen. Im Artikel »Yen für Kunst« in *Time* hieß es über die Brüder Hauge, die eine außerordentliche Sammlung japanischer Kunst zusammengetragen hatten: »Von den zahllosen GIs, die in Japan dienten, haben nur wenige sich nicht mit Souvenirs eingedeckt. Aber bloß eine Handvoll Amerikaner realisierte, welches Sammlerparadies ihnen offenstand … Durch den Wirbelwind der Inflation, der den Yen von einem Kurs von 15 bis zu 360 für einen Dollar trieb, hatten sie einen fliegenden Start. Während die Hauges eine papierene Yen-Ernte einstreiften, führten von den Nachkriegssteuern betroffene japanische Familien eine ›Zwiebelexistenz‹: Schicht für Schicht entledigten sie sich ihrer gehegten und gepflegten Kunstschätze, um den Kopf über Wasser zu halten.«

Zwiebelhäute, Bambussprossen. Bilder von Verletzlichkeit, Zartheit, Tränen. Es waren auch Bilder vom Entblättern. Eine Parallele zu den Geschichten, die Philippe Sichel und die Goncourts in Paris im ersten fieberhaften Rausch des Japonismus so begeistert immer wieder erzählt hatten: wie man alles, jeden kaufen konnte.

Iggie mochte ausgewandert sein, aber er war immer noch ein

Ephrussi. Auch er begann zu sammeln. Auf seinen Ausflügen mit Jiro kaufte er chinesische Keramik – zwei Pferde mit gekrümmtem Rücken aus der Tang-Dynastie, seladongrüne Teller, auf denen Fische schwammen, blau-weißes Porzellan aus dem 15. Jahrhundert. Er kaufte blattgoldüberzogene japanische Wandschirme mit scharlachroten Pfingstrosen, Bilderrollen mit nebelverhangenen Landschaften, frühbuddhistische Skulpturen. Damals bekam man eine Ming-Schale für einen Karton Lucky Strikes, erzählte Iggie mir schuldbewusst. Er zeigte sie mir. Wenn man sachte daraufklopft, lässt sie einen reinen, hellen Ton hören. Unter einer milchigen Glasur sind blaue Pfingstrosen aufgemalt. Wer sie wohl verkaufen musste?

In diesen Besatzungsjahren wurden die Netsuke wieder »Sammlerstücke«. Der 1951 veröffentlichte Führer des Japanischen Reisebüros zum Thema Netsuke erwähnt »wertvolle Unterstützung durch Konteradmiral Beton W. Dekker, ehemaliger Kommandeur der US-Flotte in Yokosuka, Japan, und ein begeisterter Netsuke-Kenner«. Der dreißig Jahre lang lieferbare Führer teilte seine Ansicht über Netsuke auf die deutlichste Weise mit: »Die Japaner sind von Natur aus sehr geschickt mit ihren Fingern. Dieses Geschick mag mit ihrer Vorliebe für kleine Gegenstände zu tun haben, das sie entwickelten, weil sie in einem kleinen Inselstaat leben und sich nicht kontinental fühlen. Ihre Angewohnheit, mit Stäbchen zu essen, die sie von Kind an zu handhaben lernen, kann ebenfalls als einer der Gründe angesehen werden, warum sie so gewandt sind. Aus diesem speziellen Charakteristikum erklären sich die Vorzüge und Nachteile der japanischen Kunst. Diesem Volk fehlt die Fähigkeit, etwas in großem Maßstab, etwas Tiefgründiges und Substanzielles zu produzieren. Aber es zeigt seine Natur, indem es sein Werk mit feinem Geschick und penibler Sorgfalt ausführt.«

Die Art, wie über japanische Objekte gesprochen wurde, hatte sich in den achtzig Jahren, seit Charles sie in Paris gekauft hatte, nicht geändert. Netsuke sollten immer noch wegen der positiven Attribute geschätzt werden, die man frühreifen Kindern zuschreibt: geduldiges Zu-Ende-Bringen, Gewissenhaftigkeit.

Es ist bitter, mit einem Kind verglichen zu werden. Noch schmerzlicher war es, als es öffentlich durch General MacArthur geschah. Nachdem er von Präsident Truman wegen Insubordination in Sachen Koreakrieg entlassen worden war, verließ der General am 16. April 1951 Tokio auf dem Weg zum Flughafen Haneda, eskortiert von Polizisten auf Motorrädern. An der Strecke standen amerikanische Soldaten, japanische Polizisten und Bürger. Die Schulkinder hatten frei bekommen, um Spalier zu bilden; die Arbeitskräfte in den Postämtern, Krankenhäusern und Verwaltungseinrichtungen konnten ebenfalls teilnehmen. Die Tokioter Polizei schätzte, dass 230 000 Personen MacArthurs Abschied zusahen. »Es war eine ruhige Menge«, schrieb die *New York Times*, »die wenig äußere Anzeichen von Emotion erkennen ließ …« Bei den Anhörungen im Senat nach seiner Rückkehr verglich MacArthur die Japaner mit einem Zwölfjährigen, im Vergleich zu einem fünfundvierzigjährigen angelsächsischen Erwachsenen: »Man kann ihnen die grundlegenden Begriffe einpflanzen. Sie sind dem Ursprung nahe genug, um elastisch und offen für neue Auffassungen zu sein.«

Das wirkte wie eine öffentliche, weltweit verbreitete Demütigung für ein nach sieben Jahren Besatzung souverän gewordenes Land. Seit dem Krieg war Japan in großem Maßstab wiederaufgebaut worden, teilweise durch amerikanische Finanzhilfe, zum großen Teil aber aufgrund der eigenen unternehmerischen Fähigkeiten. Die Keimzelle von Sony zum Beispiel war 1945 eine Radioreparaturwerkstätte in einem ausgebombten Warenhaus in Nihonbashi. Die Firma schuf ein neues Produkt nach dem anderen – 1946 elektrische Heizkissen, im Jahr darauf das erste Tonbandgerät Japans –, indem sie junge Wissenschaftler beschäftigte und Material auf dem Schwarzmarkt zusammenkaufte.

Wenn man im Sommer 1951 über die Ginza schlenderte, die wichtigste Einkaufsstraße Tokios, passierte man ein Geschäft nach dem anderen, das von Waren überquoll: Japan hatte Erfolg in der modernen Welt. Man kam auch bei Takumi vorbei, einem langgezogenen, engen Laden, wo neben aufgestapelten dunkelfarbigen Schüsseln und Tassen Ballen mit Indigotuch von Volkskunstwebern lagen. 1950 hatte die

*Die Vitrine mit den Netsuke in Iggies Haus in Azabu,*
*Tokio, 1961*

japanische Regierung den Begriff des »Lebenden Nationalen Kultur-
guts« eingeführt; das waren zumeist ältere Männer, deren Kunstfer-
tigkeit in Lackarbeiten, Färberei oder Töpferei mit einer Staatspension,
Ruhm und Ansehen belohnt wurde.

Der Geschmack hatte sich gewandelt, hin zum Gestischen, Intuiti-
ven, Unsagbaren. Alles, was in irgendeinem entlegenen Dorf entstanden war, galt als »traditionell« und wurde als urjapanisch vermarktet.
Damals begann der Japan-Tourismus, und die Japanische Eisenbahn-
gesellschaft brachte Broschüren heraus: »Einige Anregungen für Sou-
venirsucher«. »Keine Reise wäre vollständig ohne ein paar Souvenirs,
die man mit nachhause nimmt.« Es galt, mit dem richtigen *o-miyagi,*
einem Geschenk, heimzukehren. Das konnte ein süßes Gebäck sein,
eine Art Keks oder ein für ein Dorf typischer Knödel, eine Schachtel
Tee, eingelegter Fisch. Oder Kunsthandwerk, handgeschöpftes Papier,
eine Teeschale aus einem Dorfbrennofen, eine Stickerei. Aber unter
dem Papier und der Kordel der Verpackung musste die regionale Be-

sonderheit pulsieren, ihr kalligraphisches Zeichen: Japan wird kartiert, eingeteilt in eine Geographie der passenden Geschenke. Kein *o-miyagi* mitzubringen wäre in gewissem Sinne ein Affront gegen die Vorstellung des Reisens an sich gewesen. Netsuke wurden nun mit der Meiji-Zeit und der Öffnung Japans assoziiert. In der Hierarchie der Kunstgegenstände galten sie, da allzu geschickt, jetzt wenig: Sie umgab die etwas abgestandene Aura des Japonismus, des Ausverkaufs Japans an die Welt. Sie waren einfach zu kunstfertig gemacht.

Wie viele Kalligraphien auch immer gezeigt würden – ein einziger explosiver Pinselstrich in Schwarz, ausgeführt von irgendeinem Mönch, jahrzehntelange Konzentration innerhalb von vier kontrollierten Sekunden –, man brauche bloß jemandem etwas Kleines aus Elfenbein zu zeigen, »eine Gruppe von Kiyohimi und ein Drache, der sich um die Tempelglocke ringelt, unter der sich der Mönch Anchin verbirgt«, und jeder breche in Bewunderung aus, hieß es. Nicht über den Einfall, die Komposition, aber über die Tatsache, dass sich jemand so lange auf etwas so Kleines konzentrieren habe können. Wie hatte Tanaka Minko den Mönch unter der Glocke durch das winzige, winzige Loch schnitzen können? Netsuke waren bei Amerikanern einfach zu beliebt.

In einem japanisch verfassten Artikel in *Nihon Keiza Shimbun*, dem Tokioter Pendant des *Wall Street Journal*, erzählte Iggie von seinen Netsuke. Er beschrieb seine Erinnerungen an sie aus seiner Kindheit in Wien und wie sie unter den Augen der Nazis in der Schürzentasche eines Hausmädchens aus dem Palais gerettet worden waren. Und er schrieb über ihre Rückkehr nach Japan. Ein glückliches Geschick habe sie nach drei Generationen in Europa wieder nach Japan zurückgebracht. Er habe, schrieb Iggie, Mr. Yuzuru Okada vom Tokyo National Museum in Ueno, der über Netsuke gearbeitet habe, ersucht, die Sammlung zu prüfen. Armer Mr. Okada, denke ich, der Abend für Abend den weiten Weg ins Haus eines *gaijin* auf sich nimmt, um schon wieder einer von einem Ausländer zusammengetragenen Nippessammlung ein anerkennendes Lächeln zu schenken. »Er wollte zunächst nicht kommen – ich wusste nicht, warum – und betrachtete dann die fast dreihundert Netsuke, die auf dem Tisch ausgebreitet lagen, als wolle er kein einziges mehr sehen … Mr. Okada nahm eines meiner Netsuke in die Hand. Dann begann er das zweite sorgfältig mit einem Vergrößerungsglas zu untersuchen. Schließlich, nachdem er das dritte lange begutachtet hatte, stand er abrupt auf und fragte mich, wo ich sie herhätte …«

Es waren große Beispiele japanischer Kunst. Sie mochten damals aus der Mode sein – in Okadas Museum im Ueno-Park im Tokioter Nationalmuseum für japanische Kunst stand in den frostigen Räumen voller Tuschemalereien nur eine einzige Vitrine mit Netsuke –, das hier aber waren echte Skulpturen für die Hand.

Neunzig Jahre, nachdem sie Yokohama verlassen haben, nimmt jemand eines dieser Netsuke auf und weiß, wer es geschaffen hat.

# 33

# Das echte Japan

Anfang der 1960er Jahre war Iggie bereits lange in Tokio ansässig. Europäische und amerikanische Kollegen waren zu Dreijahresaufenthalten gekommen und wieder gegangen. Iggie hatte die Besatzung gehen sehen. Er war immer noch in Tokio.

Er hatte einen Japanischlehrer genommen und beherrschte die Sprache jetzt sehr gut, fließend und in allen Nuancen. Jeder Ausländer, der auf Japanisch ein paar entschuldigende Phrasen stammeln kann, wird wegen seiner außerordentlichen Kenntnisse beglückwünscht. *Jozu desu ne*: Mein Gott, wie gut Sie das können! Mein eigenes Japanisch, herzzerreißend schwerfällig, voll seltsamer Dehnungen und abrupter Tonhöhenwechsel, ist oft genug gelobt worden, ich weiß, wie das läuft. Aber ich hörte Iggie sprechen und weiß, dass er Japanisch wirklich beherrschte.

Er liebte Tokio. Er liebte die Art, wie die Skyline sich veränderte, den rostroten, Ende der 1950er Jahre erbauten Tokyo Tower, geplant als Gegenstück zum Eiffelturm; die neuen Wohnblocks, die sich scharf vor den rauchigen Yakitori-Buden abzeichneten. Er identifizierte sich mit der Fähigkeit der Stadt, sich neu zu erfinden. Diese Möglichkeit schien gottgesandt. Es habe eine eigenartige Beziehung zwischen dem Wien von 1919 und dem Tokio von 1947 gegeben, meinte er. Wer nicht so sehr am Boden gewesen sei, wisse nicht, wie man etwas aufbauen könne, könne nicht ermessen, was er aufgebaut habe. So jemand würde immer glauben, das sei jemand anderem zu verdanken.

Wie hältst du es hier bloß aus, wurde Iggie von Ausländern immer wieder gefragt. Langweilt dich denn nicht das ewig gleiche alte Zeug?

Iggie erzählte mir, was das Leben der Ausländer in Tokio ausmachte, die acht zähen Stunden zwischen den Aufträgen an das Hausmädchen und die Köchin nach dem Frühstück und dem ersten Cocktail um halb sechs. Als Geschäftsmann in Japan hatte man sein Büro, und dann ging man in Gesellschaft. Manchmal zu Geisha-Partys, die so lange dauerten, so langweilig und kostspielig waren, dass Iggie sich verfluchte, aus Léopoldville weggegangen zu sein. Jeden Abend, frisch rasiert, nahm er Drinks mit Kunden. Zuerst in der Bar im Imperial, dunkler Mahagoni und Samt, Whisky Sour, ein Klavierspieler. Dann im American Club, im Presseclub, im International House. Dann vielleicht eine weitere Bar. D. J. Enright, ein englischer Lyriker, zu Gast in Japan, zählte seine Lieblingsbars auf: die Bar Renoir, Bar Rimbaud, La Vie en Rose, Sous les Toits de Tokyo und seine Favoritin: La Peste.

Arbeitete man nicht, musste man diese acht Stunden irgendwie ausfüllen. Was konnte man tun? Bei Kikokuniya an der Ginza nachsehen, ob neue Romane und Zeitschriften aus dem Westen eingetroffen waren, oder zur Maruzen-Buchhandlung, wo noch aus der Vorkriegszeit Bücher über das Leben der Kleriker standen, seit dreißig Jahren auf den Regalen? Oder in eines der Cafés im Dachgeschoss der Warenhäuser?

Leute kommen zu Besuch. Aber wie oft nimmt man Gäste mit, um den großen Buddha in Kamakura oder die Schreine der Tokugawa-Shogune in Nikko zu sehen – roter Lack und Gold, den Hügel voller Sicheltannen hinauf? Vor den Tempeln in Kyoto oder dem Schrein in Nikko oder an den Stufen zum Buddha in Kamakura stehen die Buden der Souvenirverkäufer, der Männer, die Gebetszettel verhökern, der *O-miyagi*-Händler. Da stehen die Schnellfotografen unter den roten Schirmen an der Brücke beim Goldenen Pavillon, daneben ein kicherndes Mädchen im pseudojapanischen Kostüm, weiß geschminkt mit Kamm im Haar.

Wie oft hält man Kabuki aus? Oder, noch schlimmer, drei Stunden No-Theater? Wie oft geht man in ein *onsen*, ein Thermalbad, bevor die Aussicht auf brusttiefe Entspannung im Warmwasserbecken zum Horror wird?

Man kann ins British Council gehen und sich die Vorträge von Gastautoren anhören, oder zu einer Keramikausstellung in den Kaufhäusern, oder man kann das Blumenstecken lernen, Ikebana. In dieser fremdländischen Umgebung eine Frau zu sein, bedeutet, sich des eigenen fragilen Status bewusst zu werden. Man sollte lernen, was Enright einen der »demütigend einfachen kunsthandwerklichen Kulte« nannte, die Teezeremonie zum Beispiel, die in Japan gerade wieder en vogue wird.

Denn darum geht es: dem echten Japan begegnen. »Ich muss versuchen, in dem Land etwas zu sehen, das ganz und unberührt ist«, schreibt ein verzweifelter Reisender nach einem Monat in Tokio im Jahr 1955. Dem Ganzen, Unberührten zu begegnen würde bedeuten, Tokio zu verlassen: Japan beginnt dort, wo die Geräusche der Stadt aufhören. Das Ideal wäre, dorthin zu gehen, wo noch kein Mensch aus dem Westen war. Authentische Erlebnisse zu finden wird zunehmend zu einem Wettkampf. Diese Empfindsamkeit im Vergleich mit anderen ist die Kunst, ihnen in Sachen Kultur immer eine Nasenlänge voraus zu sein. Schreiben Sie Haikus? Zeichnen Sie mit Tusche? Töpfern Sie? Meditieren Sie? Trinken Sie freiwillig grünen Tee?

Das echte Japan zu finden hängt vom Reiseplan ab. Hat man vierzehn Tage zur Verfügung, bedeutet das Kyoto und einen Tagesausflug zu den Kormoranfischern, vielleicht einen Tagesausflug in ein Töpferdorf, eine ausgedehnte Teezeremonie. Ein Monat: ein Besuch in Kyushu im Süden. Ein Jahr: Man könnte ein Buch schreiben. Dutzende taten das. Japan, mein Gott, was für ein eigenartiges Land! Ein Land im Übergang. Verschwindende Traditionen, beständige Traditionen. Essenzielle Wahrheiten. Eine Saison in. Die Kurzsichtigkeit der Japaner. Liebe zum Detail. Geschicklichkeit. Selbstgenügsamkeit. Kindlichkeit. Undurchschaubarkeit.

Elizabeth Gray Vining, die vier Jahre lang den Kronprinzen unterrichtet und das Buch »Windows for the Crown Prince« geschrieben hatte, erwähnte in einer Fortsetzung die »vielen Bücher über Japan, verfasst von Amerikanern, die ihr Herz an die ehemaligen Feinde verloren haben«. Auch die Engländer schrieben Reiseberichte: William Empson, Sacheverell Sitwell, Bernard Leach, William Plomer. »It's Better with Your Shoes Off« – Karikaturen über das wirkliche Leben in Japan; »The Japanese Are Like That«, »An Introduction to Japan«, »This

Scorching Earth«, »A Potter in Japan«, »Four Gentlemen of Japan«. Eine Flut von Büchern mit auswechselbaren Titeln: »Behind the Fan«, »Behind the Screen«, »Behind the Mask«, »Bridge of the Brocade Sash«. Honor Tracys »Kakemono: A Sketch Book of Post-War Japan«, mit seiner Abneigung gegen »junge Männer mit klebrig pomadiertem Haar und grell geschminkten Mädchen, die sich auf dem Tanzboden drehen, einen leicht debilen Ausdruck im Gesicht ...« Enright bemerkte bitter, er hege den Ehrgeiz, zu der kleinen, auserwählten Gruppe von Menschen zu gehören, die in Japan gelebt hatten, ohne ein Buch darüber zu schreiben – und das in einem Vorwort zu seinem eigenen Buch zum Thema, »The World of Dew«.

Über Japan zu schreiben bedeutet, dass man eine instinktive Abneigung gegen (westlichen) Lippenstift erkennen lässt, der auf einer schönen (östlichen) Wange verschmiert ist: So entstellt die Modernisierung das Land! Oder man versucht es komisch zu sehen, wie die Sonderausgabe von *Life* über Japan vom 11. September 1964: Auf der Titelseite ist eine Geisha in voller Kriegsbemalung zu sehen, die einen Bowlingball wirft. Das frisch amerikanisierte Land schmeckt so fade wie *pan*, das teigige Weißbrot, das in Japan seit dem Ende des 19. Jahrhunderts gebacken wird, oder dieser seifige Schmelzkäse, gelber als Ringelblumen. Das könnte man mit der Schärfe von japanischen Pickles vergleichen, Rettich, Wasabi in einem Sushi. Dabei spiegelt man die Ansicht der Reisenden von vor achtzig Jahren. Man stimmt ein in Lafcadio Hearns lyrisches Lamento.

In diesem Punkt aber war Iggie anders. Sicher, hin und wieder machte er eine schwarz lackierte Bento-Schachtel auf, Reis, eingelegte Pflaumen, Fisch, feinsäuberlich auf Zinnoberrot für den Lunch angerichtet. Doch mit Jiro und seinen japanischen Freunden gab es abends Châteaubriand in einem Restaurant in der Nähe der Ginza-Kreuzung, wo die neuen Neonreklamen flimmerten: Toshiba, Sony, Honda. Und dann ein Film von Teshigahara und zuhause Whisky; die Vitrine mit den Netsuke steht offen, auf dem Plattenspieler läuft Stan Getz. Iggies und Jiros Leben spielte sich in einem anderen echten Japan ab.

Nach zwanzig Jahren Fehlstarts und vergleichsweise harten Lebensbedingungen in Paris, New York, Hollywood und bei der Armee lebte Iggie nun schon länger in Tokio als in Wien: Er gehörte allmählich dazu. Er war kompetent, er machte etwas aus sich, verdiente genug, um sich und seine Freunde zu erhalten. Er unterstützte seine Geschwister, seine Neffen und Nichten.

Mitte der 1960er Jahre ist Rudolf verheiratet und hat fünf kleine Kinder. Gisela geht es in Mexiko sehr gut. Und Elisabeth in Tunbridge Wells, die in ihrem schlichten Mantel den Sonntagsgottesdienst um halb zehn in der Pfarrkirche besucht, scheint durch und durch anglisiert. Henk ist in Rente und liest hoffnungsfroh die *Financial Times*. Ihre beiden Söhne machen sich gut. Mein Vater ist Priester der anglikanischen Kirche geworden, hat die Tochter eines Vikars geheiratet, eine Historikerin, und ist Universitätskaplan in Nottingham. Sie haben vier Söhne, mich eingeschlossen. Mein Onkel Constant Hendrik (Henry), erfolgreicher Anwalt in London, ist ins Parliamentary Law Office eingetreten, verheiratet und Vater von zwei Söhnen. Der Reverend Victor de Waal und sein Bruder Henry sind Engländer durch und durch, sprechen zuhause Englisch, und nur noch am leicht gerollten R erkennt man ihre Herkunft vom Kontinent.

Iggie hatte sich in einen Geschäftsmann verwandelt, jene Art Mann, sagte er einmal, es rührte mich, den sein Vater erkannt hätte. Vielleicht weil ich nicht mit Geld umgehen kann, sah ich ihn ähnlich wie Viktor, den großen Geschäftsmann, der sich ein wenig hinter seinem Schreibtisch versteckte, verstohlen einen Gedichtband zwischen den Akten verbarg und auf seine Erlösung am Abend wartete. Tatsächlich aber erwies sich Iggie, anders als sein Vater, der eine Reihe spektakulärer Misserfolge zu verantworten hatte, als geschickt im Umgang mit Geld. »Es genügt wohl zu erwähnen«, tippt er in einem 1964 abgesandten, »privat und vertraulich« gestempelten Brief an den Generaldirektor einer Schweizer Bank in Zürich – er verwendete ihn als Lesezeichen in »Unser Mann in Havanna« –, »dass ich in Japan bei Null begonnen und über die Jahre eine Organisation mit einem Jahresumsatz von über 100 Millionen Yen aufgebaut habe. Wir unterhalten zwei Büros in Japan, in Tokio und Osaka, beschäftigen 45 Angestellte, ich bin

Vizepräsident und Geschäftsführer für Japan.« Hundert Millionen Yen war eine Menge Geld.

So wurde Iggie doch noch Bankier, hundert Jahre, nachdem sein Großvater Ignaz die Bank nahe der Schottengasse in Wien gegründet hatte. Er wurde Repräsentant jener Schweizer Bank in Tokio – das Nonplusultra der Banken, erklärte er mir. Er legte sich ein größeres Büro zu, diesmal mit einer Sekretärin hinter einem Tisch am Empfang, dazu ein Ikebana-Gesteck mit Kiefernzweig und Iris. Von seinen Fenstern im sechsten Stock blickte er nach Westen über die klotzige neue Tokioter Stadtlandschaft mit ihren Antennen und Kränen, Richtung Osten zu den Kiefern am Kaiserpalast und hinunter zum Strom der gelben Taxis in Otemachi. Er wurde er selbst. 1964 war er achtundfünfzig, Krawatte mit festem Knoten, dunkler Anzug, eine Hand in der Tasche, wie auf seinem Maturafoto aus Wien. Sein Haar wurde schütterer, aber Iggie besaß genug Einsicht, um es nicht quer über den Kopf zu frisieren.

Jiro, ein gutaussehender Achtunddreißigjähriger, hatte einen neuen Beruf: Er arbeitete für CBS und handelte Lizenzen für amerikanische Fernsehprogramme in Japan aus.»Und«, erzählte Jiro,»ich war dafür verantwortlich, dass das Wiener Neujahrskonzert in Japan bei NHK ausgestrahlt wurde. Keiner wollte es! Und dann die überschwenglichen Reaktionen! Du weißt, wie wild die Japaner auf Wiener Musik, auf Strauß sind. Wenn Iggie im Taxi gefragt wurde, woher er komme, und er sagte, Wien, Austria, fingen sie den Donauwalzer zu trällern an.«

1970 kaufte das Paar ein Grundstück auf der Ito-Halbinsel, etwa hundert Kilometer südlich von Tokio, genug Platz für ein Landhaus. Auf einer Fotografie ist eine Veranda zu sehen, wo man abends die Drinks einnahm. Der Grund ist leicht abschüssig, umrahmt von Bambusgehölz ist ein Stück Meer zu sehen.

Und sie kauften eine Grabstelle auf dem Gelände des Tempels, wo einer ihrer engsten Freunde sein Familiengrab hatte. Iggie war endgültig angekommen.

1972 zogen sie nach Takanawa, in eine Wohnung in einem Neubau in guter Umgebung. »Higashi-Ginza, Shimbashi, Daimon, Mita«, flötet die Stimme in der U-Bahn, und dann »Senkakuji«, und man steigt aus und geht den Hügel hinauf heimwärts auf dieser stillen Straße neben den Mauern des Palastes von Prinz Takamatsu. Tokio kann sehr still sein. Einmal wartete ich auf ihre Heimkehr, ich saß auf dem niedrigen grünen Geländer gegenüber, und in einer Stunde kamen bloß zwei alte Damen vorbei und ein hoffnungsfrohes gelbes Taxi.

Es waren keine großen, aber sehr praktische Wohnungen: Sie dachten an die Zukunft. Getrennte Eingänge, doch angrenzend, mit einer Verbindungstür zwischen den beiden Ankleidezimmern. Iggie ließ in seinem Vorraum eine Wand verspiegeln und die andere mit Goldfolie verkleiden. Auf einem kleinen Schemel konnte man sitzen und die Schuhe ausziehen, auch ein segnender Buddha von einer lang vergessenen Einkaufstour in Kyoto stand da. Einige der Wiener Bilder wanderten auf Jiros Seite, einiges von Jiros japanischem Porzellan fand seinen Platz auf Iggies Regalen. Ein Foto von Emmy stand auf dem kleinen Schrein neben einem Foto von Jiros Mutter. Aus Iggies Ankleidezimmer mit seiner Jackettkollektion blickte man auf den Garten des Prinzen. Vom Wohnzimmer mit der Vitrine aus sah man bis zur Tokiobucht.

Iggie und Jiro fuhren gemeinsam auf Urlaub. Venedig, Florenz, Paris, London, Honolulu. Und 1973 nach Wien. Es war das erste Mal seit 1936, dass Iggie wieder hier war.

Iggie steht mit Jiro vor dem Palais, in dem er geboren wurde. Sie gehen ins Burgtheater, ins Hotel Sacher, in das ehemalige Stammcafé seines Vaters. Nach der Rückkehr fällt Iggie zwei Entscheidungen. Sie haben miteinander zu tun. Die erste: Er adoptiert Jiro. Jiro wird Jiro Ephrussi Sugiyama. Die zweite: Er legt seine amerikanische Staatsbürgerschaft zurück. Ich fragte ihn nach seiner Rückkehr nach Wien und seiner Wiederannahme der österreichischen Staatsbürgerschaft; ich dachte an Elisabeths Weg um den Ring vom Bahnhof aus und wie sie vor dem Haus ihrer Kindheit die geknickten Linden gesehen hatte. »Ich habe Nixon einfach nicht ausgehalten«, sagte er bloß, sah Jiro an und wechselte das Thema.

Das lässt mich darüber nachdenken, was es bedeutet, sich einem Ort zugehörig zu fühlen. Charles starb als Russe in Paris. Viktor hielt das für falsch; er war fünfzig Jahre lang ein Russe in Wien, dann Österreicher, dann Bürger des Deutschen Reichs, dann staatenlos. Elisabeth behielt fünfzig Jahre lang in England die niederländische Staatsbürgerschaft. Und Iggie war Österreicher, dann Amerikaner, dann ein in Japan lebender Österreicher.

Man assimiliert sich, aber einen Ort muss es geben, wo man hingehen kann. Man hält den Pass bereit. Man behält etwas Privates.

# 34

# Über Politur

Es muss in den 1970ern gewesen sein, als Iggie kleine Nummern auf die Netsuke klebte, eine Liste anfertigte, was sie darstellten, und sie schätzen ließ. Sie waren erstaunlich wertvoll. Der Tiger war der Star. Das ist endlich der Punkt, an dem die Netsukeschnitzer wieder ihre Namen erhalten und beginnen, Menschen mit Familien zu werden, Kunsthandwerker in einer ganz bestimmten Gegend. Um sie herum lagern sich Geschichten ab:

»Zu Beginn des 19. Jahrhunderts lebte in Gifu ein Schnitzer namens Tomokazu, der sich beim Schnitzen von Netsuke-Tierfiguren hervortat. Eines Tages verließ er sein Haus, leicht gewandet, als wolle er ins Bad gehen, und man hörte drei, vier Tage nichts von ihm. Seine Familie und seine Nachbarn waren sehr besorgt, was aus ihm geworden war, als er plötzlich wiederkehrte. Er erklärte den Grund für sein Verschwinden und sagte, er habe ein Hirsch-Netsuke schnitzen wollen und sei tief in die Berge hineingegangen, wo er genau beobachtete, wie diese Tiere lebten, und habe die ganze Zeit nichts gegessen. Er soll die Arbeit, die er tun wollte, vollendet haben, die auf seinen Beobachtungen in den Bergen beruhte ... Nicht selten verwendete man auf ein Netsuke ein oder sogar zwei Monate Arbeit ...«

Ich gehe zu meinem Schrank und sehe darin vier kleine, übereinander kriechende Schildkröten. Ich prüfe die Nummer auf Iggies Liste: Sie sind von Tomokazu, aus Buchsbaum, die Farbe eines Caffè macchiato. Das Netsuke ist sehr klein und so geschnitzt, dass man, dreht man es in der Hand, die blanken Schildkröten krabbeln fühlt, unentwegt und immer wieder. Während ich es halte, weiß ich: Dieser Mann hat sich Schildkröten wirklich angeschaut.

Iggie hatte sich Notizen über die Fragen der Wissenschaftler und einiger Händler gemacht, die sich die Sammlung angesehen hatten.

Warum bloß sollte die Signatur auf einem Kunstwerk die Sache vereinfachen? Nein, mit der Signatur stellen sich erst Fragen von byzantinischer Kompliziertheit. Sind die Striche sicher ausgeführt oder zögernd? Wie viele Striche hat das Schriftzeichen? Weist es eine Umrandung auf? Wenn ja, wie sieht diese Kartusche aus? Könnte man die Zeichen eventuell anders deuten? Und meine Lieblingsfrage, eine Frage von beinahe scholastischer Tiefgründigkeit: Wie sieht die Beziehung zwischen einem großen Schnitzkünstler und einer schlechten Signatur aus?

Das wird mir zu viel, also sehe ich mir die Patina an. Und dann schlage ich nach:

»Menschen aus dem Westen mag es scheinen, als wäre ein Unterschied in der Politur nur eine Sache der Rezeptur und des Auftrags. Tatsächlich aber ist das Polieren ein wichtiger Prozess bei der Schaffung eines schönen Netsuke. Dazu gehört eine Abfolge von Erhitzen, Trocknen und Einreiben mit diversen Ingredienzien und Materialien, die sorgsam gehütete Geheimnisse sind. Eine schöne Politur erfordert drei bis vier Tage mühsamer Ausdauer und gewissenhafter Sorgfalt. Die dicke, satte, braune Politur Tomokazus des Jüngeren ist zwar schön, aber nicht von überragender Qualität.«

Also nehme ich meinen Tiger mit den eingelegten Augen aus gelbem Horn, geschaffen von Tomokazu dem Jüngeren aus der Tamba-Schule. Dieser Schnitzer arbeitete mit feinem, festem Buchsbaumholz und war für die Beweglichkeit seiner Tierfiguren bekannt. Meine hat einen gestreiften Schwanz, peitschengleich über den Rücken geschwungen. Ich nehme sie für einen Tag oder zwei heraus und lasse sie dummerweise auf meinen Notizen im fünften Stock (Biographien K–S) in der London Library liegen, während ich auf einen Kaffee gehe. Aber er ist noch da, als ich zurückkomme, mein unvergleichlicher Tiger mit den glühenden Augen in seinem satten, braunen, grimmigen Gesicht.

Er ist pure Drohung. Er hat die anderen Leser verscheucht.

CODA

*Tokio, Odessa, London*
*2001–2009*

# 35.

# Jiro

Ich bin wieder in Tokio und gehe von der U-Bahn-Station nach oben, vorbei an den Automaten mit den Iso-Getränken. Es ist September, ich war seit zwei Jahren nicht mehr hier. Die Automaten sind neu. Manche Dinge in Tokio verändern sich langsam. Neben den silbrig schimmernden Wohnblocks stehen immer noch die paar verfallenen Holzhäuser mit den Wäscheleinen vor der Tür. Mrs. X vom Sushi-Restaurant putzt die Treppe. Ich wohne bei Jiro, wie immer. Er ist Anfang achtzig, hat viel zu tun. Er geht natürlich in die Oper und ins Theater. Einige Jahre hat er einen Töpferkurs besucht, Teeschalen und kleine Schüsselchen für Sojasauce angefertigt. Jiro hat Iggies Wohnung seit dessen Tod vor fünfzehn Jahren unverändert gelassen. Die Federn stecken noch im Halter, der Löscher liegt noch mitten auf dem Schreibtisch. Hier wohne ich.

Ich habe einen Kassettenrecorder mitgebracht, wir werkeln eine Zeitlang daran herum und geben es dann auf, sehen uns die Nachrichten an, nehmen einen Drink, essen etwas Toast und Pâté. Ich bin drei Tage hier, um Jiro noch ein bisschen über sein Leben mit Iggie auszufragen und zu überprüfen, ob ich mir bei der Geschichte der Netsuke nicht irgendetwas falsch gemerkt habe. Ich möchte sicherstellen, dass ich richtig wiedergebe, wie sich Iggie und Jiro kennenlernten, den Namen der Straße, wo sie ihr erstes gemeinsames Haus hatten. Es ist eines dieser Gespräche, die eben stattfinden müssen, aber das Formelle daran stört mich.

Der Jetlag macht mir zu schaffen, um halb vier Uhr früh werde ich wach. Ich mache mir Kaffee, streiche mit der Hand über Iggies Bücherschränke, die alten Kinderbücher aus Wien, die gesammelten Werke von Len Deighton neben Proust, suche etwas zu lesen. Ich nehme mir eine alte Ausgabe des *Architectural Digest*, ich liebe sie wegen der glamourösen Anzeigen für Chrysler und Chivas Regal Whisky, und finde zwischen den Heften vom Juni und Juli 1966 einen Briefumschlag mit sehr alten, offiziell aussehenden Dokumenten auf Russisch. Ich wandere im Zimmer auf und ab, nicht sicher, ob ich noch mehr Kuverts mit Überraschungen verkraften kann.

Ich sehe empor zu den aus dem Palais geretteten Bildern, die in Viktors Arbeitszimmer am Ende des Flurs zu hängen pflegten, auf den goldschimmernden Wandschirm mit den Schwertlilien, den Iggie in den 1950er Jahren in Kyoto gekauft hat. Ich nehme eine alte chinesische Schale mit tief eingeschnittenen Blütenblättern in die Hand. In den Einschnitten ist grüne Glasur. Dreißig Jahre kenne ich sie jetzt, denke ich, und sie fühlt sich immer noch gut an.

Dieser Raum war so lange Teil meines Lebens, dass ich ihn nicht einfach betrachten, mich davon distanzieren kann. Ich kann ihn nicht inventarisieren wie Charles' Räume in der Rue de Monceau und der Avenue d'Iéna oder Emmys Ankleidezimmer in Wien.

Gegen Morgen schlafe ich ein.

Jiro versteht sich aufs Frühstückmachen. Wir trinken exzellenten Kaffee, essen Papaya und winzige *pains au chocolat* von einer Bäckerei an der Ginza. Und dann atmen wir tief durch, und er erzählt mir zum ersten Mal von dem Tag, an dem der Krieg endete; wie er sich am 15. August 1945 von einer leichten Rippenfellentzündung erholte und sich langweilte. Er war nach Tokio gekommen, um einen Freund zu besuchen, und sie fuhren mit dem Nachmittagszug heim nach Izu. »Es war nicht leicht, Zugkarten zu bekommen; wir plauderten im Zug und sahen plötzlich Frauen in bunten Kleidern. Wir konnten es nicht glauben. Jahrelang hatten wir nichts Farbiges gesehen. Und dann hörten wir die Nachricht, dass ein paar Stunden zuvor die Kapitulation verkündet worden war.«

Wir sprechen über die Reisen, die ich auf der Suche nach der Geschichte der Netsuke unternommen habe, das Vagabundieren. Wir sehen uns die Fotos an, die ich in Paris und Wien aufgenommen habe, und ich zeige ihm einen Ausschnitt aus der Zeitung von letzter Woche. Ein rosa-goldenes Fabergé-Ei, das geöffnet einen diamantenbesetzten

Hahn sehen lässt – in Auftrag gegeben von Iggies Großtante Beatrice Ephrussi-Rothschild –, ist das derzeit teuerste russische Kunstobjekt, das je in einer Auktion verkauft wurde. Und da wir in Iggies ehemaliger Wohnung sitzen, macht Jiro die Vitrine noch einmal auf und fasst hinein, um ein Netsuke herauszunehmen.

Dann schlägt er vor, wir sollten abends ausgehen. Es gebe da ein neues Restaurant, von dem er Gutes gehört habe, und danach könnten wir uns einen Film ansehen.

# 36.

## Ein Astrolabium, eine Mensula, ein Globus

Es ist November, ich muss nach Odessa fahren. Beinahe zwei Jahre ist es jetzt her, seit ich diese Reise begonnen habe, und ich bin überall gewesen außer in der Stadt, die der Ausgangspunkt der Familie Ephrussi war. Ich möchte das Schwarze Meer sehen und mir die Getreidespeicher am Hafen vorstellen. Wenn ich in dem Haus bin, in dem Charles und mein Urgroßvater Viktor geboren wurden, vielleicht werde ich dann verstehen. Ich bin nicht sicher, was. Warum sie fortgegangen sind? Was es bedeutet, fortzugehen? Ich glaube, ich suche nach einem Anfang.

Ich treffe Thomas, meinen jüngsten Bruder, den größten, er ist mit dem Taxi aus Moldawien gekommen. Er ist Experte für den Kaukasus-konflikt. Fünf Stunden hat er für die Fahrt gebraucht. Thomas, der seit Jahren die Geschichte der Efrussi in Odessa erforscht und Russisch spricht, ist abgeklärt, was Grenzen anlangt. Er ist aufgehalten worden, lacht, immer ein Problem, soll man bestechen oder nicht? Ich mache mir Sorgen wegen der Visa, er nicht. Fünfundzwanzig Jahre lang sind wir nicht mehr miteinander gereist, seit wir als Studenten auf den griechischen Inseln unterwegs waren. Andrei, der moldawische Taxifahrer, fährt los.

Wir rattern durch die Außenbezirke voller heruntergekommener Wohnblocks und verfallender Fabriken, werden von riesigen schwarzen Allradwagen mit getönten Scheiben und von alten Fiats überholt, bis wir in die breiten Avenuen des alten Odessa kommen. Niemand hat mir gesagt, dass es so schön ist, meine ich vorwurfsvoll zu Thomas, dass neben dem Pflaster Trompetenbäume wachsen, dass man durch offene Türen einen Blick in Innenhöfe werfen kann, flache Eichenstufen, Balkone. Einiges in Odessa wird restauriert, Mauerwerk erneuert, Stuck wieder angestrichen, während andere Gebäude mit hängenden Kabelschleifen, durchsackenden Dächern, schief in den Angeln schwingenden Türen und fehlenden Säulenkapitellen in Piranesischer Verkommenheit versinken.

Wir bleiben vor dem Hotel Londonskya stehen, einem goldstrotzenden Marmorpalast der Belle Époque am Primorsky Boulevard. Im Foyer spielt leise Musik, Queen. Der Boulevard ist eine breite Promenade, gesäumt von einer Reihe klassizistischer, gelb und hellblau angestrichener Gebäude. Er erstreckt sich zu beiden Seiten der Potemkin-Treppe, die durch Eisensteins Film »Panzerkreuzer Potemkin« berühmt wurde. Es sind 192 Stufen mit zehn Zwischenabsätzen, so angelegt, dass man, von oben hinunterblickend, nur die Absätze sieht, von unten hinauf hingegen nur Stufen.

Man sollte die Treppe langsam emporsteigen. Oben angekommen, sollte man die aufdringlichen Verkäufer meiden, die sowjetische Marinemützen feilbieten, den bettelnden Matrosen mit dem um den Hals gehängten Gedicht und den als Peter der Große verkleideten Mann, dem man für ein Foto mit ihm Geld geben soll. An der Vorderseite steht eine Statue des Herzogs von Richelieu in Toga, der Gouverneur der Region hatte ihn Anfang des 19. Jahrhunderts hierherberufen, um die Stadtplanung zu leiten. Vorbei an ihm und durch die Torbögen goldstrotzender Gebäude, zwei perfekte Klammern, und man kommt zu Katharina der Großen, umringt von ihren Favoriten. Fünfzig Jahre lang stand hier eine sowjetische Statue, aber nun ist Katharina dank einem lokalen Oligarchen wieder an ihrem alten Platz. Granitblöcke liegen zu ihren Füßen.

Oben angekommen, geht es nach rechts; die Promenade verläuft zwischen von Kastanien und staubbedeckten Blumenbeeten gesäumten Avenuen bis zum Schlusspunkt, dem Gouverneurspalast, dem Ort berühmter Festivitäten. Er ist streng und dorisch.

Jede Ansicht wirkt austariert. Es gibt Landmarken, zwischen denen man hin und her wandern kann: die Puschkin-Statue, die an seinen Aufenthalt in Odessa erinnert, eine von den Briten im Krimkrieg erbeutete Kanone. Hier fand die abendliche Promenade statt, »das Hin-und-wider-Wandern in der Dämmerung, das Schwatzen und die Liebelei«. Etwas weiter oben steht das nach dem Vorbild der Wiener Oper errichtete Opernhaus, wo sich jüdische und griechische Fraktionen im Namen der jeweils neuen italienischen Sängerinnen – die »Montechellisti«, die »Carraristi« – bekriegten. Das ist keine um eine Kathedrale oder eine Festung erbaute Stadt. Es ist eine hellenische Stadt der Kaufleute und Dichter, und dies ist eine bürgerliche Agora.

In einem Kramladen in einer Einkaufspassage kaufe ich für meine Kinder ein paar Sowjetmedaillen und Ansichtskarten aus dem 19. Jahrhundert. Auf einer vom Ende des Jahrhunderts ist es Hochsommer, vielleicht Juli. Es ist gegen Mittag, die Schatten der Kastanienbäume sind kurz. Die Promenade war »kühl sogar zu Mittag in der Hitze des Hochsommers«, wie es bei einem Dichter aus Odessa heißt. Eine Frau mit Sonnenschirm geht die Promenade entlang, weg von der Puschkin-Statue, ein Kindermädchen schiebt einen riesigen schwarzen Kinderwagen. Man kann gerade noch die Kuppel der Zahnradbahn ausmachen, die die Leute zum Hafen hinunterbringt. Dahinter bilden die Masten der in der Bucht liegenden Schiffe eine Linie am Horizont.

Wendet man sich oben an der Treppe nach links, blickt man hinunter zur Börse, eine korinthische Villa, ein Ort der Geschäfte. Heute ist dort das Rathaus, eine Flagge heißt eine belgische Delegation willkommen. Es ist Anfang November und so mild, dass wir in Hemdsärmeln die Straße entlangschlendern. Wir gehen an einigen Villen vorüber, dann am Rathaus; drei Häuser weiter ist das Bankhaus Efrussi, das Haus der Familie steht nebenan. Hier wurden Jules, Ignaz und Charles geboren. Hier wurde Viktor geboren. Wir gehen nach hinten.

Es sieht grässlich aus. Der Verputz blättert in großen Brocken ab, die Balkone hängen schief, die Putti scheinen von ihren Plätzen zu rutschen. Als ich näher komme, bemerke ich, dass am Haus auch einiges erneuert wurde, es ist frisch verputzt, und die Fenster sind sicher nicht original. Aber ganz oben ist ein einzelner Balkon, an dem das Doppel-E der Familie überdauert hat.

Ich zögere. Thomas, der sich in solchen Situationen auskennt, unbefangen ist, geht durch die zerbrochenen Torflügel unter dem Torbogen in den Hof hinter dem Efrussi-Haus. Hier sind die Stallungen

*Die Promenade in Odessa, Postkarte, 1880.*
*Bank und Wohnhaus der Familie Ephrussi befanden sich*
*im zweiten und dritten Gebäude von links*

mit ihren Böden aus dunklem Stein. Ein Schotterbett, sagt er über die Schulter hinweg, Lava aus Sizilien, der auf den Getreidefrachtern mitgebracht wurde. Weizen hinaus, Lava zurück. Ein Dutzend Männer, plötzlich in Schweigen verfallen, trinken Tee, ein Citroën 2 CV steht aufgebockt da. Ein angeketteter Schäferhund bellt. Der Hof ist voller Schutt. Drei Mulden mit Bauholz, Verputzbrocken und Bruchsteinen. Thomas treibt den Polier auf, der trägt eine glänzende Lederjacke. Ja, Sie können hinein, Sie haben Glück, es ist gerade renoviert worden, alles neu, schön gemacht, super gelungen, pünktlich, ein Qualitätsjob. Wir haben gerade Labors im Keller eingebaut, Brandschutztüren und eine Sprinkleranlage. Jetzt kommen die Büros dran. Die Reste vom alten Haus mussten wir loswerden, total hinüber, hoffnungslos. Vor einem Monat hätten sie es sehen sollen!

Ich hätte es sehen sollen. Ich bin zu spät. Was kann ich in dieser ausgeweideten Hülle noch berühren? Es gibt keine Decke, bloß Stahlträger und Elektrokabel. Keine Böden, nur Betonestriche. Die Wände sind frisch verputzt, die Fenster neu verglast. Ein paar Eisenstreben stehen da für neue Raumunterteilungen. Sie haben alle Türen herausgerissen, außer einer Eichentür, die morgen auf den Müll soll. Geblieben ist nur das schiere Volumen der Räume, fünf Meter hoch.

Hier ist nichts.

Thomas und der Glänzende eilen voraus, unterhalten sich auf Russisch. »In dem Haus war seit der Revolution die Zentrale der Dampfschifffahrtsgesellschaft. Und vorher? Weiß Gott! Und jetzt? Die Zentrale der Marine-Gesundheitsbehörde. Deshalb haben wir die Labors eingebaut.« Sie sind schnell. Ich muss mich beeilen.

Wir sind beinahe schon aus der Tür und in dem staubigen Hof, als ich umkehre. Ich habe mich geirrt. Ich gehe wieder die Treppe hinauf und lege meine Hand auf das schmiedeeiserne Geländer, jede Säule ist von einer geschwärzten Weizenähre gekrönt, die Ähre der Efrussi, der Weizen aus der Kornkammer mit der schwarzen ukrainischen Erde, der sie reich gemacht hat. Und während mein Bruder etwas zu mir herauf ruft, stelle ich mich an ein Fenster und blicke durch die Doppelreihe der Kastanien hinaus über die Promenade, die staubigen Wege und die Bänke auf das Schwarze Meer.

Die Efrussi-Knaben sind immer noch hier.

Einige Spuren sind flüchtig. Die Efrussi leben in den Erzählungen von Isaak Babel, dem jüdischen Chronisten des Vorstadtlebens, der Banden in den Slums. Ein Efrussi verschafft sich durch Bestechung den Eintritt ins Gymnasium, zum Nachteil eines begabteren, ärmeren Studenten. Sie kommen in den jiddischen Geschichten von Scholem Alejchem vor. Ein armer Mann aus dem Schtetl wandert nach Odessa, um vom Bankier Efrussi Hilfe zu erbitten. Doch der schlägt seine Bitte ab. Es gibt eine jiddische Redensart: »lebn vi Got in Odes«, leben wie Gott in Odessa, und die Efrussi leben in ihrer Zionstraße wie Gott. Und irgendwo an der Straße liegt zwischen den Trompetenbäumen der Ort, wo der enterbte Stefan, aus Wien verbannt und von Monat zu Monat in schlimmeren Geldnöten, mit seiner frisch angetrauten Frau wohnte, der Geliebten seines Vaters.

Wieder andere Spuren sind konkreter. Nach einem Pogrom wurde ein Efrussi-Waisenhaus gegründet. Es gibt die Efrussi-Schule für jüdische Kinder, gestiftet von Ignaz in Gedenken an seinen Vater, den Patriarchen, und dreißig Jahre lang von Charles, Jules und Viktor mit zusätzlichen Zuwendungen bedacht. Sie steht noch am Rand eines staubigen Parks mit verwilderten Hunden und zertrümmerten Bänken, zwei niedrige, zusammenhängende Gebäude neben der Straßenbahn. 1892 erwähnt die Schule eine Spende von 1200 Rubel durch die Brüder Efrussi. Die Schulleitung hat in St. Petersburg ein Astrolabium, eine Mensula, also einen Messtisch, einen Globus, ein Stahlmesser zum Glasschneiden, ein Skelett und ein auseinandernehmbares Augenmodell gekauft. In einer Buchhandlung in Odessa haben sie 533 Rubel und 64 Kopeken ausgegeben und 280 Bücher von Beecher Stowe, Swift, Tolstoi, Cowper, Thackeray und Scott gekauft. Mit dem Rest schafften sie Mäntel, Blusen und Hosen für fünfundzwanzig arme jüdische Knaben an, damit diese »Ivanhoe« oder »Der Jahrmarkt der Eitelkeiten« lesen konnten, ohne vor Kälte zu zittern, gewappnet gegen den Staub Odessas.

Der Staub in Paris in der Rue Monceau, der Staub in Wien beim Bau der Ringstraße: Nichts kann es mit diesem Staub aufnehmen. »Der Staub liegt wie ein alles zudeckendes Leichentuch, fünf, sechs Zentimeter dick«, schreibt Shirley Brooks 1854 in »The Russians of the South«. »Der leichteste Windhauch wirft ihn in Wolken über die Stadt, der sachteste Fußtritt lässt ihn in dichten Flocken hochwirbeln. Wenn ich Ihnen sage, dass unentwegt Hunderte Kutschen in höchstem Tempo ... herumsausen und dass die Meeresbrisen ständig durch die Straßen fegen, dann ist die Feststellung, dass Odessa in einer Wolke lebe, keine Redewendung.« Es war eine Stadt, die auf Geld aus war: Laut Mark Twain wirken »Straßen und Läden geschäftig; rasch dahineilende Menschen; ein vertrautes Ansehen von Neuheit an den Häusern, ja, und ein wehender, erstickender Staub ...« Es leuchtet mir plötzlich ein, dass die Efrussi-Kinder im Staub aufwuchsen.

Thomas und ich haben uns mit Sascha verabredet, einem adretten Wissenschaftler in den Siebzigern. An der Ecke trifft er einen alten Freund, einen Professor für Vergleichende Literaturwissenschaft;

wir gehen zusammen Richtung Schule, Tom und Sascha unterhalten sich auf Russisch, der Professor und ich auf Englisch über das International Shakespearian Institute. An der Schule angekommen, verabschiedet sich der Professor, und wir drei setzen uns ins Parkcafé, trinken stark gesüßten Kaffee, während die drei Prostituierten an der Bar uns anfunkeln und in Abständen mit Musik aus der Jukebox überschütten. Ich erzähle Sascha, warum wir gekommen sind, dass ich ein Buch schreibe über – ich stocke und halte inne. Ich weiß nicht mehr, ist es ein Buch über meine Familie, über Erinnerung, über mich, oder immer noch ein Buch über kleine japanische Sachen?

Höflich erzählt er mir, dass Gorki Netsuke sammelte. Wir trinken noch einen Kaffee. Ich habe den Umschlag mit den Dokumenten dabei, die ich in Iggies Wohnung in Tokio zwischen den alten Heften des *Architectural Digest* gefunden habe. Sascha ist entsetzt, dass ich die Originale mitgebracht habe und keine Kopien; aber ich sehe, wie er die diversen Papiere anfasst – wie ein Pianist.

Es gibt Unterlagen zum ehrwürdigen Ignaz, dem Erbauer des Palais, als Konsul für die schwedische und norwegische Krone, eine Benachrichtigung vom Zaren, dass er eine bessarabische Medaille tragen darf, Unterlagen vom Rabbinat. Das ist das alte Papier, sagt Sascha, das wurde 1870 geändert, das ist der Stempel, das ist die Gebühr. Hier ist die Unterschrift des Gouverneurs, immer so kräftig, schauen Sie, sie drückt sich fast durch das Papier. Sehen Sie sich diese Adresse an, Ecke X und Y! Typisch Odessa. Das ist eine Beamtenkopie, schlampig ausgefertigt.

Während Sascha die mürb-trockenen Dokumente in den Händen hält und sie neues Leben gewinnen, sehe ich mir zum ersten Mal den Umschlag an. Er ist in Viktors Handschrift adressiert, aus Kövecses im September 1938 an Elisabeth geschickt. Dieses Bündel Dokumente bedeutete Viktor und Iggie etwas. Es war das Familienarchiv. Ich stecke sie vorsichtig wieder ins Kuvert.

Auf dem Weg zurück ins Hotel treten wir in eine Synagoge. Die Juden aus Odessa, so hieß es, waren so weltlich, dass sie ihre Zigaretten an deren Mauern ausdrückten. Ein Kreis der Hölle sei extra für sie vorgesehen. Heute herrscht reger Betrieb. Junge Männer aus Tel Aviv betreiben hier eine Schule. Sie restaurieren einen Teil des Gebäudes, einer der Schüler kommt her und begrüßt uns auf Englisch. Wir schauen hinein, wollen nicht stören; da sehe ich vorne links den gelben Lehnstuhl. Es ist ein Sedersessel, der Sessel für die Auserwählten, der Besondere, für sich Stehende. Charles' gelber Lehnstuhl war unsichtbar, obwohl deutlich und klar zu sehen. Er war so offensichtlich, dass er zwischen den Degas und den Moreaus und dem Schrank mit den Netsuke in seinem Pariser Salon verschwand. Es ist ein Kalauer, ein jüdischer Witz.

Während ich vor dem Museum mit der Statue des ringenden Laokoon stehe, diejenige, die Charles für Viktor zeichnete, wird mir klar, wie sehr ich mich geirrt habe. Ich dachte, die Jungen hätten Odessa verlassen, um in Wien und Paris ihre Ausbildung zu absolvieren. Ich dachte, Charles sei auf seine Grand Tour gegangen, um seinen Horizont zu erweitern, um aus der Provinz wegzukommen und etwas über die Klassiker zu lernen. Aber diese ganze Stadt ist eine über dem Hafen schwebende klassische Welt. Hier, wenige Meter von ihrem Haus am Boulevard, stand ein Museum mit Räumen voller antiker Fundstücke, griechischer Artefakte, ausgegraben, als aus der Kleinstadt eine Großstadt wurde, die jedes Jahrzehnt um die Hälfte wuchs. Natürlich gab es in Odessa Gelehrte und Sammler. Nur weil es eine staubige Stadt war mit Hafenarbeitern und Matrosen, Heizern, Fischern, Tauchern, Schmugglern, Abenteurern, Schwindlern und ihrem Großvater Joachim, dem großen Glücksritter in seinem Palais, hieß das nicht, dass es hier nicht auch viele Schriftsteller und Künstler gegeben hätte.

Hat es hier begonnen, hier am Meeresufer? Vielleicht ist dieser unternehmerische Aufbruchsgeist typisch Odessa; ihr Vagabundieren auf der Suche nach alten Büchern oder Dürer oder Liebesabenteuern oder dem nächsten Geschäft in Getreide. Odessa ist sicher ein guter Ort, um von dort aufzubrechen. Man kann sich nach Osten wenden oder nach Westen. Es ist ironisch, gierig, polyglott.

An diesem Ort kann man gut seinen Namen wechseln. »Jüdische Namen klingen dem Ohr nicht gut«: So wurde aus ihrer Großmutter

Balbina Belle und aus ihrem Großvater Chaim Joachim, später Charles Joachim. Aus Eizak wurde Ignaz und aus Leib Leon. Und Efrussi wurde Ephrussi. Hier wurde die Erinnerung an Berdytschiw, das ukrainische Schtetl, wo Chaim herkam, hinter dem blassgelben Verputz ihres ersten Palais an der Promenade eingemauert.

Hier wurden sie die Ephrussi aus Odessa.

Es ist ein guter Ort, um etwas in die Tasche zu stecken und eine Reise zu beginnen. Ich möchte wissen, wie der Himmel in Berdytschiw aussieht, aber ich muss nachhause. Ich suche unter den Kastanienbäumen nach einer stacheligen Frucht, um sie in die Tasche zu stecken. Zweimal gehe ich die ganze Promenade entlang, aber auch hier bin ich einen Monat zu spät gekommen. Die Kastanien sind weg. Hoffentlich haben Kinder sie aufgehoben.

# 37

# Gelb / Gold / Rot

Auf dem Heimflug von Odessa fühle ich mich erschöpft von diesem
Jahr. Nein, korrigiere ich mich, es ist nicht nur ein Jahr, es sind beinahe
zwei Jahre, in denen ich mir das Gekritzel in den Randspalten der Bücher ansah, die als Lesezeichen dienenden Briefe, die Fotos der Verwandten aus dem 19. Jahrhundert, das Patent aus Odessa von diesem
und jenem, die Kuverts mit den paar traurigen Luftpostbriefen ganz
hinten in den Schubladen. Zwei Jahre Routenaufspüren durch Städte,
eine alte Landkarte in der Hand, ratlos.
Meine Finger sind klebrig von alten Papieren und Staub. Mein Vater stöbert nach wie vor Sachen auf. Warum findet er immer noch etwas in seiner winzigen Wohnung in der Anlage für pensionierte Geistliche? Eben hat er ein Tagebuch aus den 1870er Jahren gefunden, in
unlesbarem Deutsch, das ich übersetzen lassen muss. Eine Woche ver-
streicht in einem Archiv, und ich habe bloß eine Liste noch nicht gele-
sener Zeitungen, eine Notiz, etwas in einem Briefwechsel nachzuschla-
gen, ein Fragezeichen in Sachen Berlin. Mein Atelier ist voller Romane
und Bücher über Japonismus, meine Kinder fehlen mir, und ich habe
seit Monaten kein Porzellan gemacht. Was wird werden, wenn ich
mich endlich mit einem Klumpen Ton an meine Töpferscheibe setze?
Ein paar Tage in Odessa und mehr Fragen als je zuvor. Wo hat
Gorki seine Netsuke gekauft? Wie hat die Bibliothek in Odessa in den
1870ern ausgesehen? Berdytschiw wurde im Krieg zerstört, aber vielleicht sollte ich auch dorthin fahren und nachforschen. Joseph Conrad stammt aus Berdytschiw: Vielleicht sollte ich Conrad lesen. Hat er
über Staub geschrieben?
Mein Tiger-Netsuke kommt aus Tamba, einem Dorf in den Bergen
westlich von Kyoto. Ich erinnere mich an eine endlose Busfahrt vor
dreißig Jahren, als ich einen alten Töpfer an einer abschüssigen, stau-

bigen Straße besuchte. Vielleicht sollte ich der Heimat meines Tigers nachspüren. Es muss eine Kulturgeschichte des Staubs geben.

Mein Notizbuch ist voller Listen. Gelb / Gold / Rot / Gelber Lehnstuhl / Gelber Umschlag / Gazette / Gelbes Palais / Goldenes Lackkästchen / Louises tizianblondes Haar / Renoir: La Bohémienne / Vermeers Ansicht von Delft.

Auf dem Prager Flughafen, wo ich umsteige und drei Stunden Aufenthalt habe, sitze ich mit meinen Notizbüchern und einer Flasche Bier, dann noch einer, und zerbreche mir den Kopf über Berdytschiw. Ich erinnere mich, dass Charles, der gewandte Tänzer, von seinem Bruder Ignaz und von Robert de Montesquiou, einem engen Freund Prousts, »Le Polonais« genannt wurde, der Pole, aber auch der Polonaisentänzer. Und Painter, der frühe Proust-Biograph, nahm das auf und machte Charles barbarisch und ungeschlacht. Ich dachte, er wäre da bloß falsch gelegen. Vielleicht, denke ich, während ich mein Bier trinke, wollte er betonen, woher jemand kam: aus Polen, nicht aus Russland. Mir wird klar, dass ich in meiner Begeisterung über taktile Reaktionen auf Odessa dessen Ruf als Stadt der Pogrome, als eine Stadt, der man gerne entkommt, beiseitegewischt habe.

Und ich habe das etwas mulmige Gefühl des Biographen, mich unbefugt am Rand des Lebens anderer Menschen herumzutreiben. Lass es einfach. Lass es liegen. Hör auf zu suchen und Dinge aufzuheben, beschwört mich die Stimme. Fahr heim und lass diese Geschichten.

Aber es zu lassen ist schwer. Ich erinnere mich an das Zögern, als ich mich mit dem alten Iggie unterhielt: Zögern, das in Schweigen verzitterte, ein Schweigen, das Verluste andeutete. Ich denke an Charles in seiner Todeskrankheit und an den Tod Swanns und wie man sein Herz aufschließt wie eine Vitrine, wie eine Erinnerung nach der anderen herausgenommen wird. »Selbst wenn man nicht mehr an den Dingen hängt, ist es nicht unbedingt gleichgültig, ob man daran gehangen hat, denn immer ist es aus Gründen gewesen, die den anderen entgehen.« Es gibt Orte in der Erinnerung, an die man nicht mit anderen gehen möchte. In den 1960ern verbrannte meine Großmutter Elisabeth, eine so fleißige Briefschreiberin, eine Anwältin der Briefe (»schreib es noch einmal, ausführlicher«) die Hunderten Briefe und Zettel, die sie von ihrer poesiebegeisterten Großmutter Evelina erhalten hatte. Nicht: »Wen interessiert das schon?« Sondern: »Komm dem nicht zu nahe. Das ist privat.« Als sehr alte Frau sprach sie nie über ihre Mutter. Sie redete über Politik und französische Lyrik. Sie erwähnte Emmy nicht, bis eines Tages plötzlich ein Foto aus ihrem Gebetbuch fiel. Mein Vater hob es auf, und sie sagte ihm ganz nüchtern, das sei einer der Liebhaber ihrer Mutter, und begann darüber zu reden, wie unangenehm diese Liebesaffären gewesen seien, wie sie sich dadurch kompromittiert gefühlt habe. Und dann wieder Schweigen. Etwas ist am Verbrennen dieser Briefe, das mich innehalten lässt: Warum sollte alles deutlich gemacht und ans Licht gezerrt werden? Warum sollte man Dinge aufheben, seine Intimitäten archivieren? Warum sollte man nicht dreißig Jahre Gedankenaustausch in Rauchfahnen in die Luft von Tunbridge Wells verkräuseln lassen? Nur weil man etwas hat, bedeutet das nicht, dass man es weitergeben muss. Etwas zu verlieren kann manchmal Raum schaffen, in dem man leben kann. Wien fehlt mir nicht, pflegte Elisabeth leichthin zu sagen. Es war klaustrophobisch. Es war sehr düster.

Sie war über neunzig, als sie einmal erwähnte, sie habe als Kind rabbinischen Unterricht erhalten: »Ich fragte meinen Vater um Erlaubnis. Er war verblüfft.« Sie sagte das so sachlich, als wüsste ich es schon. Als sie zwei Jahre später starb, stand da mein Vater, der in Amsterdam geborene Geistliche der Church of England, der seine Kindheit an verschiedenen Orten in Europa verbracht hatte, in seinem benediktinisch-schwarzen, rabbinisch-schwarzen Habit und sagte in der Pfarrkirche in der Nähe ihres Pflegeheims Kaddisch für seine Mutter.

Das Problem ist, ich bin im falschen Jahrhundert, um Sachen zu verbrennen. Ich bin die falsche Generation, um loszulassen. Ich denke an eine feinsäuberlich in Kisten verpackte Bibliothek. Ich denke an all die gründlichen Verbrennungen der anderen, das systematische Auslöschen von Geschichten, das Auseinanderreißen von Menschen und ihren Besitztümern, dann von Menschen und ihren Familien, ihrer Umgebung. Und dann von ihrem Land.

Ich denke an jemanden, der eine Liste kontrolliert, um sicherzugehen, dass diese Menschen noch am Leben und in Wien wohnhaft sind, bevor er »Sara« oder »Israel« über ihre Geburtsurkunde stempelt. Ich denke an die Familienlisten in den Papieren für die Deportation. Wenn andere bei wichtigen Dingen so gründlich sein können, dann muss ich ebenso gründlich mit diesen Objekten und ihren Geschichten umgehen. Ich muss das hinbekommen, noch einmal checken, noch einmal hingehen.

»Glauben Sie nicht, dass diese Netsuke in Japan bleiben sollten?«, meint eine strenge Nachbarin in London. Und ich merke, wie ich zittere bei meiner Antwort, denn das ist wichtig.

Ich sage ihr, es gebe viele Netsuke auf der Welt, sie liegen auf samtüberzogenen Regalen in den Schränken der Händler um die Bond Street oder Madison Avenue, die Keizersgracht oder die Ginza. Dann schweife ich ein wenig auf die Seidenstraße ab, dann zu den Münzen Alexanders des Großen, die noch im 19. Jahrhundert im Hindukusch in Umlauf waren. Ich erzähle ihr, wie ich mit meiner Gefährtin Sue in Äthiopien unterwegs war, auf einem Markt einen alten, staubbedeckten chinesischen Krug fand und herauszufinden versuchte, wie er dorthin gekommen war.

Nein, entgegne ich. Objekte sind immer herumgetragen, verkauft, getauscht, gestohlen, wiedergefunden und verloren worden. Menschen haben immer Geschenke gemacht. Es geht darum, wie man ihre Geschichte erzählt.

Das ist das Gegenstück einer Frage, die man mir oft stellt: »Ist es nicht schlimm für Sie, wenn Ihre Sachen das Atelier verlassen?« Was soll ich sagen, nein, es ist nicht schlimm. Ich lebe davon, Dinge gehen zu lassen. Wenn man Gegenstände herstellt, so wie ich es tue, dann hofft man, dass sie ihren Weg in der Welt machen und eine gewisse Langlebigkeit haben.

Nicht nur Dinge tragen ihre Geschichten in sich. Auch Geschichten sind eine Art Dinge. Geschichten und Objekte haben etwas gemeinsam, eine Patina. Vor zwei Jahren, als ich begann, dachte ich, das sei klar, aber jetzt weiß ich nicht mehr genau, wie das funktioniert. Vielleicht ist Patina ein Wegreiben, wobei das Wesentliche enthüllt wird, so wie ein geriffelter Stein, in einem Fluss um und um gerollt, sich unreduzierbar anfühlt, so wie dieses Netsuke eines Fuchses inzwischen wenig mehr ist als die Erinnerung an eine Nase und einen Schwanz. Aber es scheint auch etwas dazuzukommen, so wie ein Eichenholzmöbel durch Jahre des Polierens etwas gewinnt, so wie die Blätter meiner Mispel schimmern.

Man nimmt einen Gegenstand aus der Tasche, legt ihn vor sich auf den Tisch und fängt an. Man beginnt eine Geschichte zu erzählen.

Wenn ich sie halte, bemerke ich, dass ich nach Abnützungsspuren suche, nach den in Faserrichtung laufenden feinen Rissen in manchen Elfenbeingegenständen. Nicht dass ich möchte, die dünne Bruchlinie in den Ringern – ein Knäuel verzweifelt um sich schlagender Elfenbeinglieder – käme davon, dass irgendeine Berühmtheit (ein Dichter, ein Maler, Proust) sie in einem Augenblick hitziger Fin-de-Siècle-Exaltation auf Charles' goldgelben Teppich der Winde fallen ließ. Oder der tief eingefressene Schmutz unter den Flügeln der Zikade auf der Walnussschale käme davon, dass sie in einer Wiener Matratze lagen. Wahrscheinlich ist das ja nicht der Grund.

Der letzte Rastplatz der Sammlung ist London. Das Victoria and Albert Museum stößt einige seiner alten Vitrinen ab, um Platz für neue Schaukästen zu schaffen. Ich kaufe eine.

Da meine Töpferarbeiten als minimalistisch gelten – Reihen von blass seladongrünen und blaugrauen Porzellangefäßen –, nimmt man an, meine Frau und meine drei Kinder würden in einer Art Tempel des Minimalismus leben, mit einem Betonboden vielleicht oder Glaswänden, ein paar dänischen Möbeln. Weit gefehlt. Wir wohnen in einem edwardianischen Haus in einer hübschen Londoner Straße, davor Platanen, im Vorraum lagen heute Morgen zum Beispiel ein Cello, ein Waldhorn, ein paar Gummistiefel, eine hölzerne Burg, mit der die Buben nicht mehr spielen, seit drei Monaten wartet sie darauf, in einen Wohltätigkeitsladen gebracht zu werden, ein Haufen Mäntel und Schuhe und Ella, unsere geliebte alte Jagdhündin – dahinter wird es dann erst richtig arg. Aber ich möchte, dass unsere drei Kinder die

Möglichkeit haben, die Netsuke kennen zu lernen, so wie es jene drei Kinder vor hundert Jahren durften.

Also hieven wir mit viel Mühe die ausrangierte Vitrine herein. Es braucht vier Mann und eine Menge Gefluche. Sie hat einen Mahagonisockel, ist aus Bronze und zweieinhalb Meter hoch, mit drei Glasregalen. Erst als wir sie an der Wand befestigen, erinnere ich mich an meine Sammlungen aus der Kindheit. Ich sammelte Knochen, ein Mäusefell, Muscheln, eine Tigerkralle, eine abgeworfene Schlangenhaut, Tonpfeifen und Muschelschalen, dazu viktorianische Pennys aus der archäologischen Grabung, die mein Bruder John und ich in einem Sommer vor vierzig Jahren in Lincoln in Angriff nahmen; wir hatten die Ausgrabungsstätte schon mit Schnüren markiert, aber dann wurde uns langweilig. Mein Vater war Kanzler an der Kathedrale, und wir wohnten gegenüber dem großen gotischen Ostfenster, in der Chancery, einem mittelalterlichen Haus mit einer Wendeltreppe und einer Kapelle an jedem Ende eines langen Ganges. Ein Erzdiakon im Kathedralenhof gab uns seine Sammlung von Fossilien weiter, die er in seiner Kindheit zu König Edwards Zeiten in Norfolk ausgegraben hatte, auf einigen standen noch Tag und Fundort verzeichnet. Als ich sieben war, stieß die Dombibliothek Mahagonischränke ab, und so nahm eine Vitrine – meine erste – mein halbes Zimmer ein; dort ordnete ich meine Objekte immer wieder neu, drehte den Schlüssel um und öffnete den Schrank, wenn mich jemand darum bat. Es war meine Wunderkammer, meine Welt der Dinge, meine geheime Geschichte der Berührung.

Diese letzte Vitrine, denke ich, wird ein guter Aufbewahrungsort für die Netsuke sein. Sie steht neben dem Klavier und ist nicht versperrt, damit die Kinder sie aufmachen können, wenn sie wollen.

Ich lege einige Netsuke hinein – den Wolf, die Mispel, den Hasen mit den Bernsteinaugen, noch ein Dutzend – und als ich wieder hinsehe, haben sie sich bewegt. Eine zum Schlafen zusammengerollte Ratte ist nach vorne gerutscht. Ich öffne die Glastür und nehme sie heraus. Ich stecke sie in die Tasche, lege dem Hund die Leine an und gehe zur Arbeit. Ich muss töpfern.

Ein neuer Anfang für die Netsuke.

# Dank

Dieses Buch hatte eine lange Inkubationszeit. 2005 habe ich die Geschichte zuerst erzählt; ich möchte Michael Goldfarb, Joe Earle und Christopher Benfey danken, die damals meinten, ich solle endlich mit dem Erzählen aufhören und schreiben.

Zunächst möchte ich meinem Bruder Thomas für seine praktische Hilfe und Kameradschaft danken. Mein Onkel und meine Tante Constant und Julia de Waal haben mich immerzu unterstützt. Danke an alle, die bei Recherchen und Übersetzungen geholfen haben, im Besonderen Georgina Wilson, Hannah James, Tom Otter, Susannah Otter, Chantal Riekel und Aurogeeta Das. Dr. Jo Catling von der University of East Anglia hat unschätzbare Arbeit in Sachen Rilke-Ephrussi-Briefwechsel geleistet, Mark Hinton von Christies war eine große Hilfe beim Entschlüsseln der Signaturen auf den Netsuke. Carys Davies, mein Ateliermanager, hat mir die Welt ferngehalten und war Tag für Tag ein wunderbarer Gesprächspartner.

Danken möchte ich Gisele de Bogarde Scantlebury, Marie-Louise von Motesiczky (†), Francis Spufford, Jenny Turner, Madeleine Bessborough, Anthony Sinclair, Brian Dillon, James Harding, Lydia Syson, Mark Jones, A.S. Byatt, Charles Saumerez-Smith, Ruth Saunders, Amanda Renshaw, Tim Barringer, Jorunn Veiteberg, Rosie Thomas, Vikram Seth und Joram ten Brink. Besonders verbunden bin ich Martina Margetts, Philip Watson und Fiona MacCarthy, die alle an dieses Buch geglaubt haben.

Danke den Mitarbeiterinnen und Mitarbeitern der London Library, der National Art Library am Victoria and Albert Museum, der British Library, der Cambridge University Library, des Courtauld Institute, des Goethe-Instituts, des Musée d'Orsay, des Louvre, der Bibliothèque Nationale, der National Library Tokio, der Israelitischen

Kultusgemeinde und der Heraldisch-Genealogischen Gesellschaft Adler in Wien. Sophie Lillie möchte ich für ihre Pionierarbeit in Sachen Restitution danken, Anna Staudacher und Wolf-Erich Eckstein von der Israelitischen Kultusgemeinde, Georg Gaugusch und Christopher Wentworth-Stanley für Hilfe bei der Genealogie und Martin Drschka von Casinos Austria für seinen Empfang im Palais Ephrussi. In Odessa haben mich Mark Naidorf, Anna Misyuk und Alexander (Sascha) Rozenboim durch einige Phasen der Efrussi-Geschichte geleitet.

Felicity Bryan war die wunderbarste Agentin und Mutmacherin. Ich möchte hier festhalten, wie dankbar ich ihr und ihren Kolleginnen in der Agentur Felicity Bryan bin, ebenso Zoe Pagnamenta und den Mitarbeiter/innen bei Andrew Nurnberg Associates. Danken möchte ich auch Juliet Brooke, Stephen Parker und Kate Bland bei Chatto. Jonathan Galassi bei Farrar, Straus and Giroux war von Beginn an ein großartiger Fürsprecher.

Ich war überwältigt von der Sorgfalt, Hingabe und dem Einfühlungsvermögen meiner beiden Lektorinnen. Clara Farmer bei Chatto hatte mir geschrieben und sich nach dem Buch erkundigt. Sie und Courtney Hodell bei FSG sind für die Entstehung verantwortlich, ich bin ihnen beiden zutiefst verpflichtet.

Vor allem möchte ich meine Liebe und Dankbarkeit für meine verstorbene Großmutter und meinen verstorbenen Großonkel Iggie bekunden, für meine Mutter Esther de Waal, meinen Vater Victor de Waal und Jiro Sugiyama.

Ohne die stete Großzügigkeit meiner Frau Sue Chandler hätte ich dieses Buch nicht schreiben können. Es ist unseren Kindern Ben, Matthew und Anna gewidmet.

## Text- und Bildnachweis